Orgueil et préjugés

et Zombies

Jane Austen (1775-1817) est l'auteur de Raison et Sentiments, Persuasion, Mansfield Park, *et autres chefs-d'œuvre de la littérature anglaise.*

Seth Grahame-Smith (1976-?) est un écrivain et scénariste américain qui ne s'est jamais remis de la lecture de Jane Austen.

Jane Austen Seth Grahame-Smith

Orgueil et préjugés

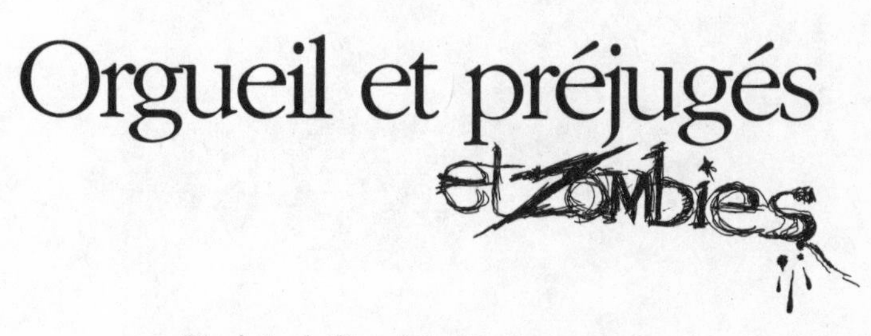

Traduit de l'anglais par Laurent Bury

Flammarion

En couverture, photomontage d'Eric Doxat (© Flammarion) d'après des portraits de : Maria B. Fox (© Bridgeman Art Library) ; Elizabeth Campbell (© Philip Mould Ltd, Londres / Bridgeman Art Library) ; femme en robe noire (© Bridgeman Art Library) ; jeune homme (© National Gallery of Scotland, Édimbourg / Bridgeman Art Library) ; jeune femme rousse (© Bridgeman Art Library)

Titre original : *Pride and Prejudice and Zombies*
Copyright © 2009 by Quirk Productions, Inc.
All rights reserved
First published in English by Quirk Books, Philadelphia, Pennsylvania
Ce livre a été négocié par l'intermédiaire de l'agence littéraire Sea of Stories,
www.seaofstories.com, sidonie@seaofstories.com
© Éditions Flammarion, Paris, 2009
ISBN : 978-2-0812-2949-5

Chapitre 1

C'EST UNE VÉRITÉ universellement reconnue qu'un zombie ayant dévoré un certain nombre de cerveaux est nécessairement à la recherche d'autres cerveaux. Jamais cette vérité ne fut mieux illustrée que lors des récentes attaques de Netherfield Park, où les dix-huit personnes de la maisonnée furent massacrées et dévorées par une horde de morts-vivants.

— Mon cher Mr Bennet, lui dit un jour son épouse, savez-vous que Netherfield Park est de nouveau occupé ?

Mr Bennet répondit qu'il l'ignorait et poursuivit sa tâche matinale : il aiguisait son poignard et nettoyait son mousquet car, depuis quelques semaines, les attaques d'innommables avaient augmenté à une fréquence inquiétante.

— C'est pourtant le cas, répliqua la dame.

Mr Bennet garda le silence.

— N'avez-vous pas envie d'apprendre qui l'a loué ? s'écria son épouse, impatiente.

— Femme, je m'occupe de mon mousquet. Bavardez tout votre saoul, mais laissez-moi veiller à la défense de ma maison !

L'invitation était plus que suffisante.

— Eh bien, mon cher, d'après Mrs Long, Netherfield est loué par un jeune homme très riche, du nord de l'Angleterre. Il a fui Londres en voiture à quatre chevaux au moment précis où l'étrange épidémie éclatait sur la route de Manchester.

— Comment s'appelle-t-il ?

— Bingley. C'est un célibataire qui a quatre ou cinq mille livres de rentes. Voilà qui est excellent pour nos filles !

— Pourquoi ? Pourra-t-il leur enseigner l'art de manier le sabre et le mousquet ?

— Comment peut-on être aussi assommant ? Vous savez bien ce que j'ai en tête : qu'il se marie avec l'une d'elles.

— Se marier ? En des temps aussi troublés ? Ce Bingley ne saurait en avoir le projet.

— Le projet ? Comment pouvez-vous dire de telles bêtises ! Mais il est très probable qu'il tombe amoureux de l'une d'elles, c'est pourquoi vous devrez lui rendre visite dès qu'il arrivera.

— Je n'en vois pas la raison. De plus, il ne faut pas encombrer les routes plus qu'il n'est absolument nécessaire : la terrible épidémie qui ravage depuis peu notre cher Hertfordshire a déjà anéanti assez de chevaux et de voitures.

— Mais pensez à vos filles !

— Je pense à elles, pauvre sotte ! Je préférerais les voir se soucier des arts meurtriers plutôt que de leur trouver l'esprit embrumé par des rêves de mariage et de fortune, comme c'est évidemment votre cas ! Allez voir ce Bingley s'il le faut, mais je vous préviens : nos filles n'ont pas grand-chose pour les recommander. Elles sont toutes sottes et ignorantes, comme leur mère, à l'exception de Lizzy, qui tue un peu plus proprement que ses sœurs.

— Mr Bennet, comment pouvez-vous ainsi dire du mal de vos propres enfants ? Vous prenez plaisir à me contrarier. Vous n'avez aucune pitié pour mes pauvres nerfs.

— Vous vous méprenez, ma chère. J'ai beaucoup d'estime pour vos nerfs. Ce sont pour moi de vieux amis. Voilà au moins vingt ans que je vous entends parler d'eux avec le plus grand respect.

Mr Bennet était un si curieux mélange d'intelligence, d'humour sarcastique, de réserve et d'autodiscipline que vingt années n'avaient pas suffi à son épouse pour comprendre son caractère. Sa personnalité à elle était moins difficile à pénétrer. C'était une femme à l'esprit borné, aux connaissances limitées et à l'humeur incertaine. Lorsqu'elle était mécontente, elle s'imaginait victime de ses nerfs. Et lorsqu'elle était victime de ses nerfs, comme elle l'était presque sans arrêt depuis que, dans sa jeunesse, l'étrange fléau avait frappé le pays, elle cherchait un réconfort dans des traditions que d'autres jugeaient à présent bien insignifiantes.

L'unique objectif de Mr Bennet était de maintenir ses filles en vie. Celui de Mrs Bennet était de les marier.

Chapitre 2

Mr Bennet fut l'un des premiers à présenter ses hommages à Mr Bingley. Il avait toujours eu l'intention d'aller le voir, même si, jusqu'à la dernière minute, il affirma à son épouse qu'il s'en abstiendrait ; elle n'en fut informée qu'après coup, dans la soirée qui suivit cette visite. Voici comment elle l'apprit. Observant la deuxième de ses filles qui sculptait le blason des Bennet sur la poignée d'un nouveau sabre, il lui dit tout à coup :

— J'espère que cela plaira à Mr Bingley, Lizzy.

— Nous n'avons aucun moyen de savoir ce qui plaît à Mr Bingley, protesta sa mère avec aigreur, puisque nous n'avons pas le droit d'aller le voir.

— Vous oubliez, maman, dit Elizabeth, que nous le rencontrerons au prochain bal.

Mrs Bennet ne daigna pas répondre mais, incapable de se contenir, elle se mit à réprimander une de ses filles.

— Cesse donc de tousser ainsi, Kitty, pour l'amour du Ciel ! À t'entendre, on croirait que tu viens d'être contaminée !

— Maman ! Quelle horrible remarque, quand il y a tant d'innommables dans les parages ! répondit Kitty d'un ton maussade. Quand aura lieu ton prochain bal, Lizzy ?

— Dans quinze jours.

— Tout à fait, renchérit sa mère, et il sera impossible de présenter Bingley à nos amis, puisque nous ne le connaîtrons pas nous-mêmes. Oh, je voudrais n'avoir jamais entendu son nom !

— Je suis désolé de l'apprendre, dit Mr Bennet, mais pourquoi ne me l'avez-vous pas dit plus tôt ? Si j'avais su cela ce matin, je ne serais certainement pas allé chez lui. C'est bien dommage mais, maintenant que je lui ai rendu visite, nous ne pourrons éviter de le fréquenter.

Il provoqua ainsi exactement ce qu'il espérait : la stupéfaction de ces dames, celle de Mrs Bennet étant peut-être la plus grande. Cependant, une fois passé le premier émoi, elle déclara qu'elle s'y attendait depuis le début.

— Comme vous avez bien agi, mon cher Mr Bennet ! Je savais que je finirais par vous persuader. J'étais sûre que vous aimiez trop vos filles pour négliger une telle relation. Ah, que je suis contente ! Et quelle bonne plaisanterie, d'y être allé ce matin sans en dire un mot jusqu'à cet instant.

— Ne prenez pas mon indulgence pour du relâchement dans la discipline, dit Mr Bennet. Les filles continueront à s'entraîner comme auparavant, avec ou sans Bingley.

— Bien sûr, bien sûr ! répondit Mrs Bennet. Elles sauront tuer autant qu'elles sauront charmer !

— À présent, Kitty, tu peux tousser tant que tu voudras, dit Mr Bennet.

Là-dessus, il quitta la pièce, fatigué par le ravissement de sa femme.

— Quel excellent père vous avez, mes filles ! s'écria-t-elle lorsque la porte fut fermée. De telles joies sont rares depuis que le Seigneur, en fermant les portes de l'enfer, a condamné les morts à errer parmi nous. Lydia, ma chérie, tu as beau être la plus jeune, je pense bien que Mr Bingley dansera avec toi au prochain bal.

— Oh, fit Lydia avec vigueur, je ne suis pas inquiète, car j'ai beau être en effet la plus jeune, c'est moi qui suis la plus grande.

Le reste de la soirée fut consacré à se demander dans combien de temps Mr Bingley rendrait sa visite à Mr Bennet et à décider quand il faudrait l'inviter à dîner.

Chapitre 3

Malgré l'interrogatoire auquel elle soumit son mari, avec l'aide de ses cinq filles, Mrs Bennet ne put obtenir un portrait satisfaisant de Mr Bingley. Elles s'y prirent de bien des manières, questions sans détour, suppositions ingénieuses et lointaines hypothèses, mais il résista à toutes leurs ruses, si bien qu'elles se virent finalement obligées de se rallier aux renseignements de seconde main que leur fournit leur voisine, Lady Lucas. Celle-ci leur présenta un rapport hautement favorable. Sir William avait été enchanté par ce très jeune homme, merveilleusement beau, et qui, pour couronner le tout, comptait venir en nombreuse compagnie au prochain bal. Rien n'aurait pu être plus délicieux !

— Si je peux seulement voir l'une de mes filles heureusement établie à Netherfield, dit Mrs Bennet à son époux, et toutes les autres aussi bien mariées, je n'aurai plus rien à désirer.

— Et si je peux les voir toutes survivre aux difficultés que traverse à présent l'Angleterre, je n'aurai plus rien à désirer non plus, répondit-il.

Au bout de quelques jours, Mr Bingley rendit sa visite à Mr Bennet et passa une dizaine de minutes avec lui dans sa bibliothèque. Il avait espéré qu'on lui laisserait voir ces demoiselles, dont la beauté et les talents au combat lui avaient été tant vantés, mais il ne vit que leur père. Les demoiselles eurent un peu plus de chance car, d'une fenêtre de l'étage, elles purent s'assurer qu'il portait une redingote bleue, montait un cheval noir et avait sur le dos une carabine française, arme fort exotique pour un Anglais. Cependant, à en juger d'après la gaucherie de ses gestes, Elizabeth fut certaine qu'il n'était guère habile dans le maniement du mousquet ou dans aucun des arts meurtriers.

Une invitation à dîner fut envoyée peu après. Mrs Bennet avait déjà prévu le menu qui ferait honneur à ses talents de maîtresse de maison lorsque arriva une réponse qui retarda tout cela. Mr Bingley devait être à Londres le lendemain, et ne pouvait donc accepter l'honneur de leur invitation, etc. Mrs Bennet en fut tout à fait déconcertée. Elle ne voyait pas quelles affaires il pouvait avoir en ville si tôt après son arrivée dans le Hertfordshire, et elle commença à redouter qu'il ne passât son temps à courir d'un endroit à l'autre, sans jamais s'installer à Netherfield comme il l'aurait dû. Lady Lucas calma un peu ses craintes en lançant l'idée qu'il était allé à Londres dans le seul but de rassembler un grand nombre d'amis pour le bal, et le bruit courut bientôt que Mr Bingley amènerait avec lui douze dames et sept messieurs. Les filles regrettaient qu'il y eût tant de dames, mais furent consolées la veille du bal en apprenant qu'elles ne seraient pas douze à venir de Londres, mais six, ses cinq sœurs et une cousine. Et quand ils finirent par arriver au bal, ils n'étaient que cinq en tout : Mr Bingley, ses deux sœurs, le mari de l'aînée et un autre jeune homme.

Mr Bingley était joli garçon et avait l'air d'un gentleman ; son visage était charmant, et ses manières aisées et naturelles. Ses sœurs étaient de belles jeunes femmes, à l'allure incontestablement élégante, mais elles ne semblaient guère entraînées au combat. Son beau-frère, Mr Hurst, n'avait d'un gentleman que l'apparence, tandis que son ami Mr Darcy attira bientôt l'attention de toute l'assemblée par sa haute taille, son beau visage, son port plein de noblesse ; cinq minutes après son entrée, la rumeur circulait déjà qu'il avait massacré plus de mille innommables depuis la chute de Cambridge. Les messieurs déclarèrent que c'était un homme bien fait, les dames le trouvèrent beaucoup plus beau que Mr Bingley et il fit l'objet d'une vive admiration pendant la première moitié de la soirée, jusqu'à ce que ses manières finissent par déplaire et le rendre bien moins estimable. On découvrit en effet qu'il était orgueilleux, qu'il regardait tout le monde de haut, et ne s'abaissait jamais à montrer du plaisir.

Mr Bingley eut bientôt fait la connaissance des principaux invités ; il était gai et ouvert, il participa à toutes les danses, fut fâché que le bal se terminât si tôt et proposa d'en donner lui-même un à Netherfield. Même s'il n'avait pas l'habileté de Mr Darcy à l'épée et au mousquet, d'aussi aimables qualités parlent d'elles-mêmes. Quel contraste ! Mr Darcy était l'homme le plus orgueilleux, le plus désagréable qui fût, et tout le monde espérait qu'il ne reviendrait jamais. Parmi ceux qui le critiquèrent avec le plus de véhémence figurait Mrs Bennet ; la désapprobation qu'inspirait son attitude générale prenait chez elle l'aspect d'un ressentiment particulier, parce qu'il avait dédaigné l'une de ses filles.

La rareté des cavaliers avait obligé Elizabeth Bennet à rester assise pendant deux danses. Mr Darcy se trouvait alors assez près pour qu'elle entendît une conversation entre lui et Mr Bingley, qui quitta le bal quelques minutes afin d'inciter son ami à le rejoindre.

— Viens, Darcy, lui dit-il, il faut que tu danses avec nous. J'ai horreur de te voir rester planté là, tout seul. C'est stupide.

— Certainement pas. Tu sais que je déteste danser, sauf quand je connais parfaitement ma cavalière. Dans une soirée comme celle-ci, cela me serait insupportable. Tes sœurs sont déjà prises et si je devais choisir pour partenaire une des autres femmes ici présentes, ce serait pour moi une punition.

— Sur mon honneur, je n'ai de ma vie rencontré autant de jeunes filles charmantes, et il y en a plusieurs qui sont exceptionnellement jolies, vois-tu.

— Tu danses avec la seule qui soit belle, dit Mr Darcy en regardant l'aînée des demoiselles Bennet.

— Oh, c'est la plus exquise créature que j'aie jamais vue ! Mais l'une de ses sœurs est assise juste derrière toi ; elle est très jolie et, j'en suis sûr, tout à fait aimable. Je vais demander à ma cavalière de te présenter.

— De qui parles-tu ?

En se retournant, Darcy contempla un instant Elizabeth, jusqu'au moment où il croisa son regard. Il détourna les yeux et déclara froidement :

— Elle est tolérable, mais pas assez jolie pour me tenter, et je ne suis pas d'humeur à accorder de l'intérêt aux demoiselles que les autres hommes dédaignent.

Alors que Mr Darcy s'éloignait, Elizabeth sentit son sang se glacer. Jamais de sa vie elle n'avait été insultée de la sorte. Le code des guerriers exigeait qu'elle vengeât son honneur. En veillant à ne pas attirer l'attention, Elizabeth baissa la main jusqu'à sa cheville, où elle trouva la dague qu'elle dissimulait sous sa robe. Elle avait l'intention de suivre cet orgueilleux Mr Darcy à l'extérieur et de lui trancher la gorge.

Cependant, à peine avait-elle saisi la poignée de son arme que la salle se remplit d'un chœur de hurlements, aussitôt accompagnés d'un bris de vitres. Des innommables se répandirent dans la pièce, avec des mouvements gauches mais rapides ; les habits dans lesquels ils avaient été inhumés illustraient toutes les formes de désordre possibles. Certains portaient des robes en lambeaux, si bien que leur nudité en était scandaleuse ; d'autres, des costumes si crasseux qu'on les aurait crus faits de terre et de sang séché. Leur chair présentait des degrés divers de putréfaction ; chez ceux qui venaient de trépasser, elle était souple et légèrement verdâtre, alors que chez ceux dont la mort remontait à plus longtemps, elle était grise et friable. Leurs yeux et leur langue étaient de longue date tombés en poussière, et leurs lèvres se retroussaient en un perpétuel sourire de squelette.

Quelques-uns des invités, qui avaient la malchance de se trouver près des fenêtres, furent aussitôt capturés pour être dévorés. Lorsque Elizabeth se redressa, elle vit Mrs Long tenter de se dégager alors que deux monstres femelles lui mordaient la tête. Le crâne craqua comme une noix et projeta des éclaboussures de sang noir jusqu'aux lustres.

Tandis que les invités fuyaient en tous sens, la voix de Mr Bennet retentit à travers le vacarme.

— Mesdemoiselles ! Pentagramme de la Mort !

Elizabeth rejoignit aussitôt ses quatre sœurs, Jane, Mary, Catherine et Lydia, au centre de la pièce. Chacune des filles détacha un poignard de sa cheville et elles se disposèrent de manière à former les cinq branches d'une étoile, puis s'avancèrent simultanément. Chacune brandissait d'une main un poignard tranchant comme un rasoir, l'autre main pudiquement rangée dans le dos.

D'un angle de la salle, Mr Darcy regarda Elizabeth et ses sœurs progresser vers les murs, décapitant zombie après zombie sur leur passage. Il ne connaissait qu'une seule autre femme dans toute l'Angleterre qui maniait le poignard avec autant d'habileté, avec autant de grâce et avec la même précision mortelle.

Lorsque les filles atteignirent les murs de la pièce, le dernier des innommables gisait au sol, inerte.

En dehors de cette attaque, la soirée se déroula agréablement pour toute la famille. Mrs Bennet avait vu sa fille aînée très admirée par les occupants de Netherfield. Mr Bingley avait dansé deux fois avec elle, et les sœurs de ce jeune homme lui avaient accordé leur attention. Jane en tirait autant de joie que sa mère, mais une joie moins bruyante. Elizabeth partageait le plaisir de Jane. Mary avait entendu qu'on parlait d'elle à Miss Bingley comme de la jeune fille la plus accomplie du voisinage ; quant à Catherine et Lydia, elles avaient eu la chance de ne jamais manquer de cavaliers, ce qui était à leur âge la seule chose dont elles se souciaient lors d'un bal. Ce fut donc de bonne humeur que ces dames regagnèrent Longbourn, le village où elles vivaient, et dont elles étaient les principales habitantes.

Chapitre 4

QUAND JANE ET ELIZABETH se retrouvèrent seules, l'aînée, qui s'était jusque-là montrée prudente dans ses éloges, déclara à sa cadette combien elle admirait Mr Bingley.

— Il est exactement ce qu'un jeune homme doit être, raisonnable, de bonne humeur, enjoué, et je n'ai jamais vu de manières aussi plaisantes ! Tant d'aisance, avec une aussi parfaite éducation !

— Oui, répondit Elizabeth, mais au plus fort de la bataille, ni lui ni Mr Darcy n'a manié la lame ou le gourdin.

— Eh bien, j'ai été très flattée qu'il m'invitât à danser une deuxième fois.

— Il est certainement très gentil, et je t'autorise à le trouver aimable, bien que je le soupçonne d'une certaine pusillanimité. Tu as trouvé à ton goût bien des hommes plus stupides.

— Chère Lizzy !

— Oh, tu as bien trop tendance à aimer tout le monde, tu le sais. Tu ne vois jamais rien à reprocher aux gens. De ta vie, je ne t'ai entendue dire du mal de personne.

— Je ne souhaite critiquer personne de manière hâtive.

— Avec ton bon sens, être aussi sincèrement aveugle aux folies et à l'ineptie des autres ! Enfin, tu aimes les sœurs de ce monsieur, dis-tu ? Leurs manières ne valent pas les siennes.

C'étaient de fait des dames très élégantes, capables de se montrer aimables lorsqu'elles le désiraient, mais pleines d'orgueil et de prétention. Plutôt belles, instruites dans l'un des meilleurs pensionnats de Londres, elles ne connaissaient pourtant guère les arts meurtriers dans lesquels les demoiselles Bennet avaient reçu une formation approfondie, tant en Angleterre qu'au cours de leurs voyages en Orient.

Quant à Mr Bingley, il était uni à Darcy par une amitié très solide, bien que leurs natures fussent en tous points opposées. Bingley avait horreur de verser le sang – même celui, noirâtre, des innommables ; Darcy était un tueur. Bingley ne manquait pas d'intelligence, mais Darcy était brillant. Il était à la fois hautain, réservé et exigeant, et ses manières, quoique polies, n'étaient guère engageantes. Sur ce point, son ami avait très nettement l'avantage. Bingley était sûr d'attirer partout la sympathie, Darcy ne savait que déplaire.

Pourtant, ce que chacun ignorait, y compris Mr Bingley, c'était la raison de la froideur de Darcy. Jusque récemment, ce jeune homme s'était montré tout à fait charmant, d'un caractère enjoué et de la plus grande prévenance. Mais sa nature avait à jamais été transformée par une trahison dont il n'avait pas le cœur de parler.

Chapitre 5

DANS LE VOISINAGE dangereux de Longbourn vivait une famille avec laquelle les Bennet étaient particulièrement intimes. Sir William Lucas possédait jadis une fabrique qui produisait de somptueux linceuls, ainsi que des vêtements mortuaires, lesquels étaient si splendides que le roi avait jugé bon de l'anoblir. Il s'était assez confortablement enrichi jusqu'à ce que l'étrange épidémie rendît ses services superflus. Plus personne ne souhaitait dépenser d'argent pour enterrer les morts dans des tenues d'apparat qu'ils saliraient forcément en rampant hors de leurs tombes. Il s'était installé avec sa famille à environ un mile de Meryton.

Lady Lucas était une très brave femme, à l'esprit suffisamment limité pour que Mrs Bennet appréciât sa compagnie. Les Lucas avaient plusieurs enfants. L'aînée, une jeune femme raisonnable et intelligente d'environ vingt-sept ans, était l'amie intime d'Elizabeth.

Il était absolument indispensable qu'après chaque bal les sœurs Lucas et les sœurs Bennet se retrouvassent pour parler. Le lendemain de la fête, les demoiselles Lucas vinrent donc à Longbourn recueillir des commentaires et communiquer les leurs.

— Vous avez bien commencé la soirée, Charlotte, dit Mrs Bennet à Miss Lucas, en se maîtrisant au nom des convenances. C'est vous que Mr Bingley a choisie en premier.

— Oui, mais il semble avoir préféré le choix qu'il a fait ensuite.

— Oh, vous voulez parler de Jane, je suppose, parce qu'il a dansé deux fois avec elle, et parce qu'elle a combattu si vaillamment les innommables.

— Peut-être faites-vous allusion à l'échange que j'ai par mégarde entendu entre Mr Robinson et lui. Ne vous en ai-je pas parlé ? Mr Robinson lui a demandé ce qu'il pensait de nos fêtes à Meryton, s'il ne trouvait pas qu'il y avait énormément de jolies femmes rassemblées, et laquelle était la plus jolie. À cette dernière question Mr Bingley a aussitôt répondu : « Oh, l'aînée des sœurs Bennet, indubitablement, tout le monde en conviendrait. »

— Ma parole ! Eh bien, il sait ce qu'il veut.

— Mr Darcy est moins agréable à écouter que son ami, n'est-ce pas ? dit Charlotte. Pauvre Eliza ! N'être que « tolérable ».

— Je vous prie de ne pas lui mettre en tête qu'elle doit se vexer de ce mauvais traitement, car cet homme est si désagréable que ce serait un grand malheur d'être aimée de lui. Mrs Long m'a dit hier soir…

Mrs Bennet s'étrangla en repensant à cette pauvre Mrs Long, le crâne broyé entre les dents des abominables créatures. Pensives, ces dames gardèrent le silence quelques instants.

— Miss Bingley m'a confié, reprit Jane, qu'il ne parle jamais beaucoup, sauf en compagnie de ses intimes. Alors il se montre tout à fait charmant.

— L'orgueil m'offense moins chez lui que chez les autres, parce qu'il est justifié, dit Miss Lucas. Rien de surprenant qu'un jeune homme qui a tout pour lui, beauté, famille, fortune, ait une haute opinion de lui-même. Si je puis m'exprimer ainsi, il a le droit d'être fier.

— C'est tout à fait vrai, répondit Elizabeth, et je lui pardonnerais aisément sa fierté, s'il n'avait pas mortifié la mienne. J'avoue que je lui aurais tranché la gorge si les innommables ne m'en avaient pas détournée.

— L'orgueil, fit remarquer Mary, qui se piquait de la solidité de sa réflexion, me semble un défaut très courant. D'après tout ce que j'ai lu, je suis convaincue que c'est vraiment un phénomène des plus courants.

Elizabeth ne put s'empêcher de lever les yeux au ciel tandis que sa sœur continuait.

— La vanité et l'orgueil sont des choses différentes, bien que les deux mots soient employés comme synonymes. On peut être orgueilleux sans être vaniteux. L'orgueil vient de l'opinion que nous avons de nous-mêmes, la vanité, de ce que nous voudrions que l'on pensât de nous. Il serait judicieux, d'ailleurs, de méditer davantage sur ce que l'étrange épidémie peut nous enseigner quant à la pertinence de ces notions, à présent que le chaos nous guette.

À ces mots, Elizabeth laissa échapper un bâillement fort peu discret. Malgré toute l'admiration qu'elle avait pour la bravoure de Mary au combat, elle la trouvait toujours un peu ennuyeuse aux heures de loisir.

Chapitre 6

LES DAMES DE LONGBOURN allèrent bientôt rendre visite à celles de Netherfield. Ce jour-là, il faisait un soleil éclatant, la route était sûre, en conséquence, puisque les innommables se terraient au plus profond des bois. Les façons charmantes de Jane ravirent Mrs Hurst et Miss Bingley ; même si la mère fut jugée insupportable et les cadettes inintéressantes, le désir de mieux connaître les aînées leur fut manifesté. Jane reçut ces attentions avec le plus vif plaisir, mais Elizabeth voyait encore de la condescendance dans leur attitude envers tous. Chaque fois qu'ils se rencontraient, il était tout à fait évident que Mr Bingley admirait bel et bien Jane. Elizabeth estimait tout aussi évident que sa sœur serait bientôt très éprise ; elle songeait cependant avec plaisir que cet amour ne risquait guère d'être découvert par des tiers. Elle s'en ouvrit à son amie Miss Lucas.

— Peut-être y prend-on du plaisir, répondit Charlotte, mais se montrer aussi discret n'a pas que des avantages. Si une femme met le même soin à dissimuler son affection aux yeux de celui qui en est l'objet, il risque de lui échapper. Neuf fois sur dix, une femme a tout intérêt à manifester plus d'affection qu'elle n'en ressent. Bingley apprécie ta sœur, sans aucun doute, mais il se contentera peut-être de l'apprécier si elle ne l'aide pas à aller plus loin.

— Pourtant, elle l'aide, autant que sa nature le lui permet. Rappelle-toi, Charlotte : c'est d'abord une guerrière, et ensuite seulement une femme.

— Eh bien, dit Charlotte, je souhaite de tout mon cœur que Jane réussisse. Si elle l'épousait demain, je jugerais qu'elle a autant de chances d'être heureuse que si elle passait un an entier à étudier son tempérament. La réussite d'un mariage est entièrement le fruit du hasard, et mieux vaut en savoir le moins possible sur les défauts de la personne avec qui on doit passer sa vie.

— Tu me fais rire, Charlotte, mais ce raisonnement ne tient pas. Tu sais qu'il ne tient pas, et toi-même, tu n'agirais jamais de cette manière.

— Elizabeth, n'oublie pas : je ne suis pas une guerrière comme toi. Je ne suis qu'une sotte de vingt-sept ans, et sans mari, qui plus est.

Tout occupée à observer les attentions de Mr Bingley envers sa sœur, Elizabeth était loin de soupçonner qu'elle-même commençait à susciter l'intérêt de son ami. Mr Darcy avait d'abord à peine concédé qu'elle était jolie. Au bal, il l'avait regardée sans du tout l'admirer et, lorsqu'ils s'étaient revus, il ne l'avait contemplée que pour la critiquer. Mais aussitôt après avoir déterminé et proclamé qu'il n'y avait rien de beau dans sa physionomie, il se mit à penser que la superbe expression de ses yeux sombres et son habileté hors du commun dans le maniement des armes communiquaient à son visage une intelligence exceptionnelle. À cette découverte en succédèrent d'autres, également mortifiantes à son goût. Bien que son œil critique eût détecté dans ses formes plus d'un défaut de symétrie, il fut forcé d'admettre que sa silhouette était svelte et charmante, et que ses bras étaient étonnamment musclés, mais pas au point de nuire à sa féminité.

Il voulut d'abord en apprendre davantage à son propos et, afin de pouvoir lui-même s'entretenir avec elle, il écouta la conversation qu'elle avait avec d'autres. Ce faisant, il attira son attention. Cela se passait chez Sir William Lucas, où les invités étaient nombreux.

— Pourquoi donc Mr Darcy écoute-t-il ma conversation avec le colonel Forster ? demanda Elizabeth à Charlotte.

— C'est une question à laquelle seul Mr Darcy peut répondre.

— S'il continue, je lui ferai certainement savoir que son manège ne m'a pas échappé. Je ne lui ai pas encore pardonné d'avoir insulté mon honneur, et je finirai peut-être par suspendre sa tête à mon manteau.

Mr Darcy s'approcha d'elles peu après. Elizabeth se tourna vers lui :

— Ne trouvez-vous pas, Mr Darcy, que j'ai fait preuve d'une grande éloquence, à l'instant, lorsque je taquinais le colonel Forster en lui demandant d'organiser un bal à Meryton ?

— Vous vous êtes exprimée avec beaucoup de vigueur, mais les dames sont toujours très énergiques lorsqu'il est question d'un bal.

— Vous êtes sévère avec nous.

— Ce sera bientôt son tour à elle d'être taquinée, dit Miss Lucas. Je vais ouvrir l'instrument, Eliza, et tu sais ce que cela signifie.

— Quelle étrange amitié que la tienne ! Tu veux toujours que je joue et que je chante devant tout le monde et n'importe qui !

L'interprétation d'Elizabeth fut agréable, mais n'eut rien de brillant. Après une ou deux chansons, elle vit l'instrument accaparé par sa sœur Mary. Celle-ci n'avait ni goût ni génie. Sa vanité lui donnait de l'application, mais lui conférait aussi un air pédant et des façons prétentieuses qui auraient nui même à une pianiste très supérieure. À la fin de son long concerto, Mary fut bien aise de s'attirer des éloges et des remerciements en jouant des airs écossais et irlandais, à la demande de ses sœurs cadettes qui s'étaient mises à danser avec ardeur à un bout de la pièce, avec quelques-uns des jeunes Lucas et deux ou trois officiers.

Mr Darcy se tenait à côté, en proie à une indignation silencieuse face à cette manière de passer la soirée, qui excluait toute conversation. Il était trop absorbé par ses pensées pour remarquer que Sir William Lucas était son voisin, jusqu'au moment où celui-ci s'exclama :

— Quel charmant amusement pour des jeunes gens, Mr Darcy !

— Certainement, monsieur, et la danse a aussi l'avantage d'être en vogue parmi les sociétés les moins civilisées du monde. Tous les sauvages savent danser. J'imagine que même les innommables réussiraient à peu près à danser.

Sir William se contenta de sourire, ne sachant trop comment poursuivre la conversation avec un personnage aussi grossier. Il fut fort soulagé en voyant Elizabeth s'approcher.

— Ma chère Miss Eliza, pourquoi ne dansez-vous pas ? Mr Darcy, permettez-moi de vous présenter cette demoiselle qui serait pour vous une cavalière parfaite. Vous ne pouvez refuser de danser, quand tant de beauté s'offre à vos yeux.

Il prit la main de la jeune fille pour la remettre à Mr Darcy qui, bien qu'extrêmement surpris, n'avait rien contre l'idée de la prendre, mais Elizabeth recula bien vite et dit à Sir William, non sans agitation :

— Je vous assure, monsieur, que je n'ai nullement l'intention de danser. N'allez pas croire, je vous en prie, que je venais ici vous supplier de me trouver un cavalier.

L'air grave, Mr Darcy sollicita solennellement l'honneur de danser avec elle, mais en vain. Elizabeth était déterminée. Elle prit une mine espiègle et leur tourna le dos. Sa résistance ne l'avait pas desservie aux yeux de Darcy, qui pensait à elle avec une certaine satisfaction, lorsqu'il fut accosté par Miss Bingley :

— Je devine le sujet de votre rêverie.

— Je ne crois pas, non.

— Vous songez combien il serait intolérable de passer plusieurs soirées de cette façon, en pareille compagnie. Et je suis bien de votre avis. Jamais je ne me suis plus ennuyée ! Tous ces gens sont insipides, et pourtant si bruyants ! Ils sont si peu de chose, et ne se vantent que de leur aptitude à ferrailler ! Je donnerais cher pour vous entendre les dénigrer.

— Votre hypothèse est entièrement fausse, je vous assure. Mon esprit s'occupait plus agréablement. Je méditais sur l'immense plaisir que procurent deux yeux magnifiques dans le visage d'une jolie femme.

Miss Bingley fixa aussitôt les yeux sur lui et voulut savoir quelle dame avait le mérite d'inspirer de telles réflexions. Mr Darcy répondit :

— Miss Elizabeth Bennet.

— Miss Elizabeth Bennet ! répéta Miss Bingley. La protectrice de Longbourn ? L'héroïne du Hertfordshire ? Je n'en reviens pas. Vous aurez une belle-mère charmante, en vérité, et à vous deux, vous abattrez plus d'un innommable en combinant vos compétences dans les arts meurtriers.

Il l'écouta dans la plus totale indifférence, pendant tout le temps qu'il lui plut de se divertir ainsi. À le voir si calme, elle se crut en terrain sûr et donna libre cours à son esprit.

Chapitre 7

LES BIENS DE MR BENNET se limitaient presque exclusivement à une propriété rapportant deux mille livres de rente. Malheureusement pour ses filles, cette propriété devait, en l'absence d'héritier mâle, revenir à un parent éloigné ; malheureusement pour toute la famille, elle était entourée de tous les côtés par des hauteurs, ce qui la rendait difficile à défendre. La fortune de leur mère, bien que considérable par rapport à sa position, ne pouvait guère compenser l'insuffisance des ressources de son époux. Elle était la fille d'un avoué de Meryton qui lui avait laissé quatre mille livres.

La sœur de Mrs Bennet avait épousé Mr Philips, l'un des clercs de leur père, dont il avait repris l'étude ; quant à son frère, établi à Londres, il s'était illustré par ses talents d'inventeur, et possédait à présent quelques usines consacrées à l'effort de guerre.

Le bourg de Meryton ne se situait qu'à un mile de Longbourn, distance fort commode pour ces demoiselles ; malgré les innommables qui attaquaient fréquemment les voyageurs sur la route, elles se laissaient d'ordinaire attirer par la ville trois ou quatre fois par semaine, pour rendre visite à leur tante et à la boutique d'une modiste toute proche. Les deux benjamines de la famille, Catherine et Lydia, se montraient particulièrement assidues dans ces attentions ; elles avaient la tête plus vide que leurs sœurs et, faute de mieux, une promenade jusqu'à Meryton était nécessaire pour occuper les heures de la matinée et parfois pour mettre leurs talents en pratique. Si dépourvue de nouvelles que fût la région en général, elles arrivaient toujours à en apprendre de leur tante. Elles étaient à présent comblées de bonheur par l'arrivée récente d'un régiment de milice qui devait séjourner tout l'hiver dans le voisinage pour arracher les cercueils à la terre durcie et y mettre le feu. Meryton servirait de quartier général.

Leurs visites chez Mrs Philips leur apportaient désormais les informations les plus intéressantes. Chaque jour, elles en savaient davantage sur le nom et la famille des officiers, tandis qu'affluaient les nouvelles fraîches en provenance des champs de bataille du Derbyshire, de Cornouailles et d'Essex, où les combats étaient les plus violents. Elles ne parlaient plus que d'officiers ; la grande fortune de Mr Bingley, dont l'évocation mettait leur mère en émoi, ne comptait pour rien à leurs yeux, comparée à l'uniforme d'un sous-lieutenant, et à l'enthousiasme avec lequel il parlait de décapiter les zombies d'un seul coup d'épée.

Un matin, après avoir écouté leurs effusions à ce sujet, Mr Bennet déclara froidement :

— À en juger par votre manière de parler, vous devez être deux des filles les plus sottes du comté. Je m'en doutais depuis un certain temps, mais j'en suis maintenant convaincu.

— Mon cher, dit Mrs Bennet, je suis stupéfaite que vous soyez aussi disposé à trouver bêtes vos propres enfants.

— Si mes enfants sont bêtes, j'espère bien que j'en serai toujours conscient.

— Oui, mais il se trouve qu'elles sont toutes très intelligentes. Vous oubliez à quelle vitesse elles ont maîtrisé ces tours orientaux que vous avez exigé de leur faire apprendre.

— Avoir assez de pratique pour tuer quelques malheureux contaminés ne les rend pas raisonnables, surtout quand elles emploient leurs talents à amuser de séduisants officiers.

— Maman, cria Lydia, ma tante dit que le colonel Forster et le capitaine Carter ne vont plus aussi souvent chez Miss Watson qu'au début de leur séjour. À présent, elle les voit très souvent incendier les caveaux du cimetière de Shepherd's Hill.

Mrs Bennet ne put répliquer car le valet de pied entra à ce moment. Il avait pour Miss Bennet une lettre venant de Netherfield, et le domestique qui l'avait apportée attendait une réponse.

— Eh bien, Jane, de qui est-ce ? De quoi s'agit-il ?

— C'est une lettre de Miss Bingley, dit Jane, avant de la lire à haute voix.

Ma chère amie,

Si vous n'avez pas la compassion de dîner aujourd'hui avec nous, nous risquons de nous détester jusqu'à la fin de nos jours, Louisa et moi, car pour deux femmes, un tête-à-tête d'une journée entière ne peut se terminer sans une dispute. Venez dès que vous le pourrez après avoir reçu ce message, à condition qu'aucun innommable ne menace la route. Mon frère et ces messieurs doivent dîner avec les officiers.

Éternellement vôtre,

Caroline Bingley

— Il dîne en ville. Ce n'est vraiment pas de chance, avec les problèmes qu'il y a sur la route de Netherfield, dit Mrs Bennet.

— Puis-je avoir la voiture ? demanda Jane.

— Non, ma chère, tu ferais mieux d'y aller à cheval, car on dirait qu'il va pleuvoir. Les créatures jaillissent si facilement de la terre humide, j'aimerais mieux que tu ne t'attardes pas en chemin. Et puis, s'il pleut, tu seras obligée de passer la nuit là-bas.

— Le projet serait bon si vous étiez sûre qu'on ne proposât pas de la ramener à la maison, fit remarquer Elizabeth.

— Je préférerais y aller en voiture, insista Jane, visiblement troublée à l'idée de chevaucher seule.

— Cependant, ma fille, ton père ne peut pas se passer des chevaux, j'en suis certaine. On a besoin d'eux à la ferme, n'est-ce pas, Mr Bennet ?

— On a besoin d'eux à la ferme plus souvent que je ne peux les utiliser, et trop d'entre eux ont déjà été massacrés sur les routes.

Jane fut donc obligée de partir à cheval, et sa mère l'accompagna jusqu'à la porte en formulant maint joyeux pronostic de mauvais temps. Ses vœux furent exaucés ; Jane n'était pas partie depuis longtemps quand il se mit à pleuvoir à verse. Le sol meuble laissa échapper par dizaines des créatures déplaisantes, portant encore les lambeaux de leurs beaux habits, mais dépourvues de cette bonne éducation qui leur avait tant rendu service dans la vie.

Ses sœurs s'inquiétèrent pour elle, mais sa mère fut ravie. La pluie continua pendant toute la soirée sans interruption : Jane serait sans aucun doute dans l'impossibilité de revenir.

— J'ai vraiment eu une bonne idée ! répéta plus d'une fois Mrs Bennet, comme si la pluie était due à son intervention.

Néanmoins, ce fut seulement le lendemain matin qu'elle découvrit tout le succès de ses manigances. À peine le petit-déjeuner était-il terminé qu'un domestique de Netherfield apporta le message suivant pour Elizabeth :

> Ma très chère Lizzy,
>
> Je me trouve très souffrante ce matin, sans doute parce que j'ai été attaquée sur le chemin de Netherfield par plusieurs innommables fraîchement sortis de terre. Mes bonnes amies ne veulent pas que je rentre à la maison avant que je n'aille mieux. Elles insistent aussi pour que je sois examinée par Mr Jones ; ne vous faites donc aucun souci si vous apprenez qu'il est venu me voir. À part quelques contusions et une blessure bénigne, je n'ai pas lieu de me plaindre.
>
> Ta sœur, etc.

— Eh bien, ma chère, dit Mr Bennet lorsque Elizabeth eut lu ce message à haute voix, si votre fille devait mourir, ou pis, contracter l'étrange épidémie, vous auriez le réconfort de savoir que c'est arrivé alors que vous l'aviez envoyée à la conquête de Mr Bingley.

— Oh, je n'ai pas du tout peur qu'elle meure. On ne meurt pas de quelques bleus ou d'une simple blessure. Elle sera bien soignée.

Elizabeth, qui s'inquiétait réellement, avait résolu d'aller rejoindre sa sœur, même si la voiture n'était pas disponible. Comme elle n'aimait guère monter à cheval, la seule solution était de faire le trajet à pied. Elle annonça sa décision.

— Comment peux-tu être sotte au point d'imaginer une chose pareille, alors qu'il y a tant de danger dans les parages, et que les chemins sont si sales ! s'exclama sa mère. Tu ne seras pas en état de te montrer quand tu arriveras là-bas, à supposer que tu sois encore en vie !

— Vous oubliez que j'ai étudié avec Pei Liu de Shaolin, maman. Et puis, pour un innommable qu'on croise en route, on rencontre trois soldats. Je serai de retour pour le dîner.

— Nous irons jusqu'à Meryton avec toi, dirent Catherine et Lydia.

Elizabeth accepta leur compagnie, et elles partirent ensemble, simplement armées des poignards attachés à leurs chevilles. Les mousquets et les sabres Katana étaient plus efficaces pour se protéger, mais ils étaient jugés indignes d'une demoiselle. N'ayant pas de selle pour les dissimuler, les trois jeunes filles durent se plier aux convenances.

— Si nous nous dépêchons, dit Lydia alors qu'elles cheminaient prudemment, nous verrons peut-être le capitaine Carter avant son départ.

Une fois à Meryton, elles se séparèrent ; tandis que les deux cadettes se rendaient chez l'épouse d'un officier, Elizabeth poursuivit sa route seule, traversant champ après champ d'un pas rapide, sautant par-dessus les barrières et bondissant par-dessus les flaques. Dans son impatience, le lacet de sa bottine se défit. Ne voulant pas se présenter négligée à Netherfield, elle s'agenouilla pour le renouer.

Elle entendit soudain un hurlement terrible, assez semblable à celui d'un porc qu'on égorge. Elizabeth sut aussitôt de quoi il s'agissait, et se hâta de saisir la dague attachée à sa cheville. La lame prête, elle se retourna et découvrit le visage lamentable de trois innommables, bras tendus et bouche bée. Le premier venait apparemment de mourir, puisque ses vêtements n'étaient pas encore décolorés et que ses yeux n'étaient pas encore tombés en poussière. Il se rua vers Elizabeth à une vitesse impressionnante mais, dès qu'il fut à portée de main, elle lui plongea dans la poitrine son poignard qu'elle poussa de bas en haut. La lame continua à monter, fendit le cou et le visage, et ressortit en haut du crâne. La créature s'effondra et resta immobile à terre.

Le deuxième innommable était une femme, décédée depuis beaucoup plus longtemps que son compagnon. Elle se jeta sur Elizabeth, agitant maladroitement ses doigts recroquevillés. Oubliant toute pudeur, Elizabeth releva sa jupe et assena à la créature un rapide coup de pied dans la tête, qui explosa en un nuage d'ossements et de fragments de peau. Elle s'écroula elle aussi et ne bougea plus.

Le troisième était anormalement grand et, bien que mort de longue date, possédait encore une force et une vivacité considérables. Elizabeth n'avait pas encore repris son équilibre lorsqu'il lui attrapa le bras et l'obligea à lâcher son poignard. Elle se dégagea avant qu'il pût lui enfoncer les dents dans le corps et adopta la position de la Grue, qui lui parut appropriée face à un adversaire d'aussi haute taille. La créature s'avança et Elizabeth lui lança un coup terrible en travers des cuisses. Les membres se détachèrent et l'innommable s'abattit à terre, impuissant. Elle récupéra son poignard et décapita le dernier de ses agresseurs, dont elle souleva la tête par les cheveux en poussant un cri de guerre qu'on entendit à plus de un mile à la ronde.

Les jambes lasses, les bas sales, le visage coloré par l'exercice, elle finit par apercevoir Netherfield.

On l'introduisit dans le petit salon, où tous étaient réunis sauf Jane, et où son aspect causa la plus vive surprise. Qu'Elizabeth eût parcouru trois miles toute seule, par un temps si ingrat et alors que le pays était infesté d'innommables, voilà qui était presque incroyable pour Mrs Hurst et Miss Bingley. Bien qu'elle fût sûre de s'être ainsi attiré leur mépris, elle fut reçue très poliment par ces dames. Les manières de leur frère reflétaient non seulement sa politesse, mais aussi sa bonne humeur et sa gentillesse. Mr Darcy ne dit pas grand-chose et Mr Hurst ne dit rien du tout. Le premier était partagé entre deux sentiments : il admirait l'éclat que la marche avait donné au teint d'Elizabeth, mais il se demandait si l'occasion justifiait vraiment qu'on courût le grand risque de venir seule, sans rien de plus qu'un poignard pour tenir la mort à distance. Le second ne pensait qu'à son repas.

Elizabeth prit des nouvelles de sa sœur et ne reçut que des réponses décevantes. Miss Bennet avait mal dormi ; elle n'était pas alitée, mais très fiévreuse et pas assez bien portante pour quitter sa chambre. Elizabeth lui tint compagnie, craignant en silence que sa sœur bien-aimée n'eût contracté l'étrange épidémie.

Quand le petit-déjeuner fut terminé, les sœurs de Bingley les rejoignirent, et Elizabeth commença à les apprécier lorsqu'elle vit combien d'affection et de sollicitude elles témoignaient à Jane. L'apothicaire arriva et, après avoir examiné sa patiente, déclara, à leur grand soulagement, qu'elle n'avait pas attrapé l'épidémie, mais un rhume violent, sans doute parce qu'elle s'était battue sous la pluie.

Quand trois heures sonnèrent, Elizabeth sentit qu'il était temps de partir. Miss Bingley lui proposa la voiture, mais Jane se montra si réticente à l'idée de se séparer de sa sœur que Miss Bingley fut forcée de transformer sa proposition en invitation à rester à Netherfield. Elizabeth y consentit avec beaucoup de reconnaissance ; on envoya une petite escorte à Longbourn pour prévenir sa famille et lui rapporter des vêtements, ainsi que, à la demande d'Elizabeth, son mousquet préféré.

Chapitre 8

À CINQ HEURES, Elizabeth se retira pour méditer et s'habiller et, à six heures et demie, on l'appela pour le dîner. Jane n'allait pas du tout mieux. En l'apprenant, les sœurs répétèrent trois ou quatre fois combien cela les chagrinait, qu'il était affreux d'avoir un mauvais rhume et comme elles avaient horreur d'être malades elles-mêmes. Puis elles n'y pensèrent plus du tout, et, face à leur indifférence envers Jane dès lors qu'elles ne l'avaient plus sous les yeux, Elizabeth eut la joie de les trouver de nouveau antipathiques.

Leur frère, Mr Bingley, était le seul membre du groupe pour qui elle éprouvât de la sympathie. L'inquiétude que lui inspirait Jane était évidente et il avait pour Elizabeth les égards les plus charmants ; tout cela rassura la visiteuse, convaincue que les autres la percevaient comme une intruse.

Après le dîner, Elizabeth remonta aussitôt voir Jane, et Miss Bingley se mit à la calomnier dès qu'elle eut quitté la pièce. Ses manières furent jugées vraiment déplorables, mélange d'orgueil et d'impertinence. Elle n'avait ni conversation, ni style, ni beauté. Mrs Hurst était du même avis et ajouta :

— Bref, elle n'a aucune qualité, à part le fait qu'elle excelle aux arts du combat. Je n'oublierai jamais l'aspect qu'elle avait ce matin. On aurait presque dit une folle.

— Tout à fait, Louisa. Pourquoi folâtrer par les chemins, parce que sa sœur est enrhumée ? Les cheveux hirsutes, dérangés par le vent !

— Oui, et son jupon ! J'espère que vous avez vu son jupon, tout le bas était couvert de boue. Et ces morceaux de chair d'innommable sur sa manche !

— Ce portrait est peut-être exact, Louisa, dit Bingley, mais je n'ai rien remarqué. J'ai trouvé que Miss Elizabeth Bennet avait l'air radieuse lorsqu'elle est arrivée ce matin. Je n'ai rien vu de la saleté de son jupon.

— Je suis sûre que vous, Mr Darcy, vous l'avez remarqué, reprit Miss Bingley, et j'ai dans l'idée que vous ne voudriez pas voir votre sœur se donner ainsi en spectacle.

— Certainement pas.

— Parcourir à pied trois, quatre ou cinq miles, que sais-je, dans la boue jusqu'à mi-mollet, et seule, toute seule ! Alors que les innommables menacent jour et nuit d'attaquer les pauvres âmes sur la route pour les entraîner dans la mort ! Qu'avait-elle donc à l'esprit ? Cela me semble indiquer une épouvantable forme d'indépendance prétentieuse, une indifférence au bon ton qui est très provinciale.

— Cela indique une affection tout à fait charmante pour sa sœur, dit Bingley.

— Je crains, Mr Darcy, fit remarquer Miss Bingley dans un demi-murmure, que cette aventure n'ait nui à votre admiration pour ses beaux yeux.

— Pas du tout, répondit-il. L'exercice les avait rendus plus éclatants encore.

Un court silence suivit cette repartie, avant que Mrs Hurst reprenne :

— Je tiens Jane Bennet en très haute estime, elle est vraiment adorable et je souhaite de tout mon cœur qu'elle fasse un bon mariage. Mais avec le père et la mère qu'elle a, et cette famille vulgaire, cela paraît hélas peu probable.

— Je pense vous avoir entendu dire que leur oncle est avoué à Meryton.

— Oui, et elles en ont un autre qui habite Londres, du côté de Cheapside.

— C'est trop beau pour être vrai ! déclara sa sœur, et elles éclatèrent de rire.

— Si elles avaient assez d'oncles pour peupler tout Cheapside, s'écria Bingley, cela ne les rendrait pas moins charmantes. N'avez-vous aucun respect pour elles en tant que guerrières ? En vérité, je n'ai jamais vu de dames dont la main fût aussi sûre au combat.

— Pourtant, cela diminue grandement leurs chances d'épouser des hommes bien considérés dans le monde, répliqua Darcy.

À ce discours, Bingley ne répondit rien, mais ses sœurs l'approuvèrent avec chaleur.

Avec un regain de tendresse, cependant, elles montèrent de nouveau voir Jane en sortant de la salle à manger, et restèrent avec elle en attendant l'heure du café. Elle était encore très faible et Elizabeth refusa de la quitter un seul instant jusqu'à la fin de la soirée, où elle eut le réconfort de la voir endormie et où il lui sembla correct, à défaut d'être agréable, de descendre. Lorsqu'elle entra dans le salon, tout le monde jouait aux cartes et on lui proposa aussitôt de se joindre à la partie. Soupçonnant qu'ils jouaient gros, elle déclina l'invitation et, prenant sa sœur pour prétexte, dit qu'elle se divertirait avec un livre pendant le peu de temps qu'elle pourrait passer en bas. Mr Hurst la regarda avec stupéfaction.

— Vous aimez mieux lire que jouer aux cartes ? Comme c'est étrange.

— Je préfère bien d'autres choses au jeu, Mr Hurst, dit Elizabeth. J'aime surtout sentir une lame fraîchement aiguisée pourfendre le crâne d'une créature infernale.

Mr Hurst resta muet pendant le reste de la soirée.

— Je suis sûr que vous prenez du plaisir à soigner votre sœur, dit Bingley, et j'espère que vous aurez bientôt le plaisir accru de la voir tout à fait remise.

Elizabeth le remercia du fond du cœur, puis se dirigea vers une table où reposaient quelques livres. Il lui offrit aussitôt d'aller en chercher d'autres, tous ceux que contenait sa bibliothèque.

— Et je voudrais en avoir une collection plus importante, pour votre avantage et pour ma réputation, mais je ne suis qu'un paresseux. Je n'ai pas beaucoup de livres, mais j'en ai plus que je n'en lis.

Elizabeth lui assura que ceux qui étaient dans la pièce feraient parfaitement l'affaire.

— Je suis stupéfaite que mon père nous ait laissé aussi peu de livres, dit Miss Bingley. Quelle exquise bibliothèque vous avez à Pemberley, Mr Darcy !

— Il est normal qu'elle soit bien garnie, car de nombreuses générations ont contribué à l'enrichir.

— Et vous y avez beaucoup contribué vous-même, vous achetez constamment des livres.

— Je ne comprends pas qu'à notre époque on puisse négliger une bibliothèque de famille. Que pouvons-nous faire d'autre que rester enfermés et lire, en attendant qu'un moyen d'éradiquer l'épidémie soit enfin découvert ?

Elizabeth détourna son attention de son livre et, s'approchant de la table, se plaça entre Mr Bingley et sa sœur aînée, pour observer le jeu.

— Miss Darcy a-t-elle beaucoup grandi depuis le printemps ? Sera-t-elle aussi grande que moi ? demanda Miss Bingley.

— Oui, je pense. Elle est maintenant à peu près de la même taille que Miss Elizabeth Bennet, peut-être plus grande encore.

— Comme j'ai hâte de la revoir ! Je n'ai jamais rencontré personne qui me plût autant. Quel maintien, quelles manières ! Et elle est si accomplie pour son âge !

— Je trouve incroyable, déclara Bingley, que les jeunes filles aient toutes la patience d'acquérir autant de talents qu'elles en ont.

— Toutes les jeunes filles ! Mon cher Charles, que dis-tu là ?

— Oui, toutes, il me semble. Elles savent toutes décorer des tables au pinceau, orner des écrans de cheminée et broder des bourses au crochet. Je n'en connais pratiquement aucune qui ne sache pas faire tout cela, et je suis sûr qu'on ne m'a jamais parlé d'une demoiselle sans me préciser qu'elle était très accomplie.

— On considère de nos jours qu'une femme est accomplie simplement parce qu'elle a brodé une bourse au crochet ou orné un écran de cheminée, dit Darcy. C'est un peu court ; ma sœur Georgiana mérite ce qualificatif car elle maîtrise non seulement les arts féminins, mais aussi les arts meurtriers. Parmi toutes mes connaissances, je ne peux prétendre avoir rencontré plus d'une demi-douzaine de femmes aussi accomplies.

— Ni moi non plus, c'est bien certain, renchérit Miss Bingley.

— Alors, intervint Elizabeth, l'idée que vous vous faites de la femme accomplie doit être assez haute.

— Certes ; une femme doit avoir une connaissance approfondie de la musique, du chant, du dessin, de la danse et des langues vivantes ; elle doit avoir été initiée aux différents styles de combat des maîtres de Kyoto, ainsi qu'aux tactiques et aux armes européennes modernes. En outre, elle doit posséder un je-ne-sais-quoi dans sa posture et sa démarche, dans son timbre de voix, son ton et ses expressions, sinon le compliment est en partie usurpé. Elle doit posséder tout cela, et y ajouter encore quelque chose de plus substantiel, en cultivant son esprit par des lectures nombreuses.

— Je ne m'étonne plus que vous ne connaissiez que six dames qui soient accomplies. Je suis même surprise que vous en connaissiez une seule.

— Êtes-vous si sévère envers votre sexe qu'une femme vraiment accomplie vous paraît invraisemblable ?

— Pour ma part, je n'ai jamais rencontré pareille femme. À ma connaissance, une femme est soit très aguerrie, soit très raffinée. À notre époque, personne ne peut s'offrir le luxe d'être les deux à la fois. En ce qui nous concerne, mes sœurs et moi, notre cher père a préféré nous voir consacrer moins de temps à la broderie et à la musique, et davantage à nous protéger contre les malheureux qui sont contaminés.

Mrs Hurst et Miss Bingley se récrièrent de concert contre l'injustice d'un tel scepticisme et affirmèrent toutes deux connaître bien des femmes répondant à cette description. Mr Hurst les rappela à l'ordre en se plaignant de leur manque d'attention pour la partie en cours. Un terme ayant ainsi été mis à toute conversation, Elizabeth quitta la pièce peu après. Dès que la porte se fut refermée, Miss Bingley déclara :

— Elizabeth Bennet est de ces demoiselles qui cherchent à se faire apprécier de l'autre sexe en dépréciant le leur. Avec bien des hommes, j'imagine que cela réussit, mais à mon avis, c'est un piètre procédé, un stratagème fort mesquin.

— Indubitablement, répondit Darcy à qui cette remarque s'adressait surtout, il y a de la mesquinerie dans tous les stratagèmes auxquels les dames s'abaissent parfois pour séduire. Tout ce qui ressemble à de la ruse est méprisable.

Assez peu satisfaite de cette repartie, Miss Bingley préféra changer de sujet.

Elizabeth redescendit seulement pour leur signaler que l'état de Jane s'était aggravé et qu'elle ne pouvait la quitter. Bingley insista pour qu'on allât bien vite chercher Mr Jones ; ses sœurs, convaincues qu'un médecin de campagne ne pouvait être d'aucune utilité, auraient voulu qu'on envoyât aussitôt un messager à Londres afin de faire appel aux plus éminents praticiens. Elizabeth rejeta cette idée, car il aurait été trop dangereux d'envoyer un messager en pleine nuit, mais se montra moins hostile à la proposition de leur frère. Il fut donc décidé que l'on ferait venir Mr Jones le lendemain à la première heure, si Miss Bennet n'allait toujours pas mieux. Bingley se tourmentait fort et ses sœurs se déclarèrent navrées. Elles se consolèrent néanmoins de leur affliction en chantant des duos après le souper, et lui ne trouva de soulagement qu'en donnant à l'intendante des instructions pour que la malade et sa sœur fussent traitées avec tous les égards possibles.

Chapitre 9

ELIZABETH passa une bonne partie de la nuit dans la chambre de sa sœur. Le lendemain matin, elle eut le plaisir de donner une réponse encourageante aux questions que Mr Bingley lui fit transmettre par une femme de chambre. Elle demanda que l'on envoyât un mot à Longbourn, afin que sa mère vînt juger par elle-même de la situation. La lettre partit aussitôt, mais le messager rencontra sur la route un groupe de zombies fraîchement sortis de terre et fut entraîné vers une mort atroce.

Une deuxième lettre atteignit sa destinataire et son contenu fut aussitôt pris en compte. Accompagnée de ses deux cadettes munies de leurs arcs, Mrs Bennet arriva à Netherfield peu après le petit-déjeuner familial.

Si elle avait trouvé Jane visiblement menacée par l'étrange épidémie, Mrs Bennet aurait été bien malheureuse. Mais après avoir constaté que sa maladie n'avait rien d'alarmant, elle ne souhaita pas la voir guérir tout de suite, puisque son retour à la santé l'aurait probablement chassée de Netherfield. Elle fit donc la sourde oreille quand sa fille suggéra qu'on la ramenât chez elle en voiture, solution que désapprouvait tout à fait l'apothicaire, arrivé au même moment. Lorsqu'elles eurent passé un moment avec Jane, Miss Bingley vint convier la mère et ses trois filles à la suivre dans le petit salon. Bingley les accueillit en exprimant l'espoir que Mrs Bennet n'avait pas trouvé Miss Bennet plus mal qu'elle ne s'y attendait.

— Bien sûr que si, monsieur. Elle est beaucoup trop malade pour être ramenée à la maison. Mr Jones affirme qu'il ne faut pas y penser. Nous devrons abuser un peu plus longtemps de votre hospitalité.

— La ramener chez vous ! s'écria Bingley. Vous ne devez pas y songer.

Mrs Bennet les remercia avec effusion.

— Je ne sais vraiment pas ce qui serait advenu de ma fille, ajouta-t-elle, si elle n'avait pas d'aussi bons amis, car elle est très malade, elle souffre énormément, mais avec une patience d'ange, sans doute grâce aux nombreux mois qu'elle a passés sous la tutelle de maître Liu.

— Puis-je espérer rencontrer ce monsieur ici, dans le Hertfordshire ? demanda Bingley.

— Cela me paraît difficile, répondit-elle, car il n'a jamais quitté l'enceinte du temple de Shaolin, dans la province de Henan. C'est là que, pendant de longues journées, nos filles ont été entraînées à supporter toutes sortes de désagréments.

— Pourriez-vous m'expliquer la nature de ces désagréments ?

— Je le pourrais, dit Elizabeth, mais je préférerais vous en donner un aperçu concret.

— Lizzy, l'avertit sa mère, rappelle-toi où tu es, et cesse de jacasser avec cette liberté que nous te permettons à la maison.

— J'ignorais jusqu'ici, enchaîna Bingley, que vous eussiez un tel caractère.

— Peu importe mon propre caractère, répondit Elizabeth. C'est le caractère des autres qui m'intéresse. Je consacre de nombreuses heures à l'étudier.

— La région ne peut guère vous offrir de sujets pour cette étude, dit Darcy. À la campagne, on évolue dans un cercle limité et très peu varié.

— Sauf, bien sûr, quand cette campagne est infestée des mêmes innommables que la ville.

— En effet, renchérit Mrs Bennet, offensée par cette façon de parler de la campagne. Je vous assure que pour ça, il s'en passe tout autant en province que dans la capitale.

Tout le monde fut surpris et, après l'avoir contemplée un moment, Darcy se détourna en silence. Croyant avoir remporté sur lui une victoire totale, Mrs Bennet prolongea son triomphe.

— Pour ma part, je ne vois pas quel avantage Londres a sur la campagne, surtout depuis la construction des remparts. Elle a beau être une forteresse pleine de boutiques, ce n'en est pas moins une forteresse, et guère adaptée aux nerfs fragiles d'une dame. La campagne est infiniment plus agréable, n'est-ce pas, Mr Bingley ?

— Quand je suis à la campagne, je voudrais ne jamais la quitter, et quand je suis en ville, c'est à peu près la même chose. Chacune a ses avantages, par rapport à l'épidémie ou pour le reste. Car si la sécurité de la ville me permet de mieux dormir, je trouve que mon caractère s'améliore beaucoup dans mon cadre actuel.

— Oui, parce que vous avez un heureux caractère. Mais ce monsieur avait l'air de croire que la campagne ne vaut rien du tout.

— Maman, vous vous trompez, je vous assure, dit Elizabeth en rougissant pour sa mère. Vous avez mal compris Mr Darcy. Il voulait seulement dire qu'on ne rencontre pas à la campagne des gens aussi divers qu'en ville, et vous devez reconnaître que c'est la vérité. Tout comme Mr Darcy reconnaîtrait sûrement que, dans l'ensemble, la campagne est plus agréable parce que les cimetières y sont moins nombreux de nos jours.

— Certes, ma chérie, mais on rencontre ici beaucoup de gens et il existe peu de régions plus peuplées que la nôtre. Je peux vous dire que nous recevons à dîner pas moins de vingt-quatre familles différentes. Enfin, vingt-trois, devrais-je dire ; cette pauvre Mrs Long, Dieu ait son âme !

Darcy se contenta de sourire. Le silence général qui s'ensuivit fit trembler Elizabeth. Elle aurait voulu parler, mais ne savait que dire. Mrs Bennet se remit bientôt à remercier Mr Bingley pour sa bonté envers Jane, et lui présenta ses excuses pour l'avoir également chargé de Lizzy. Mr Bingley répondit avec une politesse sincère, obligeant sa sœur cadette à se montrer aussi polie et à tenir le genre de propos qu'imposaient les circonstances. Elle s'acquitta de son rôle d'assez mauvaise grâce, mais Mrs Bennet fut satisfaite et demanda peu après qu'on fît atteler sa voiture. À ce signal, la plus jeune de ses enfants s'avança. Les deux jeunes filles, qui chuchotaient entre elles depuis le début de la visite, avaient fini par décider que la cadette devrait reprocher à Mr Bingley de ne pas avoir encore donné un bal à Netherfield, comme il l'avait promis alors qu'il venait d'arriver dans la région.

Lydia était une solide fille de quinze ans, bien bâtie, au teint superbe et à la physionomie enjouée. Elle n'avait pas le bon sens de Lizzy, mais avait comme elle l'instinct d'une tueuse, ayant vaincu son premier innommable à l'âge stupéfiant de sept ans et demi. Elle ne redoutait donc nullement de s'adresser à Mr Bingley au sujet du bal et elle lui rappela sa promesse de but en blanc, ajoutant que ne pas tenir parole serait la chose la plus honteuse du monde. La réponse qu'il fit à cet assaut soudain ravit les oreilles de sa mère :

— Je suis tout à fait prêt à respecter mes engagements, je vous assure, et quand votre sœur sera guérie, vous fixerez vous-même la date de ce bal. Vous n'auriez pas le cœur à danser tant qu'elle est malade.

Lydia se déclara satisfaite.

— Ah oui, il vaut beaucoup mieux attendre que Jane soit sur pied, et d'ici là, le capitaine Carter sera sûrement revenu à Meryton. Et quand vous aurez donné votre bal, j'exigerai qu'ils en donnent un aussi. Je dirai au colonel Forster que ce serait une honte de ne pas en organiser un.

Mrs Bennet et ses filles partirent alors. Elizabeth remonta aussitôt voir Jane, laissant les deux dames et Mr Darcy commenter son comportement et celui de sa famille. Malgré tous les bons mots de Miss Bingley sur les « yeux magnifiques », il fut impossible de persuader ce monsieur de se joindre à leur critique de la jeune fille.

Chapitre 10

LA JOURNÉE se déroula à peu près comme la précédente. Mrs Hurst et Miss Bingley avaient passé quelques heures de la matinée au chevet de la malade, dont la convalescence se poursuivait lentement mais sûrement. Le soir, Elizabeth rejoignit les autres au salon. La table de jeu n'apparut pourtant pas. Mr Darcy écrivait et, assise près de lui, Miss Bingley regardait avancer sa lettre, en sollicitant son attention à plusieurs reprises afin de lui confier des messages pour sa sœur. Mr Hurst et Mr Bingley jouaient au piquet, et Mrs Hurst suivait leur partie.

Elizabeth se mit à cirer la crosse de son mousquet et trouva amplement de quoi se distraire en écoutant la conversation entre Darcy et sa voisine.

— Miss Darcy sera ravie de recevoir une pareille lettre !

Il ne répondit rien.

— Vous écrivez à une vitesse exceptionnelle.

— Et vous bavardez à un rythme exceptionnel.

— Vous direz bien à votre sœur que j'ai hâte de la revoir.

— Je le lui ai déjà dit, selon votre désir.

— Comment arrivez-vous à écrire si droit ?

Il garda le silence.

— Dites à votre sœur que je suis ravie d'apprendre qu'elle a fait des progrès à la harpe, et faites-lui savoir, je vous prie, que je suis enchantée du superbe projet de table qu'elle a dessiné.

— Miss Bingley, les grognements d'une centaine d'innommables seraient plus agréables à mes oreilles qu'un mot de plus de votre bouche. Si vous n'étiez pas charmante par ailleurs, je serais forcé de vous trancher la langue avec mon sabre.

— Quel plaisantin ! Mais cela n'a pas d'importance. Je la verrai en janvier. Mais lui écrivez-vous toujours des lettres aussi longues et aussi charmantes, Mr Darcy ?

— Elles sont longues, en général, mais il ne m'appartient pas de décider si elles sont charmantes.

— Lorsqu'on écrit de longues lettres sans peine, on n'écrit jamais mal, c'est pour moi un principe.

— Ce compliment ne vaut pas pour Darcy, Caroline, lança son frère, car il n'écrit pas sans peine. Il se creuse trop la tête pour trouver des mots de quatre syllabes. Pas vrai, Darcy ?

Mr Darcy continua à rédiger sa lettre en silence, mais Elizabeth s'aperçut que ses amis l'agaçaient fort.

Lorsqu'il eut terminé, Mr Darcy pria Miss Bingley et Elizabeth de leur accorder le plaisir d'un peu de musique. Miss Bingley se dirigea avec joie vers le pianoforte. Par politesse, elle proposa à Elizabeth de commencer, puis s'y installa.

Mrs Hurst se mit à chanter pendant que sa sœur jouait.

Aux heureux temps jadis, les morts restaient sous terre,
À Londres n'habitaient que des êtres en vie,
Quand s'abattit soudain sur nous l'épidémie.
Courons tous aujourd'hui défendre l'Angleterre !

Pendant ce temps, Elizabeth ne put s'empêcher de remarquer que Mr Darcy avait bien souvent les yeux fixés sur elle. Elle ne voyait guère en quoi elle pouvait être un objet d'admiration pour un homme si important, et il semblait plus curieux encore qu'il la regardât parce qu'il la détestait. Elle en vint toutefois à penser qu'elle attirait son attention parce que, selon sa conception des convenances, il trouvait plus à redire chez elle que chez aucune autre personne présente. Cette hypothèse ne lui causa aucune peine. Il ne lui était pas assez sympathique pour qu'elle recherchât son approbation.

Changeant de style pour séduire son auditoire, Miss Bingley interpréta un robuste air écossais. Peu après, s'approchant d'Elizabeth, Mr Darcy lui dit :

— N'avez-vous pas grande envie, Miss Bennet, de profiter de l'occasion pour danser une gigue ?

Elle sourit mais ne répondit rien. Il répéta sa question, un peu surpris de son silence.

— Oh ! Je vous avais entendu, mais je n'avais pas encore choisi ma réponse. Vous vouliez que je dise oui, je le sais, pour avoir le plaisir de déplorer mon mauvais goût, mais j'adore contrecarrer ce genre de stratagème et décevoir ceux qui espèrent me mépriser. J'ai donc résolu de vous dire que je n'ai aucune envie de danser la gigue. Maintenant, méprisez-moi si vous l'osez.

— Je ne l'oserai jamais.

Comme elle croyait l'offenser, Elizabeth fut stupéfaite de sa galanterie ; car Darcy n'avait jamais été aussi ensorcelé par une autre femme. En outre, il n'avait jamais vu dame plus compétente dans l'art de terrasser les morts-vivants. Il comprit à quel point il aurait été en danger de tomber amoureux, si elle n'avait pas été d'une extraction si commune.

Miss Bingley en vit ou en devina assez pour être jalouse et sa vive préoccupation de voir guérir sa chère amie Jane fut renforcée par son désir de se débarrasser d'Elizabeth.

Elle tentait souvent de pousser Darcy à détester leur invitée, en évoquant leur prétendu mariage et en prévoyant le bonheur que lui procurerait une telle alliance.

— J'espère, disait-elle alors qu'ils se promenaient dans le jardin, le lendemain, que vous ferez comprendre à votre belle-mère l'avantage de tenir sa langue, quand l'événement tant attendu aura eu lieu. Et si vous y parvenez, guérissez donc les cadettes de cette maladie de courir après les officiers. Si je puis aborder un sujet aussi délicat, tentez de corriger l'affinité fort inconvenante de Miss Bennet pour les fusils, les sabres et l'exercice physique, et toutes ces sottises qu'il vaut mieux laisser aux hommes, ou aux femmes de basse extraction.

— Avez-vous autre chose à proposer pour mon bonheur domestique ?

À cet instant, ils rencontrèrent Mrs Hurst et Elizabeth en personne, qui arrivaient par un autre chemin.

— Je ne savais pas que vous aviez l'intention d'aller marcher, dit Miss Bingley, un peu troublée à l'idée que leur conversation avait pu être entendue.

— Vous vous êtes affreusement mal comportés envers nous, répliqua Mrs Hurst, en vous sauvant sans nous dire que vous sortiez.

Prenant alors le bras libre de Mr Darcy, elle laissa Elizabeth marcher seule. On ne pouvait avancer qu'à trois de front. Sensible à ce manque de courtoisie, Mr Darcy dit aussitôt :

— Le chemin n'est pas assez large pour nous quatre. Nous ferions mieux d'emprunter cette allée.

Mais Elizabeth, qui n'avait pas la moindre envie de demeurer en leur compagnie, répondit en riant :

— Non, non, restez où vous êtes. Vous formez un groupe délicieux, et vous êtes ravissants à voir. À quatre, le pittoresque serait gâté. Au revoir !

Elle partit gaiement en courant, heureuse à la perspective de rentrer chez elle d'ici un jour ou deux. Jane allait déjà tellement mieux qu'elle avait l'intention de quitter la chambre quelques heures durant le soir même.

Chapitre 11

QUAND LES DAMES se retirèrent après le dîner, Elizabeth courut retrouver sa sœur et, la voyant bien portante, l'accompagna dans le salon, où Miss Bingley et Mrs Hurst l'accueillirent avec force protestations de ravissement. Elizabeth ne les avait jamais vues aussi charmantes que pendant l'heure passée avant que ces messieurs ne les rejoignissent. Malgré leur manque d'expérience au combat, il fallait avouer qu'elles étaient fort douées pour la conversation. « Si les mots suffisaient à décapiter un mort-vivant, songea-t-elle, j'aurais ici affaire aux deux plus grandes guerrières de l'Angleterre. »

Mais quand ces messieurs entrèrent, elles perdirent tout intérêt pour Jane. Miss Bingley tourna aussitôt les yeux vers Darcy à qui elle eut quelque chose à dire avant qu'il ait pu faire trois pas. Il s'adressa directement à Jane, pour lui présenter ses félicitations polies ; Mr Hurst s'inclina légèrement et se déclara « très content vraiment qu'il s'agisse d'un simple rhume, et non de l'étrange épidémie ». Mr Bingley, lui, les salua avec une chaleureuse effusion. Il se montra plein de joie et d'attention. La première demi-heure fut consacrée à remettre du bois dans la cheminée, de peur que la convalescente ne souffrît du changement de pièce. Puis il s'assit près d'elle et ne parla à personne d'autre ou presque. Elizabeth s'installa dans l'angle de la pièce avec sa pierre à aiguiser et observa la scène avec le plus grand plaisir tout en affûtant les sabres de ces messieurs, qu'elle avait trouvés dangereusement émoussés lorsqu'elle les avait examinés.

Quand ils eurent pris le thé, Mr Hurst tenta, mais en vain, de diriger l'esprit de sa belle-sœur vers la table de jeu. Elle avait appris en confidence que Mr Darcy ne souhaitait pas jouer aux cartes, et Mr Hurst se heurta donc à un refus même lorsqu'il la sollicita de façon plus explicite. Elle lui assura que personne n'avait l'intention de jouer, et le silence de chacun parut lui donner raison. Mr Hurst dut alors se résigner à aller s'étendre sur un sofa pour s'endormir. Darcy prit un livre et Miss Bingley en fit autant. Mrs Hurst, essentiellement occupée à manipuler les étoiles ninjas d'Elizabeth, se joignait de temps à autre à la conversation que son frère avait avec Miss Bennet.

Miss Bingley divisait son attention à parts égales entre le livre qu'elle avait à la main et la façon dont Mr Darcy avançait dans sa propre lecture. Elle ne cessait de lui poser des questions ou de regarder à quelle page il en était. Elle ne put cependant l'entraîner dans un tête-à-tête ; il répondait simplement par quelques mots avant de se replonger dans son livre. Enfin, épuisée par l'effort qu'elle faisait en s'intéressant au livre qu'elle avait choisi parce qu'il s'agissait du second volume du roman qu'il lisait, elle poussa un grand bâillement et dit :

— Quelle délicieuse façon de passer une soirée ! Je le déclare, rien ne vaut le plaisir de la lecture !

— On voit bien que vous n'avez jamais connu l'extase de tenir en main un cœur encore palpitant, dit Darcy.

Miss Bingley, qui avait l'habitude de s'entendre reprocher son manque d'aptitude au combat, ne répondit rien. Elle bâilla de nouveau, jeta son livre et balaya la pièce du regard, en quête d'une distraction. Comme son frère parlait d'un bal à Miss Bennet, elle se tourna soudain vers lui et dit :

— À propos, Charles, es-tu sérieux lorsque tu envisages un bal à Netherfield ? Avant que tu ne prennes ta décision, je te conseille de consulter les vœux des personnes présentes. Si je ne me trompe, il y en a parmi nous pour qui un bal serait une punition plutôt qu'un plaisir.

— Tu penses sans doute à Darcy. Il pourra aller se coucher avant le début des festivités, si ça lui chante. Quant au bal, c'est une affaire réglée et, dès que le sol aura suffisamment durci pour laisser échapper un peu moins d'innommables, j'enverrai mes invitations.

Restée muette, Miss Bingley se leva peu après et se mit à parcourir la pièce. Sa silhouette était élégante et sa démarche gracieuse ; hélas, Darcy, à qui ces attraits étaient destinés, continuait à lire, inflexible. Au désespoir, elle se résolut à un effort supplémentaire et dit à Elizabeth :

— Miss Eliza, laissez-vous convaincre de suivre mon exemple et promenons-nous dans ce salon. Je vous assure que c'est très revigorant lorsqu'on a gardé longtemps la même position.

Elizabeth n'avait nul besoin de se dégourdir les jambes – elle avait jadis reçu l'ordre de faire le poirier pendant six jours, sous le soleil brûlant de Pékin –, mais elle accepta aussitôt. Le succès de Miss Bingley fut entier lorsque ses attentions eurent le résultat qu'elle espérait : Mr Darcy leva les yeux, et ferma son livre sans même s'en rendre compte. Il fut directement invité à se joindre à elles, mais refusa en déclarant qu'il ne pouvait imaginer que deux raisons à leur choix d'arpenter la pièce ensemble ; dans l'un ou l'autre cas, il ne ferait que les déranger.

— Que veut-il dire ? Je meurs d'envie de le savoir. Le comprenez-vous ? demanda Miss Bingley à Elizabeth.

— Pas du tout, mais vous pouvez être certaine qu'il veut se montrer sévère envers nous. Le plus sûr moyen de le contrarier est de ne solliciter aucune explication.

Miss Bingley était néanmoins incapable de contrarier Mr Darcy en quoi que ce fût. Elle s'entêta donc à lui demander des comptes.

— Je suis tout à fait prêt à m'expliquer, dit-il dès qu'elle le laissa parler. Vous avez choisi cette manière de passer la soirée soit parce que vous avez des secrets à évoquer entre vous, soit parce que vous êtes sûres, en marchant ainsi dans la pièce, de mettre au mieux vos charmes en valeur. Dans le premier cas, je serais un intrus ; dans le second, je vous admire beaucoup mieux assis près du feu.

— Oh ! Quelle horreur ! s'écria Miss Bingley en s'éloignant de la cheminée. Je n'ai jamais rien entendu d'aussi abominable. Comment allons-nous le châtier pour ce discours ?

— Rien de plus facile, si vous le souhaitez vraiment, dit Elizabeth. Taquinez-le ; ou bien provoquez-le en duel. Un petit combat nous ferait le plus grand bien.

— Taquiner un homme d'un tempérament aussi calme, et d'une telle présence d'esprit ! Non, non, je sens bien qu'il pourrait nous défier sur ce terrain. Quand à nous moquer de lui, nous ne nous mettrons pas en danger, ne vous déplaise, en essayant de rire sans raison.

— On ne peut pas se moquer de Mr Darcy ! s'exclama Elizabeth. Voilà un avantage hors du commun, et j'espère qu'il le restera, car pour moi, la perte serait grande si je connaissais beaucoup de gens comme lui. J'aime à me moquer, presque autant qu'à abattre des innommables tout frais sortis de terre.

— Miss Bingley m'accorde plus de mérite que je n'en ai. Les meilleurs et les plus sages des hommes, et même les meilleures et les plus sages de leurs actions, peuvent être ridiculisés par celui dont la vie est vouée à la moquerie.

— Certainement, répliqua Elizabeth, cette espèce de plaisantins existe, mais j'espère ne pas en faire partie. J'espère ne jamais tourner en ridicule ce qui est sage et bon. La folie et l'absurdité, le caprice et l'incohérence me divertissent, je l'avoue, et j'en ris chaque fois que je le peux. Mais il s'agit sans doute précisément des défauts dont vous êtes exempt.

— Personne n'est peut-être sans défaut, mais je m'efforce depuis toujours d'éviter ces faiblesses qui exposent au ridicule un esprit solide.

— La vanité et l'orgueil, par exemple.

— Oui, la vanité est bien une faiblesse. Mais l'orgueil… Chez un esprit véritablement supérieur, l'orgueil est toujours tenu en bride.

Elizabeth se détourna pour dissimuler un sourire.

— Vous avez terminé l'examen de Mr Darcy, je suppose, dit Miss Bingley. Quel en est le résultat, je vous prie ?

— Je me suis parfaitement convaincue que Mr Darcy n'a aucun défaut.

— Non, rectifia Darcy. J'ai des défauts, mais pas d'ordre intellectuel, je l'espère. Je n'oserai pas m'avancer quant à mon caractère. J'ai plus d'une fois donné la mort pour des offenses que d'autres hommes jugeraient bien insignifiantes.

— Voilà une vraie faille ! s'écria Elizabeth. Mais vous avez bien choisi votre défaut. Je vis moi aussi guidée par le code des guerriers, et je tuerais volontiers si mon honneur l'exigeait. Vous n'avez rien à craindre de moi.

— Chaque tempérament, je crois, est marqué par quelque disposition mauvaise, par un défaut naturel que même la meilleure éducation ne peut surmonter.

— Et votre défaut à vous est une propension à haïr les gens.

— Et le vôtre, répondit-il en souriant, est de déformer délibérément leurs propos.

— Faisons donc un peu de musique, proposa Miss Bingley, lasse d'une conversation à laquelle elle ne participait pas. Louisa, tu permets que je réveille Mr Hurst ?

Sa sœur n'y vit aucune objection. On ouvrit le pianoforte et Darcy ne s'en plaignit pas. Il prenait peu à peu conscience du danger qu'il y avait à trop s'intéresser à Elizabeth.

Chapitre 12

EN ACCORD avec sa sœur, Elizabeth écrivit le lendemain matin à sa mère, pour demander qu'on leur envoyât la voiture dans le courant de la journée. Cependant, Mrs Bennet comptait que ses filles restassent à Netherfield jusqu'au mardi suivant, ce qui eût porté à une semaine entière la durée du séjour de Jane, et elle n'aurait pas apprécié de les voir revenir auparavant. Sa réponse ne fut donc pas favorable, du moins au souhait d'Elizabeth, qui était impatiente de rentrer. Mrs Bennet leur fit savoir qu'elles ne pourraient en aucun cas disposer du véhicule avant mardi, car il avait été gravement endommagé par des balles perdues lors d'une escarmouche opposant des soldats à un groupe de malheureux contaminés près du camp de Meryton.

C'était en partie vrai, car la voiture avait bel et bien essuyé des tirs lorsque Catherine et Lydia l'avaient utilisée pour aller rendre visite à un groupe d'officiers, mais les dégâts étaient en réalité moins graves que Mrs Bennet ne le prétendait. Dans son post-scriptum, elle ajoutait que si Mr Bingley et sa sœur insistaient pour prolonger leur invitation, elle pouvait fort bien se passer d'elles, de son côté. Elizabeth était pourtant fermement résolue à ne pas s'attarder davantage, et elle incita Jane à emprunter aussitôt la voiture de Mr Bingley. Elles convinrent finalement de mentionner leur projet initial de quitter Netherfield ce matin-là pour en faire la requête.

Cette annonce suscita maintes déclarations soucieuses et Jane se laissa persuader quand leurs hôtes exprimèrent le désir de les garder jusqu'au lendemain pour permettre au sol de durcir encore un peu. Leur départ fut donc repoussé au jour suivant. Miss Bingley regretta d'avoir suggéré ce délai, car la jalousie et l'antipathie que lui inspirait Elizabeth dépassaient de loin son affection pour Jane.

Mr Bingley apprit avec une tristesse sincère qu'elles partiraient bientôt et tenta à plusieurs reprises de convaincre Miss Bennet que le trajet serait dangereux pour elle, et qu'elle n'était pas assez remise pour se battre si la voiture était attaquée, mais Jane lui rappela qu'on ne pouvait trouver dans toute l'Angleterre garde du corps plus fiable qu'Elizabeth.

Mr Darcy fut ravi : Elizabeth se trouvait depuis assez longtemps à Netherfield. Elle l'attirait plus qu'il ne le jugeait bon, sans parler du fait que Miss Bingley se montrait impolie avec elle, et plus taquine qu'à l'ordinaire avec lui. Il résolut de ne plus laisser échapper désormais aucun signe d'admiration. Fidèle à son programme, à peine lui adressa-t-il dix mots en tout dans la journée du samedi et, quand ils se retrouvèrent seuls ensemble pendant une demi-heure, il resta scrupuleusement plongé dans son livre et ne lui accorda pas même un regard.

Le dimanche, la séparation eut lieu après l'office. En ces ultimes instants, la politesse de Miss Bingley envers Elizabeth augmenta soudain, tout comme son affection pour Jane. Lorsqu'elles se quittèrent, après avoir assuré l'aînée du plaisir qu'elle aurait toujours à la voir, à Longbourn ou à Netherfield, et l'avoir embrassée chaleureusement, elle alla jusqu'à serrer la main de la cadette. Et c'est de très joyeuse humeur qu'Elizabeth prit congé de toute la compagnie.

Le trajet jusqu'à Longbourn se déroula de façon très agréable, exception faite d'une brève rencontre avec une petite horde d'enfants zombies, sans doute venus de l'orphelinat de Mrs Beechman, qui avait récemment succombé en même temps que toute la paroisse Saint-Thomas. Le cocher de Mr Bingley ne put s'empêcher de vomir sur sa cravate à la vue de ces minuscules démons qui, dans un champ voisin, dévoraient des cadavres cuits par le soleil. Elizabeth tenait son mousquet prêt, au cas où ils se seraient avancés. Mais la chance était de leur côté, et les enfants maudits ne prêtèrent aucune attention à la voiture.

L'accueil que leur réserva leur mère ne fut guère cordial. Mrs Bennet s'étonna de les voir revenir : elles avaient grand tort d'avoir causé un tel dérangement et, à coup sûr, Jane retomberait malade. Ses récriminations s'intensifièrent à la vue de la cravate souillée du cocher, signe incontestable qu'elles avaient croisé des innommables en chemin. Mais leur père fut réellement heureux de les retrouver, car les séances d'escrime du soir avaient perdu beaucoup de leur animation en l'absence de Jane et d'Elizabeth.

Elles trouvèrent Mary immergée, comme d'habitude, dans l'étude de la nature humaine. Catherine et Lydia avaient pour elles des nouvelles d'un autre ordre. Depuis le mercredi précédent, il s'était dit et fait beaucoup de choses dans le régiment ; plusieurs officiers avaient dîné récemment avec leur oncle, un soldat avait été fouetté pour s'être adonné à des actes abjects avec un cadavre sans tête, et on laissait même entendre que le colonel Forster allait se marier.

Chapitre 13

— J'ESPÈRE, ma chère, dit Mr Bennet à sa femme, alors qu'ils prenaient leur petit-déjeuner le lendemain matin, que vous avez prévu un bon dîner aujourd'hui, car j'ai des raisons de penser que nous aurons un invité.

— Que me racontez-vous là, mon ami ? Je n'attends la venue de personne, à moins que Charlotte Lucas ne passe nous voir, et j'espère que mes dîners sont assez bons pour elle, puisque c'est une vieille fille de vingt-sept ans qui, en tant que telle, ne doit pas espérer mieux qu'une croûte de pain trempée dans une coupe de solitude.

— La personne dont je parle est un homme qui ne fait pas partie de nos intimes.

Les yeux de Mrs Bennet étincelèrent.

— Un homme qui ne fait pas partie de nos intimes ! C'est Mr Bingley, j'en suis certain. Je serai tout à fait ravie de voir Mr Bingley. Mais, mon Dieu, cela tombe vraiment mal, impossible de trouver du poisson aujourd'hui. Lydia, mon amour, sonne donc. Il faut que je parle tout de suite à Hill.

— Il ne s'agit pas de Mr Bingley, rectifia son mari, mais de quelqu'un que je n'ai encore jamais vu.

Après s'être diverti un moment de leur curiosité, il s'expliqua :

— Il y a environ un mois, j'ai reçu cette lettre, et j'y ai répondu il y a quinze jours. Elle vient de mon cousin Mr Collins qui, quand je serai mort, pourra vous chasser d'ici dès qu'il le voudra.

— Ah, mon cher ! s'écria sa femme, ne parlez pas de cet être odieux, je vous en prie. C'est à mon avis la chose la plus affreuse du monde, que vos enfants ne puissent hériter de votre propriété.

Jane et Elizabeth tentèrent d'expliquer à leur mère qu'elles étaient capables toutes les cinq de subvenir à leurs besoins, qu'elles pourraient raisonnablement s'enrichir comme gardes du corps, comme assassins ou comme mercenaires si nécessaire. Mais c'était un sujet auquel Mrs Bennet ne voulait rien entendre. Elle continua à déclamer avec aigreur contre la cruauté qu'il y avait à détourner le bien d'une famille de cinq filles au profit d'un homme dont tout le monde se moquait éperdument.

— Il y a là une injustice, assurément, dit Mr Bennet, et rien ne peut laver Mr Collins de la faute consistant à hériter de Longbourn. Mais si vous voulez bien écouter le contenu de sa lettre, vous vous laisserez peut-être un peu attendrir par la façon dont il s'exprime.

Hunsford, près de Westerham, Kent,
15 octobre

Cher Monsieur,

Le désaccord persistant entre vous et mon défunt père m'a toujours causé un grand embarras. C'était un excellent guerrier, comme vous le fûtes vous-même, et je sais qu'il repensait avec tendresse au temps où vous combattiez côte à côte, à l'époque où l'étrange épidémie n'était qu'une nuisance isolée. Depuis sa mort, j'ai souvent souhaité me réconcilier avec vous. J'ai cependant été longtemps retenu par mes propres doutes, de peur de paraître manquer de respect à sa mémoire en fréquentant quelqu'un que mon père s'était jadis juré de châtrer. Néanmoins, ma décision est maintenant prise car, étant devenu clergyman, j'ai eu la grande chance de me voir accorder la protection de Sa Seigneurie Lady Catherine de Bourgh…

— Grands dieux ! s'exclama Elizabeth. Il connaît Lady Catherine !

— Laissez-moi terminer, dit sévèrement Mr Bennet.

… dont l'habileté à manier la lame et le mousquet est sans égale et qui a pourfendu plus d'innommables qu'aucune femme au monde. En tant qu'ecclésiastique, je sens qu'il est de mon devoir de contribuer à apporter cette bénédiction qu'est la paix dans toutes les familles. Si vous n'avez aucune objection à me recevoir en votre demeure, je me propose la satisfaction de vous rendre visite, à vous et à votre famille, lundi 18 novembre à quatre heures, et j'abuserai probablement de votre hospitalité jusqu'au samedi de la semaine suivante. Je reste, cher Monsieur, avec mes compliments respectueux à votre épouse et à vos filles, votre ami bienveillant,

William Collins

— À quatre heures, nous pouvons donc nous attendre à voir arriver ce messager de paix, dit Mr Bennet en repliant la lettre. Ce jeune homme semble très consciencieux et très poli, sur ma parole, et je suis sûr que nous gagnerons à le connaître, surtout compte tenu de ses liens avec Lady Catherine.

Mr Collins se montra ponctuel et fut reçu de façon très courtoise par toute la famille. Mr Bennet dit fort peu de choses, mais les dames ne demandaient qu'à parler et Mr Collins n'avait nul besoin d'encouragement, n'ayant aucune envie de garder le silence. C'était un jeune homme de vingt-cinq ans, de petite taille et à la silhouette lourde. Sa mine était grave et solennelle, et ses manières très guindées. À peine s'était-il assis qu'il complimenta Mrs Bennet sur sa superbe progéniture, dont on lui avait tant vanté la beauté ; en l'occurrence, la rumeur était en deçà de la vérité. Il ajouta qu'il avait hâte de voir une démonstration de leur talent légendaire pour le combat.

— Vous êtes vraiment bien aimable, monsieur, mais j'aimerais mieux qu'elles aient des maris plutôt que des mousquets car, sinon, elles seront dans la misère. Elles se trouvent dans une situation bien étrange.

— Peut-être faites-vous allusion à la succession de cette propriété ?

— En effet, monsieur ! C'est bien regrettable pour mes enfants, vous devez l'avouer.

— Je suis tout à fait conscient, madame, de cette injustice pour mes jolies cousines, et j'aurais beaucoup à dire à ce sujet, si je ne craignais qu'on m'accusât de hardiesse et de précipitation. Mais je puis assurer ces demoiselles que je suis tout prêt à les admirer. Je m'en tiens là pour le moment, mais peut-être, quand nous nous connaîtrons mieux…

Il fut interrompu par l'annonce du dîner, et les filles échangèrent un sourire. Elles n'étaient pas les seuls objets de l'admiration de Mr Collins. Le vestibule, la salle à manger et tout son mobilier furent examinés et approuvés. Cet éloge systématique aurait touché le cœur de Mrs Bennet si elle n'avait eu le soupçon mortifiant qu'il voyait déjà en toutes choses sa propriété à venir. Le dîner à son tour fut fort admiré, et il voulut savoir à laquelle de ses jolies cousines on devait l'excellence de ces plats.

Oubliant un moment ses bonnes manières, Mary saisit sa fourchette et bondit sur la table. Lydia, qui était assise à côté d'elle, lui attrapa la cheville avant qu'elle n'ait pu se jeter sur Mr Collins et, vraisemblablement, lui planter l'ustensile dans la tête ou le cou pour avoir proféré pareille insulte. Jane et Elizabeth détournèrent la tête pour que Mr Collins ne les vît pas rire.

Il fut corrigé par Mrs Bennet qui lui assura, non sans aigreur, qu'ils avaient les moyens de payer une bonne cuisinière et que ses filles étaient trop prises par leur entraînement pour se soucier de la cuisine. Il demanda pardon à Mary de l'avoir offensée. D'un ton radouci, elle déclara que l'insulte était oubliée, mais il continua à lui présenter ses excuses pendant près d'un quart d'heure.

Chapitre 14

C'EST À PEINE si Mr Bennet parla de tout le dîner, mais quand les domestiques se furent retirés, il jugea qu'il était temps d'avoir une conversation avec leur invité.

Il choisit donc un sujet qui devait donner à celui-ci l'occasion de briller, en lui disant qu'il semblait bien heureux d'avoir une une protectrice telle que Lady Catherine de Bourgh, qui n'était pas seulement l'une des plus riches vassales du roi, mais aussi l'une des plus meurtrières. Mr Bennet n'aurait pu choisir mieux. Mr Collins fit son éloge avec éloquence, affirmant qu'il n'avait jamais vu pareille discipline chez une personne de haut rang. Beaucoup de gens qui connaissaient Lady Catherine la trouvaient orgueilleuse, mais pour sa part, il savait combien elle était préoccupée par la destruction des innommables. Elle lui parlait toujours comme elle se serait adressée à n'importe quel gentleman ; elle ne voyait pas la moindre objection à ce qu'il la regardât s'entraîner à se battre, ou à ce qu'il quittât parfois sa paroisse pour une semaine ou deux afin de rendre visite à sa famille. Elle lui avait même conseillé de se marier dès que possible, à condition de choisir avec discernement.

— J'ai souvent rêvé de voir combattre Lady Catherine, dit Elizabeth. Habite-t-elle près de chez vous, monsieur ?

— Un simple chemin sépare Rosings Park, la résidence de Sa Seigneurie, du jardin où est située mon humble demeure.

— Vous avez dit qu'elle était veuve, je crois. A-t-elle de la famille ?

— Elle a une fille, l'héritière de Rosings et d'une très vaste propriété.

— Ah ! s'écria Mrs Bennet en secouant la tête, alors elle est mieux lotie que bien des filles. Et quel genre de demoiselle est-ce ? Est-elle jolie ?

— C'est une demoiselle tout à fait charmante. Lady Catherine elle-même dit que, pour la vraie beauté, Miss de Bourgh est bien supérieure aux plus jolies de son sexe, parce qu'il y a dans ses traits ce je-ne-sais-quoi qui distingue une jeune femme de haute naissance. Elle est malheureusement de constitution chétive, ce qui l'a empêchée de suivre l'exemple de sa mère en ce qui concerne les arts meurtriers. Je pense qu'elle serait à peine capable de soulever un sabre, et encore moins de le manier avec autant d'habileté que Sa Seigneurie.

— A-t-elle été présentée au roi ? Je ne me rappelle pas avoir vu son nom parmi les dames de la cour.

— La faiblesse de son état de santé ne lui permet malheureusement pas de se rendre à Londres. Comme je l'ai moi-même dit un jour à Lady Catherine, cela prive la cour britannique de son plus brillant ornement. Vous pouvez imaginer que je profite avec bonheur de chaque occasion de lui présenter ces petits compliments délicats que les dames acceptent toujours volontiers.

— Vous avez bien raison, dit Mr Bennet. Puis-je vous demander si vous improvisez ces compliments exquis ou s'ils sont le résultat d'une réflexion préalable ?

— Ils sont avant tout le fruit des circonstances et, même si je m'amuse parfois à inventer et à composer de petits compliments élégants adaptés aux occasions ordinaires, je cherche toujours à leur donner un air aussi naturel que possible.

Les attentes de Mr Bennet étaient comblées. Son cousin était un individu aussi ridicule qu'il l'espérait, et il prit un immense plaisir à l'écouter, tout en conservant un sérieux imperturbable.

À l'heure du thé, Mr Bennet fut ravi de ramener son visiteur au petit salon, tout comme il fut ravi, une fois le thé terminé, de l'inviter à faire la lecture aux dames. En voyant le volume (dont tout indiquait qu'il provenait d'une bibliothèque de prêt), Mr Collins sursauta, demanda pardon et déclara qu'il ne lisait jamais de romans. Kitty le dévisagea et Lydia poussa une exclamation de surprise. On lui apporta d'autres ouvrages et, après avoir bien réfléchi, il opta pour les sermons de Fordyce. Lydia resta bouche bée lorsqu'il ouvrit ce livre et, avant qu'il eût fini d'en lire trois pages avec une solennité très monotone, elle l'interrompit :

— Savez-vous, maman, que mon oncle Philips parle d'un nouveau bataillon qui doit venir s'ajouter à celui du colonel Forster ? Ma tante me l'a dit elle-même samedi. J'irai demain à Meryton pour tâcher d'en savoir plus, pourvu qu'une de mes sœurs soit prête à m'accompagner.

Les deux aînées ordonnèrent à Lydia de tenir sa langue mais Mr Collins, fort offensé, posa son livre et dit :

— J'ai souvent remarqué que les jeunes filles ne s'intéressent guère aux ouvrages de nature sérieuse. Je ne veux pas importuner davantage ma jeune cousine.

Se tournant alors vers Mr Bennet, il proposa de disputer avec lui une partie de trictrac. Mr Bennet releva le défi et déclara qu'il agissait sagement en abandonnant ces demoiselles à leurs amusements frivoles. Mrs Bennet et ses filles présentèrent à leur visiteur des excuses polies ; si Lydia avait encore été l'élève de maître Liu, son impertinence lui aurait valu dix coups de baguette de bambou mouillée, affirma Mrs Bennet. Elles lui promirent qu'elle ne l'interromprait plus s'il reprenait sa lecture. Après leur avoir assuré qu'il n'en voulait en rien à sa jeune cousine et qu'il ne considérerait jamais son comportement comme un affront, Mr Collins s'assit néanmoins à une autre table avec Mr Bennet et se prépara à jouer au trictrac.

Chapitre 15

MR COLLINS n'était pas un homme sensé et ni l'éducation ni le contact de la société n'avait pu compenser ce défaut naturel. Il avait passé une grande partie de sa vie sous la tutelle d'un père courageux mais illettré, qui l'avait obligé à s'initier aux arts meurtriers ; mais sa tête faible et sa corpulence avaient eu raison d'une habileté péniblement acquise. Durant son séjour à l'université, il s'était souvent exposé aux reproches de ses pairs, parce qu'il répugnait à faire couler le sang. Un heureux hasard l'avait recommandé à Lady Catherine : Sa Seigneurie l'avait choisi après avoir été contrainte de décapiter son précédent pasteur, récemment fauché par l'épidémie galopante.

Comme il disposait désormais d'une bonne maison et d'un revenu très suffisant, il avait l'intention de se marier. En cherchant à se réconcilier avec la famille de Longbourn, il avait une épouse en vue, car il comptait choisir l'une des sœurs, s'il les trouvait aussi jolies et aimables que le prétendait la rumeur. Tels étaient ses projets pour compenser ou expier le fait qu'il allait hériter du domaine de leur père. Il les jugeait excellents, en tous points adéquats et bien conçus, et excessivement généreux de sa part.

Il ne modifia pas son programme lorsqu'il eut rencontré les jeunes filles. Le beau visage et la musculature saisissante de l'aînée confirmèrent ses vues et c'est sur elle qu'il jeta son dévolu, le premier soir. Le lendemain matin vit pourtant un changement se produire. Durant le quart d'heure d'entretien en tête-à-tête qu'il eut avec Mrs Bennet avant le petit-déjeuner, il lança la conversation sur son presbytère, ce qui le mena naturellement à confesser ses espoirs de trouver à Longbourn une maîtresse de maison ; là-dessus, tout en lui prodiguant des sourires complaisants et des encouragements très généraux, Mrs Bennet le mit en garde au sujet de Jane, sur qui il avait précisément fixé ses vœux. Pour ses cadettes, elle ne pouvait rien affirmer, elle ne pouvait pas être catégorique, mais elle ne leur connaissait aucun attachement ; en revanche, son aînée, elle ne pouvait pas ne pas le mentionner, avait de grandes chances d'être bientôt fiancée.

Elizabeth, qui venait aussitôt après Jane par les années comme par la beauté, mais qui la surpassait peut-être dans le maniement des armes, lui succéda logiquement. Mrs Bennet se réjouit de cette ouverture, sûre d'avoir bientôt deux filles mariées. L'homme dont elle ne supportait pas de parler la veille avait à présent conquis ses bonnes grâces.

Lydia n'avait pas oublié son intention d'aller à pied à Meryton. Toutes ses sœurs sauf Mary consentirent à l'accompagner, résolues à ce qu'elle survécût à ce voyage. Mr Collins devait les escorter, à la demande de Mr Bennet, fort soucieux de se débarrasser de lui et d'avoir sa bibliothèque à lui seul.

Mr Collins profita de son mieux de leur marche jusqu'à Meryton, restant le plus longtemps possible à côté d'Elizabeth qui observait les bois alentour, prête à riposter avec son fusil Brown Bess au premier signe de danger. Jane et les autres venaient derrière eux, le mousquet à la main, elles aussi. Mr Collins, qui se targuait d'être un homme de paix, n'avait emporté ni lame ni canon ; il tirait gaiement des bouffées de sa pipe en marronnier et ivoire, « un cadeau de Sa Seigneurie », ainsi qu'il s'en vantait à chaque occasion.

Ils se trouvaient à un quart de mile à peine de l'ancien terrain de croquet lorsque Elizabeth détecta l'odeur de la mort. Voyant la tension qui émanait de son corps, ses sœurs levèrent leurs mousquets et serrèrent les rangs, afin d'affronter une attaque éventuelle.

— Y a-t-il… y a-t-il le moindre problème ? demanda Mr Collins, qui parut tout à coup sur le point de s'évanouir.

Elizabeth plaça un doigt contre ses lèvres et fit signe à ses sœurs de la suivre. Elle les entraîna le long d'une série d'ornières, d'un pas si léger qu'elle ne dérangeait pas même un grain de sable. Les traces continuaient sur quelques yards avant de bifurquer soudain vers les bois, où des branches cassées indiquaient l'endroit précis où la voiture avait perdu ses roues avant de dégringoler dans le ravin parallèle à la route. Elizabeth regarda par-dessus le talus. En contrebas, huit ou neuf zombies maculés de sang rampaient sur une carriole démantibulée où des tonneaux se vidaient de leur contenu. La plupart des morts-vivants fouillaient les entrailles du cheval, mais l'un d'eux achevait de se repaître d'un reste de cervelle dans le crâne brisé du conducteur, ou plutôt de la conductrice, que les sœurs Bennet reconnurent aussitôt.

— Juste Ciel ! murmura Jane. Penny McGregor ! Oh, la pauvre, la malheureuse ! Combien de fois lui avions-nous conseillé de ne pas faire le chemin seule !

Depuis qu'elle avait l'âge de parler, Penny McGregor livrait de l'huile de lampe à Longbourn et à la plupart des grandes demeures, dans un rayon de trente miles autour de Meryton.

Les McGregor habitaient une petite maison non loin de la ville, où ils recevaient chaque jour de pleines charretées de graisse de baleine qu'ils transformaient en huile de lampe et en parfums capiteux. La puanteur y était insupportable, surtout en été, mais l'on ne pouvait se passer de leurs marchandises, et les McGregor avaient la réputation de compter parmi les gens les plus charmants du Hertfordshire.

— Dieu ait pitié de cette infortunée, dit Mr Collins, qui les avait rejointes.

— Ne pourrait-on pas se remettre en marche ? demanda Lydia. On ne peut plus rien faire pour elle. Et puis, imaginez comme nos robes seront sales si nous devons nous battre dans cet affreux ravin.

Alors que Jane se déclarait choquée par un tel sentiment et que Kitty défendait ce point de vue, Elizabeth arracha la pipe de la bouche de Mr Collins, souffla sur le tabac rougeoyant et jeta l'objet à terre.

— C'était un cadeau de Sa Seigneurie ! glapit-il, assez fort pour attirer l'attention des zombies en contrebas. Les créatures levèrent les yeux et poussèrent leurs terribles rugissements, lorsqu'une violente explosion les fit taire. Des flammes jaillirent quand la pipe rencontra l'huile. Tout à coup embrasés, les zombies se mirent à tituber, en agitant les bras et en hurlant. Jane brandit son Brown Bess, mais Elizabeth en écarta le canon.

— Laisse-les rôtir. Laisse-leur cet avant-goût d'éternité.

S'adressant à son cousin, qui avait détourné les yeux, elle ajouta :

— Vous voyez, Mr Collins… Dieu est sans pitié. Et nous devons être comme lui.

Bien qu'irrité par ce blasphème, il jugea préférable de ne rien dire sur ce sujet, car il lisait dans les yeux d'Elizabeth une sorte de néant ténébreux, comme si son âme s'était absentée, au point que la compassion et la tendresse humaine ne pouvaient plus intervenir.

En entrant dans Meryton, après un arrêt chez les McGregor pour communiquer la terrible nouvelle, les cadettes se mirent aussitôt à scruter la rue à la recherche des officiers. Seul un chapeau vraiment très élégant ou le gémissement d'un mort-vivant aurait pu les retenir.

Cependant, l'attention de toutes ces dames fut bientôt attirée par un jeune homme qu'elles n'avaient encore jamais vu, d'allure tout à fait distinguée, qui cheminait avec un officier de l'autre côté de la rue. L'officier, Mr Denny, était connu de Lydia et il les salua au passage. Toutes furent frappées par la mine de l'inconnu, toutes se demandèrent qui il pouvait être. Kitty et Lydia, résolues à l'apprendre, furent les premières à traverser la chaussée sous prétexte qu'un article leur plaisait dans une boutique ; par chance, elles venaient d'atteindre le trottoir lorsque les deux messieurs parvinrent au même endroit après avoir fait demi-tour. Mr Denny les salua aussitôt et demanda la permission de leur présenter son ami Mr Wickham, qui était venu de Londres avec lui la veille et qui, il se réjouissait de le dire, avait accepté un brevet d'officier dans leur régiment. On ne pouvait rêver mieux, car il ne lui manquait qu'un uniforme pour le rendre absolument irrésistible. Son apparence jouait beaucoup en sa faveur : il possédait une réelle beauté, une physionomie charmante, une silhouette gracieuse et des manières très agréables. Une fois les présentations achevées, il se montra tout à fait disposé à bavarder avec elles, avec une correction parfaite et sans prétention. Le petit groupe passa donc un certain temps à converser de façon fort plaisante, jusqu'à ce qu'un bruit de sabots attirât leur attention : Darcy et Bingley s'approchaient à cheval. Ayant reconnu les demoiselles, ces deux messieurs vinrent droit vers elles et les politesses habituelles commencèrent. Bingley était le principal porte-parole et Miss Bennet le principal objet de son discours. Il allait justement à Longbourn prendre de ses nouvelles. Mr Darcy hocha la tête pour confirmer ses dires ; il s'efforçait de ne pas poser les yeux sur Elizabeth lorsque son regard s'arrêta soudain sur le nouveau venu.

Le hasard voulut qu'Elizabeth vît leur visage à tous deux. Détail qui ne put échapper à son œil exercé, tous deux changèrent imperceptiblement de couleur : l'un blêmit, l'autre rougit. Au bout de quelques instants, Mr Wickham mit la main à son chapeau, salut auquel Mr Darcy daigna à peine répondre. Discernant chez Darcy un léger tremblement de la main droite, Elizabeth devina qu'il avait envisagé de dégainer sa lame. Que signifiait tout cela ?

Une minute plus tard, Mr Bingley prit congé et repartit avec son ami, n'ayant apparemment rien remarqué.

Mr Denny et Mr Wickham accompagnèrent ces demoiselles jusqu'à la porte de chez Mr Philips, puis les saluèrent, malgré l'insistance de Lydia qui tenait à les faire entrer avec elles, et alors même que Mrs Philips avait ouvert la fenêtre du salon pour confirmer à grands cris cette invitation.

Mrs Philips était toujours contente de voir ses nièces et, du fait de leur récente absence, les deux aînées étaient particulièrement les bienvenues. Son hospitalité fut accaparée par Mr Collins lorsque Jane le lui présenta. Mrs Philips le reçut aussi civilement qu'elle en était capable et il lui rendit mille politesses, en l'implorant de lui pardonner cette intrusion alors qu'ils ne se connaissaient pas. Mrs Philips fut fort intimidée par un tel excès de bonnes manières, mais ses nièces mirent bientôt un terme à sa perplexité face à ce visiteur en l'assaillant de questions sur l'autre inconnu. Elle ne put cependant rien leur apprendre qu'elles ne sussent déjà : Mr Denny l'avait ramené de Londres et il devait avoir un brevet de lieutenant dans le régiment qu'on envoyait dans le nord du pays. Depuis une heure elle le regardait arpenter la rue, et si Mr Wickham était apparu, Kitty et Lydia auraient certainement pris le relais, mais hélas, plus personne ne passait maintenant sous les fenêtres à part quelques officiers qui, en comparaison avec le nouveau venu, devenaient « des individus bêtes et déplaisants ». Certains d'entre eux devaient dîner avec les Philips le lendemain et leur tante promit qu'elle obligerait son mari à inviter aussi Mr Wickham, si la famille de Longbourn voulait se joindre à eux ce soir-là. Les demoiselles acceptèrent et Mrs Philips affirma qu'après un petit souper chaud elles s'amuseraient comme des folles à jouer à Caveau et Cercueil. La perspective de telles délices était bien enthousiasmante et ces dames se séparèrent de fort bonne humeur de part et d'autre.

En chemin, Elizabeth raconta à Jane la scène dont elle avait été témoin entre Darcy et Wickham. Si l'un ou l'autre avait semblé en tort, Jane aurait pris la défense de l'un ou de l'autre, voire des deux, mais pas plus que sa sœur elle ne pouvait expliquer leur comportement.

Chapitre 16

COMME AUCUNE OBJECTION ne fut formulée à l'encontre de l'invitation des jeunes gens chez leur tante, la voiture partit à l'heure adéquate pour emmener Mr Collins et ses cinq cousines à Meryton.

En passant devant le terrain de croquet et les arpents de bois brûlé qui marquaient la dernière demeure de Penny McGregor, les bavardages futiles cessèrent tout à coup, car tous les six ne pensaient à rien d'autre qu'aux nouvelles qui venaient seulement de parvenir à Longbourn ce matin-là. Fou de douleur, le père de Penny s'était jeté dans une cuve de parfum bouillant. Le temps que ses apprentis l'en tirassent, il était affreusement défiguré et aveugle à jamais. Les médecins n'étaient pas sûrs qu'il survécût, ni que l'odeur pestilentielle le quittât un jour. Tous les passagers de la voiture observèrent un silence respectueux jusqu'à l'arrivée dans les faubourgs de Meryton.

En atteignant leur destination, Mr Collins eut tout loisir de regarder autour de lui et d'admirer. Il fut si frappé par les dimensions et l'ameublement de la pièce que, déclara-t-il, il aurait presque pu se croire dans l'un des salons de Sa Seigneurie. Mrs Philips sentit toute la force du compliment, connaissant fort bien le penchant de Lady Catherine à pourfendre les malheureux contaminés, penchant qui l'emportait sans doute même sur celui de ses propres nièces.

En lui décrivant toute la splendeur de Lady Catherine et de sa demeure, à laquelle on avait apporté des améliorations considérables, dont un grand dojo et un nouveau pavillon pour sa garde personnelle de ninjas, Mr Collins se trouva heureusement employé jusqu'à ce que ces messieurs les rejoignissent. Auditrice très attentive, Mrs Philips se fit de lui une plus haute idée encore et décida de propager au plus vite parmi ses voisines tout ce qu'elle venait d'apprendre. Pour les jeunes filles, qui ne pouvaient écouter leur cousin sans faire l'inventaire silencieux des mille moyens de l'assassiner, cette attente parut très longue. Cependant, elle prit fin. Ces messieurs s'approchèrent et, quand Mr Wickham pénétra dans la pièce, Elizabeth eut l'impression d'être assommée par un redoutable coup de pied circulaire. Malgré sa dévotion aux arts meurtriers, elle conservait en effet une nature féminine, sensible à ce genre d'attraits. Les officiers du régiment formaient dans l'ensemble un groupe de gentlemen tout à fait respectables, et les plus distingués d'entre eux étaient présents ce soir-là. Pourtant, Mr Wickham les surpassait par le physique, la mine, le maintien et la démarche, autant qu'ils étaient eux-mêmes supérieurs à l'oncle Philips qui les suivait, personnage guindé, au visage large et à l'haleine chargée de porto.

Mr Wickham était l'heureux homme vers qui se tournaient presque tous les regards féminins, et Elizabeth était l'heureuse femme près de qui il finit par s'asseoir. À la manière charmante dont il engagea aussitôt la conversation, même pour dire simplement qu'il pleuvait ce soir-là, elle sentit que le talent de son interlocuteur aurait rendu intéressant le sujet le plus banal, le plus trivial et le plus éculé.

Avec des rivaux comme Mr Wickham et les officiers, Mr Collins risquait d'être totalement oublié par le beau sexe.

Aux yeux des demoiselles, il était peu de chose, c'est certain, mais de temps à autre, il trouvait encore une oreille attentive chez Mrs Philips et, grâce aux bons soins de cette dame, il fut copieusement approvisionné en café et en muffins. Lorsqu'on apporta les tables de jeu, il eut l'occasion de lui rendre la politesse en prenant place pour la partie de Caveau et Cercueil.

Mr Wickham ne jouait pas à Caveau et Cercueil et il fut bien volontiers accueilli comme spectateur à l'autre table, entre Elizabeth et Lydia. Le danger fut d'abord que Lydia ne l'accaparât entièrement, car elle était intarissable ; mais comme elle adorait aussi les cartes, elle se passionna bientôt par le jeu, trop avide de savoir si les joueurs trouveraient leurs « caveaux » étrangement vides ou leurs « cercueils » heureusement pleins. Conscient des exigences du jeu, Mr Wickham eut donc la liberté de parler à Elizabeth, qui était toute prête à l'écouter, bien qu'elle ne pût espérer apprendre ce qu'elle souhaitait surtout entendre : l'histoire de ses relations avec Mr Darcy. Elle n'osait pas même nommer ce monsieur. Sa curiosité fut néanmoins satisfaite lorsque Mr Wickham aborda lui-même le sujet de manière imprévue. Il voulut d'abord savoir quelle distance séparait Netherfield de Meryton, puis il lui demanda, l'air hésitant, depuis combien de temps Mr Darcy y séjournait.

— Depuis un mois environ, répondit Elizabeth, avant d'ajouter, soucieuse de ne pas changer de sujet : c'est un chasseur redoutable, je crois ; on dit qu'il a tué plusieurs milliers d'innommables au cours de sa vie.

— Oui, confirma Wickham. Ses talents de guerrier sont irréprochables. Vous n'auriez pu rencontrer personne qui fût mieux capable que moi de vous renseigner sur ce point car, depuis ma petite enfance, je suis lié à sa famille de façon assez particulière.

Elizabeth ne put s'empêcher de paraître surprise.

— Vous pouvez vous étonner d'une pareille assertion, Miss Bennet, après avoir constaté l'extrême froideur de notre rencontre hier, car cela n'aura pu échapper à une demoiselle aussi aguerrie. Connaissez-vous bien Mr Darcy ?

— Autant que je souhaite le connaître, s'écria Elizabeth avec chaleur. Nous avons passé quatre jours sous le même toit et je le trouve très déplaisant.

— Quant à savoir s'il est déplaisant ou non, je n'ai pas le droit d'avancer mon opinion, dit Wickham. Je ne suis pas qualifié pour en former une. Je le connais trop bien, et depuis trop longtemps, pour être bon juge. Il m'est impossible d'être impartial. Mais je pense que votre opinion sur son compte stupéfierait beaucoup de gens, et peut-être ne l'exprimeriez-vous pas avec autant de force ailleurs, hors de votre cercle familial.

— Ma parole, je n'en dis pas plus ici que je ne pourrais en dire dans n'importe quelle maison du voisinage, à part Netherfield. Il n'est pas du tout apprécié dans le Hertfordshire. Tout le monde est révolté par son orgueil. J'espère que vos projets ne seront pas affectés par sa présence ici.

— Oh, non ! Ce n'est pas moi qui serai chassé par Mr Darcy. S'il veut éviter de me voir, c'est à lui de s'en aller. Nous ne sommes pas en bons termes et cela me chagrine toujours de le rencontrer, cependant je n'ai pour ma part aucune raison de l'éviter. Après tout, nous sommes tous deux des guerriers, et un guerrier ne saurait s'abaisser à fuir aucun homme. Son père, feu Mr Darcy, était l'un des meilleurs tueurs de zombies qui aient jamais vécu, l'ami le plus authentique que j'aie eu, Miss Bennet, et chaque fois que je me trouve en présence de son fils, mon âme est affligée par mille souvenirs émouvants. L'actuel Mr Darcy s'est conduit avec moi de manière scandaleuse, mais je crois vraiment que je pourrais tout lui pardonner plutôt que de décevoir les espérances et de déshonorer la mémoire de son père.

Elizabeth se découvrait un intérêt croissant pour la question et écoutait de tout son cœur, mais le sujet était trop délicat pour qu'elle se permît d'insister. Toute guerrière qu'elle était, les questions d'honneur étaient trop sensibles pour qu'elle manifestât une curiosité déplacée.

Mr Wickham se mit à aborder des sujets plus généraux, Meryton, la région, la société. Il semblait ravi de tout ce qu'il avait vu et parlait surtout de ceux qu'il avait rencontrés, à l'exception bien sûr des innommables toujours plus nombreux, conséquence directe de la chute de Manchester, sans doute.

— Je n'étais pas destiné à la vie militaire, mais les circonstances l'ont à présent rendue inévitable, comme pour tant d'autres qui pensaient faire autre chose de leur vie. L'Église aurait dû être ma profession, j'ai été élevé en vue d'entrer dans les ordres et je devrais à l'heure qu'il est être en possession d'un très bon bénéfice, si tel avait été le bon plaisir de ce monsieur dont nous parlions à l'instant.

— Vraiment !

— Oui, feu Mr Darcy m'avait légué le meilleur bénéfice qu'il était en son pouvoir d'octroyer. C'était mon parrain et il m'était extrêmement attaché. Je ne puis rendre justice à sa générosité. Il voulait subvenir confortablement à mes besoins et il croyait l'avoir fait, mais lorsqu'il fut tué lors de la Seconde Bataille du Kent, le bénéfice a été donné à un autre.

— Juste Ciel ! s'exclama Elizabeth. Mais comment est-ce possible ? Comment a-t-on pu passer outre à son testament ? Pourquoi n'avez-vous pas porté plainte ?

— Il y avait dans les termes du legs une imprécision qui ne me permettait pas un recours en justice. Un homme d'honneur n'aurait pu contester l'intention, mais Mr Darcy fils a choisi de la mettre en doute, de la considérer comme une simple recommandation conditionnelle et d'affirmer que je m'en étais rendu indigne par mon extravagance, mon imprudence, bref, il a fait dire au testament ce qu'il voulait. Non, le fait est que nous sommes deux caractères très différents et qu'il me déteste.

— C'est absolument horrible ! Il mérite d'être exterminé d'un coup de canne-sabre Zatoichi.

— Cela lui arrivera tôt ou tard, mais je n'en serai pas la cause. Tant que je garderai le souvenir de son père, je ne pourrai ni le dénoncer ni le provoquer en duel.

Elizabeth le félicita d'avoir de tels sentiments, et le trouva plus beau que jamais alors qu'il les exprimait.

— Mais pourquoi a-t-il agi ainsi ? demanda-t-elle après un silence. Quelle est la raison de tant de perversité ?

— Sa haine absolue à mon égard, haine que je dois dans une large mesure imputer à sa jalousie. Si feu Mr Darcy m'avait moins aimé, son fils m'aurait peut-être mieux supporté, mais l'attachement hors du commun que son père avait pour moi a très tôt commencé à l'irriter, je crois. Il n'avait rien à me reprocher, et cela l'a conduit à abhorrer ma simple existence. Et quand son père est décédé, cela lui a donné l'occasion de me punir pour ces années de prétendue injustice.

— Je ne savais pas Mr Darcy aussi méchant. Même s'il m'a toujours déplu, je n'aurais pas cru tant de mal de lui. Jamais je ne l'aurais soupçonné de s'abaisser à une vengeance aussi lâche !

Mr Wickham raconta à Elizabeth une anecdote de son enfance qui, selon lui, illustrait parfaitement ce caractère inhumain. Quand Darcy et lui n'étaient que deux petits garçons de sept ans à peine, Darcy père s'intéressait de près à leur formation. Un jour, alors qu'ils s'entraînaient à l'aube, le jeune Wickham envoya au petit Darcy un coup de pied qui le fit tomber par terre. Darcy père implora Wickham de « finir » son fils par un coup à la gorge. L'enfant protesta, mais au lieu de punir son insolence, l'adulte loua son esprit généreux. Le jeune Darcy, plus embarrassé par la préférence de son père que par sa propre défaite, attaqua Wickham alors qu'il avait le dos tourné : il lui frappa les mollets avec un bâton de combat, lui brisant les os des deux jambes. Pendant un an, Wickham ne put marcher sans l'aide d'une canne.

— Un orgueil aussi abominable a-t-il jamais pu lui rendre service ?

— Oui. Cela l'incite souvent à se montrer prodigue et généreux, à donner son argent sans retenue, à faire preuve d'hospitalité, à aider ses fermiers et à secourir les pauvres. Son orgueil familial, joint à un peu d'affection fraternelle, fait de lui un gardien très aimable et très vigilant pour sa sœur.

— Quel genre de personne est Miss Darcy ?

Il secoua la tête.

— J'aimerais pouvoir la qualifier d'aimable. Cela me peine de dire du mal d'un membre de la famille Darcy, mais elle ressemble trop à son frère : elle est très, très orgueilleuse. Enfant, elle était affectueuse, exquise, elle m'adorait, et j'ai passé bien des heures à la distraire. Mais elle ne m'est plus rien à présent. C'est une jolie jeune fille de quinze ou seize ans, très instruite dans tous les arts meurtriers, paraît-il. Depuis la mort de son père, elle habite Londres avec une dame chargée de son entraînement.

Après de nombreuses pauses et plusieurs tentatives sur d'autres sujets, Elizabeth ne put s'empêcher de revenir à leur conversation première :

— Je m'étonne de son intimité avec Mr Bingley ! Comment Mr Bingley, qui semble la bonne humeur incarnée et que je crois authentiquement aimable, peut-il être l'ami d'un tel homme ? Comment peuvent-ils se convenir l'un à l'autre ? Connaissez-vous Mr Bingley ?

— Pas du tout.

— C'est un être charmant, aimable, au caractère doux. Il ignore forcément la vraie nature de Mr Darcy.

La partie de Caveau et Cercueil s'interrompit peu après. Les joueurs se réunirent autour de l'autre table et Mr Collins s'installa entre sa cousine Elizabeth et Mrs Philips. Conformément aux usages, celle-ci lui demanda si le hasard lui avait souri. Il n'avait pas connu un bien grand succès, puisqu'il avait trouvé presque tous ses caveaux remplis de zombies, mais quand Mrs Philips se mit à exprimer son chagrin à ce propos, il lui assura avec le plus grand sérieux que cela n'avait pas la moindre importance : l'argent n'était qu'une bagatelle et il la priait de ne pas se tourmenter ainsi.

— Je sais fort bien, madame, que lorsqu'on joue à Caveau et Cercueil on s'expose à ce genre de risques ; par bonheur, mes moyens me permettent de ne pas m'affliger lorsque je perds cinq shillings. Peu de gens pourraient en dire autant, c'est indubitable, mais grâce à Lady Catherine de Bourgh, je suis désormais bien au-dessus de ces menus soucis.

Cette phrase attira l'attention de Mr Wickham et, après avoir observé Mr Collins pendant quelques instants, il demanda à voix basse à Elizabeth si son cousin était intimement lié à la famille de Bourgh.

— Lady Catherine de Bourgh lui a récemment octroyé un bénéfice. Je ne sais pas comment Mr Collins lui a été présenté, mais il ne la connaît pas depuis longtemps, c'est certain.

— Vous savez, bien sûr, que Lady Catherine de Bourgh et Lady Anne Darcy étaient sœurs ; elle est donc la tante de l'actuel Mr Darcy.

— Non, vraiment, je l'ignorais. Je sais simplement que Lady Catherine peut se prévaloir d'avoir anéanti plus de serviteurs de Satan qu'aucune autre femme d'Angleterre.

— Sa fille, Miss de Bourgh, héritera d'une très grande fortune, et l'on pense que son cousin et elle uniront leurs domaines.

Cette information fit sourire Elizabeth à l'idée de cette pauvre Miss Bingley, dont toutes les attentions, toute l'affection pour Miss Darcy et tous les éloges de Mr Darcy seraient bien vains et inutiles s'il avait déjà promis sa main à une autre.

— Mr Collins nous dit le plus grand bien de Lady Catherine et de sa fille, mais d'après certains détails qu'il nous a confiés sur Sa Seigneurie, je soupçonne que sa gratitude l'égare et que, tout en étant sa protectrice, elle n'en est pas moins une femme arrogante et prétentieuse.

— Je crois qu'elle possède ces deux défauts au plus haut point, répondit Wickham. Je ne l'ai pas revue depuis bien des années, mais je me rappelle très bien ne jamais l'avoir aimée. Ses manières étaient dictatoriales et insolentes. On la prétend remarquablement douée pour le combat, mais je crois que sa réputation résulte en partie de son rang et de sa fortune.

Elizabeth admit qu'il avait brossé un tableau tout à fait sensé de la situation, et ils continuèrent à bavarder avec une grande satisfaction réciproque, jusqu'à ce que le souper mît un terme aux cartes et rendît aux autres dames leur part des attentions de ce monsieur. Le souper fut si bruyant qu'il rendait toute conversation impossible, mais Mr Wickham séduisit tout le monde par ses manières. Tout ce qu'il disait était bien dit, tout ce qu'il faisait était fait avec grâce. Elizabeth rentra chez elle la tête pleine de lui. En chemin, elle ne put penser à rien d'autre qu'à Mr Wickham et à ce qu'il lui avait raconté, mais elle n'eut guère le temps de mentionner son nom car ses sœurs et elle entendirent des grognements d'innommables résonner de part et d'autre du véhicule, à travers les bois où l'on n'y voyait goutte. Les créatures étaient assez éloignées pour qu'on n'eût pas à craindre une attaque imminente, mais assez proches pour qu'on s'efforçât de faire le moins de bruit possible. Ils roulèrent donc en silence, les filles ayant posé leurs armes à feu sur leurs genoux. Pour une fois, Mr Collins semblait n'avoir plus rien à dire.

Chapitre 17

LE LENDEMAIN, Elizabeth et Jane se retrouvèrent pour leur séance d'entraînement quotidienne. Tout en déjouant les passes meurtrières de sa sœur, Elizabeth lui raconta ce que lui avait confié Mr Wickham. Jane ne pouvait croire que Mr Darcy fût si indigne de l'estime de Mr Bingley, mais il n'était pas dans sa nature de contester les propos d'un jeune homme d'aspect aussi aimable que Wickham. La possibilité qu'il eût réellement eu les jambes brisées suffisait à attendrir son bon cœur : essuyant la sueur qui dégoulinait sur son front, elle dit à Elizabeth qu'il fallait mettre sur le compte du hasard ou de l'erreur ce qui demeurait inexplicable dans la conduite des deux hommes.

— Ma très chère Lizzy, considère simplement sous quel éclairage défavorable cela place Mr Darcy : traiter ainsi le favori de son père, que celui-ci avait initié aux arts meurtriers et dont il avait promis d'assurer l'existence ! C'est impossible.

— Je vois mal comment Wickham pourrait avoir inventé le récit qu'il m'a fait hier soir, tous ces noms, ces faits, ces détails mentionnés sans cérémonie. S'il n'en est pas ainsi, à Mr Darcy de le contredire. Et puis il y avait de la vérité dans son regard.

— Voilà qui est bien difficile. C'est très embarrassant.

L'arrivée de ceux dont elles parlaient imposa à ces demoiselles de quitter le dojo où se déroulait leur conversation. Mr Bingley et ses sœurs venaient leur apporter une invitation personnelle au bal tant attendu qu'on allait donner à Netherfield le mardi suivant. Jane et Elizabeth étaient gênées de recevoir de la visite en tenue d'entraînement, mais leur apparence inhabituelle n'empêcha pas Mrs Hurst et Miss Bingley de se déclarer ravies de les retrouver, en particulier leur chère amie Jane. Elles ne l'avaient pas revue depuis des siècles et lui demandèrent plusieurs fois ce qu'elle avait fait depuis leur séparation. Elles ne prêtèrent guère attention au reste de la famille : évitant Mrs Bennet de leur mieux, elles dirent fort peu de choses à Elizabeth et rien du tout aux autres filles. Elles ne restèrent pas longtemps, se levèrent avec une énergie qui prit leur frère au dépourvu, et sortirent en hâte comme pour se soustraire aux civilités de Mrs Bennet.

La perspective du bal à Netherfield était extrêmement agréable pour toutes les femmes de la famille. Mrs Bennet choisit de penser qu'il était donné en l'honneur de sa fille aînée, et elle était spécialement flattée que l'invitation lui eût été communiquée par Mr Bingley en personne, et non envoyée sur un carton solennel. Jane se représentait une soirée de bonheur en compagnie de ses deux amies, entourée des attentions de leur frère. Elizabeth songeait avec plaisir qu'elle danserait beaucoup avec Mr Wickham et que l'allure et le comportement de Mr Darcy viendraient confirmer ce qui s'était passé.

Même s'il lui arrivait rarement d'adresser la parole à Mr Collins quand cela n'était pas indispensable, Elizabeth était alors d'humeur si joyeuse qu'elle ne put s'empêcher de lui demander s'il prévoyait d'accepter l'invitation de Mr Bingley et si, en ce cas, il jugerait correct de participer aux réjouissances. Elle fut assez surprise d'apprendre qu'il n'avait absolument aucun scrupule sur ce point et qu'en se risquant à danser il était loin de craindre une réprimande de la part de l'archevêque ou de Lady Catherine de Bourgh.

— Je ne suis pas du tout d'avis, je vous assure, qu'on puisse accuser d'indécence un bal de ce genre, offert à des gens respectables par un jeune homme de bonne famille. Et je suis si loin d'être moi-même hostile à la danse que je compte sur l'honneur d'avoir toutes mes belles cousines comme cavalières au cours de la soirée. Je profite donc de l'occasion pour vous prier, Miss Elizabeth, de m'accorder en particulier les deux premières danses, préférence que ma cousine Jane attribuera à une juste cause au lieu d'y voir une marque d'irrespect.

Elizabeth se sentit complètement prise au piège. Elle prévoyait de réserver ces danses à Wickham, mais c'est Mr Collins qu'elle aurait pour cavalier ! Jamais sa gaieté n'avait été plus intempestive. Pourtant, il n'y avait plus rien à faire. Le bonheur de Mr Wickham et le sien furent donc nécessairement différés et la proposition de Mr Collins acceptée d'aussi bonne grâce que possible. Elle se sentit néanmoins prise de nausée et plaça poliment les mains devant la bouche, de peur d'offenser les autres par un spectacle inconvenant. Heureusement, cette envie lui passa bien vite, mais le sentiment qui l'avait suscitée demeura entier. Ce petit homme grassouillet voulait-il la prendre pour femme ? Elle fut horrifiée à la pensée d'épouser un homme qui ne savait se servir d'une lame que pour débiter artistiquement des tranches de gorgonzola.

S'il n'y avait pas eu ce bal à Netherfield pour se livrer à des préparatifs, les cadettes de la famille Bennet se seraient trouvées dans une situation bien lamentable car, du jour de l'invitation jusqu'au jour du bal, une série d'averses les empêcha d'aller ne serait-ce qu'une seule fois à Meryton. La terre était redevenue meuble et les morts-vivants étaient nombreux. Ni tante, ni officiers, ni nouvelles à espérer. Même Elizabeth aurait pu trouver éprouvantes ces intempéries qui lui interdisaient de mieux faire connaissance avec Mr Wickham. Pour Kitty et Lydia, rien d'autre qu'un bal le mardi n'aurait pu rendre supportables le vendredi, le samedi, le dimanche et le lundi.

Chapitre 18

JUSQU'AU MOMENT où elle entra dans le salon à Netherfield et chercha vainement Mr Wickham parmi le bouquet d'uniformes rouges qui y était réuni, Elizabeth n'avait jamais douté qu'il serait présent. Elle s'était habillée avec plus de soin qu'à l'ordinaire et s'apprêtait allégrement à conquérir tout ce qui, dans le cœur de Wickham, ne lui était pas encore soumis, sûre qu'une soirée suffirait amplement à en venir à bout. Mais en un instant se dressa le terrible soupçon que, pour plaire à Mr Darcy, il avait été délibérément omis de l'invitation adressée aux officiers par les Bingley. Or Mr Denny lui apprit de manière certaine que Wickham n'était pas là : il avait été rappelé à Londres la veille par ses affaires, pour assister à la démonstration d'un nouveau véhicule pouvant prétendument résister aux assauts des abjectes créatures. Elizabeth sut ainsi que Darcy n'était pas responsable de l'absence de Wickham et tout son ressentiment fut aiguisé par la déception immédiate. Elle décida de se montrer hostile à toute conversation avec lui.

Après avoir fait part de ses griefs à Charlotte Lucas, qu'elle n'avait pas vue depuis une semaine, Elizabeth put bientôt passer d'elle-même à un autre sujet : les bizarreries de son cousin, qu'elle signala particulièrement à l'attention de son amie. Le début du bal renouvela pourtant son désarroi ; ce furent deux danses de mortification. Maladroit et d'une corpulence hors du commun, Mr Collins lui procura toute la honte et toute la tristesse que peut donner un cavalier désagréable pendant deux danses. Le moment où il la libéra fut un moment d'extase.

En dansant ensuite avec un officier, elle eut le soulagement de parler de Wickham et d'apprendre qu'il était universellement apprécié. Quand elle eut fini de danser avec lui, elle revint auprès de Charlotte Lucas, avec qui elle bavardait lorsque soudain Mr Darcy s'adressa à elle. Elle fut si surprise d'être invitée à danser par lui que, sans savoir ce qu'elle faisait, elle accepta d'être sa cavalière quand la musique reprendrait. Il repartit aussitôt et elle n'eut plus qu'à se reprocher son manque de présence d'esprit. « Si maître Liu avait été témoin d'une telle inconscience ! Vingt coups de bâton au moins, et vingt fois l'ascension et la descente des mille marches de Kuan Hsi ! »

Charlotte tenta de la consoler :

— Je pense que tu trouveras Mr Darcy tout à fait charmant.

— Le Ciel m'en préserve ! Ce serait le pire de tous mes malheurs !

Quand le bal reprit, néanmoins, et que Darcy vint la chercher, Charlotte ne put s'empêcher de mettre en garde Elizabeth, dans un murmure : elle ne devait pas faire la sotte et, pour les beaux yeux de Wickham, sembler désagréable aux yeux d'un homme dix fois plus important. Elizabeth ne répondit pas et prit sa place parmi les danseurs. Ils restèrent un moment sans rien dire et elle commençait à imaginer que ce silence allait durer pendant les deux danses. Elle avait d'abord résolu de se taire mais, se figurant tout à coup qu'elle infligerait une plus grande punition à son cavalier en l'obligeant à parler, elle formula une remarque anodine sur le bal. Il répondit par quelques mots, puis redevint muet. Après une pause, elle s'adressa de nouveau à lui :

— C'est à votre tour de dire quelque chose, maintenant, Mr Darcy. J'ai parlé du bal, alors vous pourriez faire un commentaire sur le nombre de danseurs.

Il sourit et lui assura qu'il dirait tout ce qu'elle souhaitait l'entendre dire.

— Très bien. Cette réponse fera l'affaire pour l'instant. Depuis le début, j'observe une grande similitude dans notre tournure d'esprit. Nous sommes tous deux de nature asociale, taciturne ; nous répugnons à parler, sauf quand nous pensons dire quelque chose qui émerveillera l'assemblée ou qui sera considéré comme exceptionnellement intelligent.

— Voilà une description qui ne correspond guère à votre caractère, j'en suis sûr. Je ne saurais dire si elle reflète mieux le mien, mais vous pensez sans doute que c'est un portrait fidèle.

— Je ne saurais me prononcer sur mes propres œuvres.

Il garda le silence et il en fut ainsi jusqu'à la fin de la première danse. Il lui demanda alors si ses sœurs et elle rencontraient très souvent des zombies lorsqu'elles allaient à Meryton. Elle répondit que oui et, incapable de résister à la tentation, ajouta :

— Quand vous nous avez vues l'autre jour, on venait de nous présenter un nouveau venu.

L'effet fut immédiat. Son visage afficha un dédain plus affirmé, mais il ne dit pas un mot et Elizabeth, tout en se reprochant sa faiblesse, ne put continuer. Darcy finit par parler, l'air contraint :

— Par bonheur pour lui, les façons aimables de Mr Wickham lui permettent de se faire des amis ; il est moins certain qu'il soit également capable de se les conserver.

— Il a eu la malchance de perdre votre amitié, répliqua Elizabeth avec vigueur, en même temps que la faculté de marcher pendant douze mois, à ce qu'il paraît.

Darcy resta muet et parut désireux de changer de sujet. À ce moment, Sir William Lucas apparut près d'eux. Il voulait visiblement se rendre de l'autre côté de la pièce, mais en apercevant Mr Darcy, il s'arrêta, lui fit une révérence respectueuse et le complimenta sur ses talents de danseur et sur sa cavalière.

— Je me réjouis fort de ce spectacle, mon cher monsieur. On voit rarement danser avec tant d'élégance. Il est évident que vous appartenez à la plus haute société. Permettez-moi toutefois de dire que votre délicieuse cavalière n'est pas indigne de vous, car elle est aussi redoutable que ravissante ! J'espère voir ce plaisir se répéter souvent, surtout lorsque aura lieu certain événement tout à fait souhaitable, ma chère Miss Eliza, précisa-t-il avec un coup d'œil en direction de Jane et de Mr Bingley. Les félicitations pleuvront alors ! Mais je ne dois pas vous interrompre, monsieur. Vous m'en voudriez de vous arracher à cette ensorcelante demoiselle ! Ah, songez à la façon dont ses nombreuses compétences pourraient servir les jeux amoureux !

L'air très grave, Darcy fixa son regard sur Bingley et Jane qui dansaient ensemble. Cependant, il se ressaisit vite et revint à sa cavalière :

— L'interruption de Sir William m'a fait oublier de quoi nous parlions.

— Je pense que nous n'étions pas du tout en train de parler. Sir William n'aurait pu trouver ici deux personnes qui eussent moins à se dire. Nous avons déjà abordé sans succès deux ou trois sujets, et je ne vois pas de quoi nous pourrions parler ensuite.

— Que pensez-vous des Orientaux ? demanda-t-il en souriant.

— Les Orientaux ? Je suis sûre que nous n'avons jamais rencontré les mêmes, ou pas avec les mêmes sentiments.

— Mais si c'est le cas, nous pouvons comparer nos opinions. Je trouve qu'ils forment un curieux peuple, dans leur physique comme dans leurs coutumes, même si j'avoue que mon opinion peut être incomplète, puisque je n'ai étudié qu'au Japon. J'aimerais beaucoup vous entendre évoquer le temps que vous avez passé en compagnie de Chinois.

— Non, je ne peux pas parler des Orientaux dans une salle de bal ; c'est un moment bien peu approprié, répondit-elle sans savoir ce qu'elle disait.

Son esprit s'était aventuré bien loin, elle repensait à la douleur causée par maître Liu lorsqu'il l'avait marquée au fer rouge, aux séances d'entraînement où elle se battait contre ses sœurs, juchées sur une poutre pas plus large que leurs sabres, au-dessus de pieux où elles se seraient empalées au moindre faux mouvement. Puis elle revint au présent et s'exclama soudain :

— Je me rappelle vous avoir entendu dire un jour, Mr Darcy, que vous ne pardonniez presque jamais, que votre rancune, une fois provoquée, ne pouvait s'apaiser. Je suppose que vous veillez à ce qu'on ne la provoque pas trop.

— En effet, répondit-il d'une voix ferme.

— Et que vous ne vous laissez jamais aveugler par les préjugés ?

— Je l'espère.

— À ceux qui ne changent jamais d'opinion, il incombe particulièrement de bien juger du premier coup.

— Puis-je savoir à quoi servent ces questions ?

— Simplement à illustrer votre caractère, dit-elle en tentant de se départir de son sérieux. J'essaie de le comprendre.

— Et vous y arrivez ?

Elle secoua la tête.

— Pas du tout. On tient sur vous des propos si contradictoires que je reste absolument perplexe.

— Je crois volontiers, répondit-il gravement, que l'on dit à mon sujet toutes sortes de choses, et je regrette, Miss Bennet, que vous ayez choisi ce moment pour esquisser mon caractère.

— Mais si je ne brosse pas votre portrait maintenant, je risque de n'avoir aucune autre occasion de le faire.

— Je ne voudrais pas couper court à une activité qui vous procure du plaisir, répondit-il froidement.

Elle n'ajouta rien et, quand la deuxième danse fut terminée, ils se séparèrent en silence, tous deux mécontents, mais à des degrés divers, car Darcy nourrissait envers Elizabeth un sentiment assez puissant qui le poussa vite à lui pardonner et à tourner toute sa colère vers un autre objet.

Elizabeth partit ensuite à la recherche de sa sœur aînée.

— Je veux savoir ce que tu as appris au sujet de Mr Wickham. Mais peut-être étais-tu trop agréablement occupée pour penser à un tiers, auquel cas sois sûre que je te pardonnerai.

— Non, répondit Jane, je ne l'ai pas oublié, mais je n'ai rien d'intéressant à te rapporter. Mr Bingley ne connaît pas toute son histoire et il ignore ce qui a conduit Mr Darcy à s'offenser. Il est cependant prêt à attester la bonne conduite, la probité et l'honneur de son ami. Je suis désolée de dire que, d'après lui, Mr Wickham n'a rien d'un jeune homme respectable.

— Mr Bingley ne connaît pas personnellement Mr Wickham ?

— Non, il ne l'avait jamais vu avant l'autre jour, à Meryton.

— Je ne doute pas de la sincérité de Mr Bingley, dit Elizabeth avec chaleur, mais tu m'excuseras si je ne suis pas convaincue par de simples affirmations. Mr Bingley a très bien pris la défense de son ami, c'est certain, mais puisqu'il ignore tant d'éléments de l'histoire, je maintiens mon opinion sur ces deux messieurs.

Elle passa ensuite à un sujet plus agréable pour toutes deux. Elizabeth écouta, ravie, Jane lui confier son espoir d'être aimée de Bingley, et dit tout ce qui était en son pouvoir pour la rendre plus confiante. Lorsque Mr Bingley lui-même les rejoignit, Elizabeth partit voir Miss Lucas. À peine avait-elle répondu à ses questions sur le charme de Darcy que Mr Collins s'approcha d'elles et leur dit avec un grand enthousiasme qu'il venait d'avoir le privilège de faire une découverte capitale.

— Ah ! Est-il permis alors de supposer que vous avez découvert où se trouvait le buffet ? demanda Elizabeth, non sans quelque grossièreté.

— Non ! J'ai appris par un curieux hasard qu'il y avait en ce moment dans cette pièce un proche parent de ma protectrice. J'ai entendu ce monsieur mentionner lui-même à la demoiselle qui nous reçoit le nom de sa cousine, Miss de Bourgh, et celui de la mère de celle-ci, Lady Catherine. Quelle extraordinaire coïncidence ! Qui aurait pu imaginer que je rencontrerais dans cette assemblée quelqu'un qui est peut-être le neveu de Lady Catherine de Bourgh ? Je suis bien aise d'avoir fait cette découverte à temps pour que je puisse lui présenter mes hommages, comme je vais le faire maintenant.

— Vous n'allez pas vous présenter vous-même à Mr Darcy ?

— Mais si. Je le prierai de me pardonner pour ne pas l'avoir fait plus tôt. Je crois qu'il n'est autre que le neveu de Lady Catherine.

Elizabeth s'efforça de le dissuader d'un tel projet, en lui assurant que s'il s'adressait à Mr Darcy sans lui avoir été présenté, celui-ci verrait là une liberté impertinente plutôt qu'un compliment à sa tante. Il appartenait à Mr Darcy de se manifester le premier puisqu'il occupait un rang supérieur dans la société. Mr Collins lui fit cette réponse lorsqu'elle se tut :

— Ma chère Miss Elizabeth, j'ai la plus haute opinion de votre excellent jugement sur toutes les questions qui sont à la portée de votre entendement, en particulier pour anéantir les légions de Satan, mais laissez-moi vous dire qu'il doit exister une vaste différence entre l'étiquette en vigueur parmi les laïcs et celle qui gouverne le clergé. Après tout, vous avez beau manier le sabre de Dieu, je manie, moi, Sa sagesse. Et c'est la sagesse, chère cousine, qui nous débarrassera en fin de compte de nos difficultés actuelles avec les morts-vivants.

— Pardonnez ma franchise, mais je n'ai jamais vu un innommable décapité par des mots, et je ne crois pas cela possible.

— Vous devez donc en l'occurrence m'autoriser à suivre les décrets de ma conscience, qui me pousse à accomplir ce que je considère comme relevant de mon devoir.

Avec un profond salut, il la quitta pour partir à l'assaut de Mr Darcy. Elizabeth observa avec intérêt la façon dont ses avances furent reçues et la stupeur évidente de leur destinataire. Son cousin fit précéder son discours d'une révérence solennelle et, même si elle ne put en entendre un mot, elle eut l'impression de tout suivre, en lisant sur ses lèvres les mots « excuses », « Hunsford » et « Lady Catherine de Bourgh ». Elle était contrariée de le voir se ridiculiser devant un tel homme. Mr Darcy le dévisagea avec un étonnement non dissimulé et, quand Mr Collins lui laissa enfin le temps de parler, il répondit avec un air de politesse distante. Cela ne put cependant dissuader Mr Collins de poursuivre. Le mépris de Mr Darcy parut augmenter à mesure que ce second discours se prolongeait ; à la fin, il se contenta de lui adresser un léger salut et il partit vers l'autre bout de la pièce.

Dès lors, Elizabeth consacra presque toute son attention à sa sœur et à Mr Bingley. Elle se la représentait déjà avec toute la félicité que peut engendrer un véritable mariage d'amour, et elle sentait que, dans ces circonstances, elle pourrait même essayer de trouver sympathiques les deux sœurs de Bingley. Sa mère avait apparemment les mêmes idées en tête et elle décida de ne pas se risquer trop près d'elle, de peur d'avoir à subir ses jacassements interminables. Lorsqu'on s'attabla pour le souper, Elizabeth jugea donc que le hasard avait bien mal fait les choses en ne plaçant entre elles qu'une seule personne et elle fut bien fâchée de découvrir que sa mère parlait à Lady Lucas librement, ouvertement et exclusivement de ses espoirs de voir Jane bientôt mariée à Mr Bingley. C'était un sujet exaltant et Mrs Bennet ne se fatiguait pas d'énumérer les avantages de cette union. Bingley était un si charmant jeune homme, si riche, et qui n'habitait qu'à trois miles de chez eux, tels étaient les premiers motifs d'autocongratulation ; et il était si réconfortant de penser que ses deux sœurs aimaient beaucoup Jane, d'être certain qu'elles désiraient cette alliance tout autant que Mrs Bennet elle-même. De plus, c'était prometteur pour ses cadettes : le glorieux mariage de l'aînée leur ferait rencontrer d'autres hommes riches. « Oh, quelle joie de les voir toutes mariées ! De les voir toutes recevoir dans leurs propres demeures, élever leurs propres enfants, au lieu de perdre leur temps à ces entraînements et à ces combats. » Elle conclut en répétant ses vœux pour que Lady Lucas connût bientôt la même bonne fortune, tout en pensant, à l'évidence, et l'air triomphal, que cela avait peu de chances de se produire.

C'est en vain qu'Elizabeth chercha à juguler la rapidité des propos de sa mère, ou à la persuader de décrire son bonheur par des chuchotements moins audibles. Elle fut extrêmement vexée en comprenant que Mr Darcy, assis face à elles, n'en avait presque rien perdu. Sa mère la réprimanda simplement pour ses scrupules absurdes.

— Qu'est-ce donc que Mr Darcy, s'il te plaît, pour que je doive avoir peur de lui ? Aucune politesse particulière ne m'interdit de dire des choses qui pourraient lui déplaire, j'en suis bien sûre.

— Pour l'amour du Ciel, maman, parlez plus bas. À quoi bon offenser Mr Darcy ? Son ami ne vous en aimera pas davantage !

Aucun de ses arguments n'eut cependant la moindre influence, au point qu'Elizabeth dut s'abstraire du bavardage maternel en se représentant une séquence de combat extrêmement complexe, qui la mettait aux prises avec cinq innommables vigoureux qu'elle attaquait une main dans le dos.

Mrs Bennet finit néanmoins par n'avoir plus rien à dire ; Lady Lucas, que faisait bâiller depuis longtemps cet inventaire de joies dont elle ne ferait vraisemblablement jamais l'expérience, put profiter des réconforts du jambon et du poulet froid. Elizabeth se sentit revivre, mais cet intermède de tranquillité fut de courte durée. Une fois le souper terminé, il ne se trouva plus un seul domestique pour desservir. Voyant ses invités s'impatienter, Mr Bingley se leva et quitta la pièce, sans doute pour aller morigéner le majordome, cause de cet embarras.

Lorsqu'il revint, Elizabeth glissa vivement la main vers la dague attachée à sa cheville. Le visage blême et l'air anxieux de Mr Bingley justifiaient amplement pareille réaction.

— Mr Darcy, pourrions-nous avoir le plaisir de votre compagnie en cuisine ? dit Bingley.

Darcy se leva à son tour, en veillant à ne pas se déplacer trop vite, pour ne pas inquiéter les convives. Elizabeth décida de le suivre. Quand Darcy le remarqua, il se tourna vers elle et murmura :

— Miss Bennet, je préférerais de loin que vous demeuriez assise. Je n'ai pas besoin de vous pour aider Mr Bingley.

— Je n'en doute pas, Mr Darcy. Tout comme je ne doute pas de ma capacité à former ma propre opinion sur la question.

Voulez-vous que je suscite un esclandre, ou descendons-nous en cuisine ?

Mr Bingley les conduisit vers un escalier dérobé qui menait à la cave, divisée en deux moitiés par un long couloir : d'un côté se trouvaient les logements des domestiques et l'armurerie, de l'autre, la salle d'entraînement et la cuisine. C'est dans cette dernière pièce qu'un spectacle lamentable les attendait. Deux innommables, tous deux de sexe masculin, s'affairaient à dévorer le personnel. Comment deux zombies avaient pu tuer une douzaine de domestiques, quatre bonnes, deux cuisiniers et un majordome, voilà qui dépassait l'entendement d'Elizabeth, mais elle repéra aussitôt par où ils étaient entrés : la porte de la cave avait été ouverte pour laisser entrer la fraîcheur de la nuit et renouveler l'air rendu étouffant par les poêles à bois.

— Eh bien, je suppose que nous devrions tous leur trancher la tête, de peur qu'ils ne renaissent aux ténèbres, dit-elle.

Mr Bingley soupira en regardant les desserts que ses pauvres serviteurs étaient en train de préparer lorsque la mort les avait saisis : un délicieux assortiment de tartes, de crèmes et de fruits exotiques, hélas maculés de sang et de cervelle, et donc désormais impropres à la consommation.

— J'imagine que vous ne m'accorderez pas l'honneur de m'atteler seul à cette tâche déplaisante, dit Darcy. Pourtant, je ne me le pardonnerais jamais si votre robe était souillée.

— Alors je vous en laisse tout l'honneur, Mr Darcy.

Elizabeth crut déceler une ombre de sourire sur son visage. Elle regarda Darcy dégainer son sabre et pourfendre les deux zombies, d'un geste féroce mais digne. Il s'empressa ensuite de décapiter les domestiques massacrés, tandis que Mr Bingley dissimulait discrètement un haut-le-cœur. Darcy était incontestablement un guerrier de talent.

« Si seulement c'était un gentleman aussi accompli ! » songea Elizabeth.

Lorsqu'ils regagnèrent le salon, ils trouvèrent l'assemblée fort perturbée. Mary s'était assise au pianoforte et sa voix stridente éprouvait les oreilles de tout l'auditoire. Elizabeth regarda son père pour le prier d'intervenir, de peur que Mary ne chantât pendant toute la soirée. Il saisit l'allusion et, quand Mary eut terminé sa seconde mélodie, dit d'une voix forte :

— Voilà qui est plus que suffisant, ma fille. Notre plaisir a assez duré. Laissons aux autres demoiselles le temps de se produire.

Elizabeth eut l'impression que, si les membres de sa famille s'étaient donné le mot pour se ridiculiser autant que possible au cours de cette soirée, ils n'auraient guère pu jouer leur rôle avec plus d'ardeur ou plus de succès. Un instant, elle rêva d'une contamination décisive qui l'eût libérée des siens.

Le reste de la soirée ne lui apporta guère d'amusement. Mr Collins entreprit de la taquiner, lui tenant compagnie avec une grande persévérance ; il ne put la persuader de danser à nouveau avec lui, mais il l'empêcha de danser avec d'autres. Ce fut en vain qu'elle proposa de lui présenter une autre demoiselle. Il lui assura qu'il lui était parfaitement indifférent de danser, que sa principale ambition était de conquérir son estime par de délicates attentions et qu'il insistait donc pour rester près d'elle toute la soirée. Il était impossible de contrecarrer un tel projet. Son plus grand soulagement lui vint de son amie Miss Lucas, qui se joignit à eux à plusieurs reprises et eut la bonté de bavarder avec Mr Collins.

Quand ils se levèrent enfin pour partir, Mrs Bennet exprima de manière très pressante l'espoir de voir leurs hôtes prochainement à Longbourn, et elle s'adressa en particulier à Mr Bingley, pour lui dire combien il les rendrait heureux en partageant le dîner familial dès qu'il le voudrait, sans la cérémonie d'une invitation en bonne et due forme. Bingley exprima son plaisir et sa gratitude, et promit bien volontiers de profiter de la première occasion de lui rendre visite, à son retour de Londres, où il était obligé de se rendre le lendemain pour assister à une réunion de la Société pour une solution pacifique à nos difficultés présentes, dont il était membre bienfaiteur ; avec d'autres esprits avancés, il devait également étudier la possibilité de créer une

Société pour la compréhension et l'étude de nos frères renaissants, projet qui, pour l'heure, se heurtait à une hostilité féroce.

Mrs Bennet était comblée ; elle partit avec la certitude délicieuse qu'elle verrait sa fille installée à Netherfield d'ici à trois ou quatre mois, ses armes rangées au placard. Avec une égale certitude et un plaisir considérable, bien qu'un peu moindre, elle envisageait le mariage d'une autre de ses filles avec Mr Collins. Elizabeth lui était la moins chère de tous ses enfants, et même si l'homme et l'alliance étaient bien assez bons pour elle, l'un comme l'autre étaient éclipsés par Mr Bingley et par Netherfield.

Chapitre 19

LE LENDEMAIN s'ouvrit sur une nouvelle scène à Longbourn. Mr Collins fit sa déclaration en bonne et due forme. Peu après le petit-déjeuner, il trouva réunies Mrs Bennet, Elizabeth et l'une de ses sœurs cadettes, et s'adressa ainsi à la mère :

— Puis-je compter, madame, sur l'intérêt que vous inspire votre charmante fille Elizabeth, quand je sollicite l'honneur d'un entretien privé avec elle dans le courant de la matinée ?

Avant qu'Elizabeth ait eu le temps de faire autre chose que changer de couleur, Mrs Bennet répondit aussitôt :

— Oh, mon Dieu ! Oui, bien sûr. Je suis certaine que Lizzy sera très heureuse. Je suis sûre qu'elle n'y verra aucune objection. Viens, Kitty, j'ai besoin de toi là-haut.

Et ramassant son ouvrage, elle s'enfuyait déjà lorsque Elizabeth la rappela :

— Chère maman, ne partez pas. Je vous supplie de ne pas partir. Mr Collins m'excusera. Il ne peut rien avoir à me dire que d'autres ne puissent entendre. Je vais moi-même sortir.

— Non, non, Lizzy, pas de bêtises. Je désire que tu restes où tu es.

Et comme Elizabeth, l'air contrarié et gêné, semblait réellement sur le point de s'échapper, elle ajouta :

— Lizzy, j'exige que tu restes et que tu écoutes Mr Collins.

Mrs Bennet et Kitty partirent et, dès qu'elles furent sorties, Mr Collins commença.

— Croyez-moi, ma chère Miss Elizabeth, votre pudeur, loin de vous desservir, augmenterait plutôt vos autres perfections. Vous auriez paru moins aimable à mes yeux si vous n'aviez pas manifesté cette légère réticence, mais permettez-moi de vous assurer que j'ai le consentement de votre mère pour m'adresser à vous. Vous ne pouvez ignorer l'objectif de mon discours car, si désireuse que vous soyez de hâter le recul du Démon – préoccupation que j'applaudis chaleureusement –, mes attentions ont été trop marquées pour que l'on s'y méprît. Presque dès l'instant où je suis entré dans cette maison, je vous ai choisie comme la compagne de mes jours futurs. Mais avant de me laisser emporter par mes sentiments à ce sujet, il serait peut-être judicieux d'énoncer les raisons pour lesquelles je souhaite me marier, et pour lesquelles surtout je suis venu dans le Hertfordshire avec le projet de me trouver une épouse, comme je l'ai incontestablement fait.

À l'idée que Mr Collins, avec toute sa froideur solennelle, se laissât emporter par ses sentiments, Elizabeth faillit éclater de rire. Elle ne put donc profiter de cette courte pause pour tenter de l'arrêter, et il continua :

— Mes raisons pour me marier sont les suivantes. D'abord, il me semble bon qu'un ecclésiastique montre dans sa paroisse l'exemple matrimonial. Deuxièmement, je suis convaincu que cela contribuera grandement à mon bonheur. Troisièmement, c'est le conseil et la recommandation spécifiques de cette très noble dame que j'ai l'honneur d'appeler ma protectrice. C'est samedi soir, alors que je quittais Hunsford le lendemain, qu'elle a dit : « Mr Collins, vous devez vous marier. Un pasteur comme vous doit se marier. Choisissez judicieusement, choisissez une demoiselle bien née, faites-le pour moi ; et, pour vous, qu'elle soit une jeune fille active, capable de prendre soin de votre maison comme de pourfendre son lot d'innommables. Tel est mon conseil. Trouvez-vous une femme de ce genre dès que vous le pourrez, amenez-la à Hunsford et je lui rendrai visite. » Permettez-moi, à propos, de souligner, ma belle cousine, que dans le calcul des avantages qu'il est en mon pouvoir de vous offrir, la condescendance et la générosité de Lady Catherine de Bourgh ne comptent pas parmi les moindres. Vous verrez que sa force au combat est au-delà de ce que je peux décrire ; je pense qu'elle jugera acceptables vos propres talents pour anéantir les contaminés, même si, naturellement, j'exigerai que vous y recouriez dans une proportion raisonnable.

Il était absolument nécessaire de l'interrompre sur-le-champ.

— Vous allez trop vite, monsieur, s'écria Elizabeth. Vous oubliez que je n'ai pas répondu. Laissez-moi le faire sans plus attendre. Je vous remercie pour le compliment que vous m'adressez. Je suis très sensible à l'honneur de votre demande, mais il m'est impossible de réagir autrement qu'en la déclinant.

— Je sais de longue date, répliqua Mr Collins avec un geste cérémonieux, que les demoiselles ont l'habitude de repousser les avances de l'homme qu'elles ont en secret l'intention d'agréer, lorsqu'il sollicite leur main pour la première fois. Parfois ce refus est répété, et même à plusieurs reprises. Je ne me sens donc nullement découragé par ce que vous venez de dire, et j'ai l'espoir de vous mener à l'autel avant longtemps.

— Vous oubliez, monsieur, que je suis une disciple de Shaolin ! Experte en boxe des sept étoiles ! Je suis parfaitement sérieuse dans mon refus. Vous ne sauriez me rendre heureuse et je suis convaincue d'être la dernière personne au monde qui pourrait faire votre bonheur. Et si votre amie Lady Catherine me connaissait, je suis persuadée qu'elle ne me trouverait d'aucune manière qualifiée pour ce rôle, car je suis une guerrière, monsieur, et je le resterai jusqu'à ce que j'offre à Dieu mon dernier soupir.

— Quand bien même il serait certain que Lady Catherine fût de cette opinion, commença Mr Collins d'un ton très grave. Mais non, je ne puis imaginer que Sa Seigneurie désapprouve mon choix. Et vous pouvez être sûre que lorsque j'aurai l'honneur de la revoir, je lui dirai le plus grand bien de votre pudeur, de votre sens de l'économie et de vos autres aimables qualités.

— Pourtant, Mr Collins, tout éloge de ma personne sera superflu. Vous devez me laisser juger par moi-même et m'accorder assez de crédit pour croire ce que je dis. Je vous souhaite d'être très heureux et très riche et, en refusant votre offre, je fais tout ce qui est en mon pouvoir pour qu'il en soit ainsi.

Sur ces mots, Elizabeth se leva et elle aurait quitté la pièce si Mr Collins ne lui avait pas adressé ces propos :

— La prochaine fois que j'aurai l'honneur d'aborder ce sujet avec vous, j'espère que je recevrai de votre part une réponse plus favorable que celle-ci. Je sais que le beau sexe a pour coutume établie de rejeter un homme lors de sa première demande.

— Vraiment, Mr Collins, s'exclama Elizabeth avec chaleur, vous m'intriguez au plus haut point. Si vous voyez un encouragement dans ce que j'ai dit jusqu'ici, je ne sais comment formuler mon refus de manière à vous convaincre que c'en est bien un. Faut-il que je vous menace de ma dague ?

— Que vous êtes spirituelle, ma chère cousine : le refus que vous opposez à mes avances n'est qu'une phrase dictée par l'usage.

Face à une telle persévérance dans l'aveuglement, Elizabeth ne pouvait répondre. Elle se retira aussitôt en silence, résolue, s'il persistait à considérer ses refus réitérés comme des encouragements flatteurs, à recourir à son père, dont la réponse négative serait prononcée de manière décisive et dont le comportement ne saurait du moins être imputé à l'affectation et à la coquetterie propres aux dames de bon ton.

Chapitre 20

MR COLLINS ne put longtemps se réjouir seul de sa bonne fortune car, après s'être attardée dans le vestibule pour guetter la fin du tête-à-tête, à peine Mrs Bennet vit-elle Elizabeth ouvrir la porte et se diriger d'un pas vif vers l'escalier qu'elle entra dans la salle à manger. Elle félicita son visiteur et se félicita elle-même dans les termes les plus enthousiastes à la perspective de l'heureux événement qui devait les rapprocher encore. Mr Collins reçut ces félicitations et les retourna avec autant de plaisir, puis il entreprit de raconter l'entretien dans le détail.

Cette nouvelle étonna pourtant Mrs Bennet ; elle aurait aimé être aussi convaincue qu'en repoussant sa demande sa fille avait voulu encourager son prétendant, mais elle n'osait le croire et ne put s'empêcher de le dire.

— Pourtant, fiez-vous à moi, Mr Collins, Lizzy sera ramenée à la raison. Je vais tout de suite lui en parler. C'est une sotte et une entêtée, qui ne sait pas où est son intérêt, mais je vais le lui faire comprendre.

Sans laisser à Mr Collins le temps de répondre, elle courut voir son mari et s'exclama, dès l'instant où elle pénétra dans la bibliothèque :

— Oh ! Mr Bennet, nous avons grand besoin de vous et nous sommes tout sens dessus dessous. Il faut que vous veniez obliger Lizzy à épouser Mr Collins, car elle jure qu'elle ne veut pas de lui.

À son entrée, Mr Bennet leva les yeux de son livre et les fixa sur le visage de sa femme avec une placidité indifférente.

— Je n'ai pas le plaisir de vous comprendre, dit-il lorsqu'elle eut terminé son discours. De quoi parlez-vous ?

— De Mr Collins et de Lizzy. Lizzy prétend qu'elle ne veut pas de Mr Collins, et Mr Collins commence à dire qu'il ne veut pas de Lizzy.

— Et que dois-je faire, en l'occurrence ? Le cas paraît sans espoir.

— Parlez-en vous-même à Lizzy. Dites-lui que vous exigez qu'elle l'épouse.

— Appelez-la. Je vais lui communiquer mon opinion.

Mrs Bennet sonna et Miss Elizabeth fut convoquée dans la bibliothèque.

— Viens ici, mon enfant, dit son père lorsqu'elle apparut. Je t'ai envoyé chercher pour une affaire importante. À ce que je comprends, Mr Collins vient de te faire sa demande en mariage. Est-ce vrai ?

Elizabeth répondit que oui.

— Très bien. Et cette demande en mariage, tu l'as refusée ?

— Oui, mon père.

— Très bien. Venons-en au fait. Ta mère exige que tu l'épouses. N'est-ce pas, Mrs Bennet ?

— Oui, sinon je ne veux plus la voir.

— Un choix bien douloureux se présente à toi, Elizabeth. À partir d'aujourd'hui, tu dois devenir une étrangère pour l'un de tes parents. Ta mère ne voudra plus te voir si tu refuses Mr Collins, et moi je ne voudrai plus te voir si tu l'acceptes, car il est hors de question que j'abandonne ma meilleure guerrière au service d'un homme plus gras que Bouddha et à l'esprit plus émoussé que la lame d'un sabre d'entraînement.

Elizabeth ne put s'empêcher de sourire en entendant pareille conclusion, après pareil début, mais Mrs Bennet, qui s'était convaincue que son mari partageait ses vœux, fut extrêmement désappointée.

— Que voulez-vous dire, Mr Bennet, en parlant de la sorte ?

— Mon amie, répondit son mari, je réclame deux petites faveurs en cette occasion. Que vous m'autorisiez à user librement de mon entendement, d'abord, et que vous m'autorisiez à user librement de ma bibliothèque, ensuite. Je serai heureux d'avoir la pièce pour moi seul dès que possible.

Mrs Bennet ne capitula pas sur-le-champ. Elle en parla et reparla à Elizabeth, la cajolant et la menaçant tour à tour. Elle tenta d'obtenir l'aide de Jane, mais celle-ci refusa d'intervenir. Elizabeth ripostait à ses assauts tantôt avec un profond sérieux, tantôt avec une gaieté rieuse. Son ton changeait, mais sa détermination ne vacillait pas.

Alors que la famille était ainsi plongée dans la confusion, Charlotte Lucas vint passer la journée avec eux. Elle fut accueillie dans le vestibule par Lydia qui s'exclama, dans un demi-murmure :

— Je suis bien contente de te voir, parce qu'on s'amuse bien, ici ! Tu ne devineras jamais ce qui s'est passé ce matin ! Mr Collins a fait sa demande à Lizzy, et elle ne veut pas de lui.

Lydia remarqua que Charlotte était tout écarlate d'avoir fait le chemin à pied et semblait assez déconcertée.

— Charlotte ? Tu es malade ?

Charlotte eut à peine le temps de répondre qu'elles furent rejointes par Kitty, qui vint lui annoncer la même nouvelle, et à peine étaient-elles entrées dans la salle à manger, où Mrs Bennet était seule, que celle-ci se lança à son tour sur le même sujet. Elle sollicita la compassion de Miss Lucas et la supplia de persuader son amie Lizzy de se soumettre au désir de toute la famille.

— Ma chère Miss Lucas, aidez-moi, je vous en prie, ajouta-t-elle d'un ton mélancolique, car personne n'est de mon côté, personne ne prend mon parti, je suis bien cruellement traitée et personne n'a pitié de mes pauvres nerfs.

Charlotte fut dispensée de répondre par l'arrivée de Jane et d'Elizabeth.

— Ah, la voilà ! poursuivit Mrs Bennet. Elle n'a pas l'air de s'en faire, et elle ne se soucie pas plus de nous que si nous étions ces innommables avec lesquels elle prend tant de plaisir à occuper son temps. Mais je vais vous dire, Miss Lizzy, s'il vous prend la fantaisie de refuser ainsi toutes les demandes en mariage, vous ne trouverez jamais de mari, et je ne sais pas qui vous entretiendra quand votre père sera mort.

Chapitre 21

LE DÉBAT sur la demande de Mr Collins était à présent presque clos ; Elizabeth n'eut à subir qu'une gêne bien naturelle et, de temps à autre, une allusion irritée de la part de sa mère. Quant à l'intéressé, il exprima ses sentiments non en montrant de l'embarras ou du désespoir, ni en paraissant éviter celle qui l'avait éconduit, mais en affichant une raideur et un silence amers. Il ne lui adressa plus la parole ou presque et, pour le reste de la journée, il réserva les attentions assidues dont il avait lui-même été si conscient à Miss Lucas, dont l'écoute attentive fut un réconfort opportun pour tous, et surtout pour son amie.

Le lendemain n'arrangea rien à la mauvaise humeur ni à la mauvaise santé de Mrs Bennet. Mr Collins continuait de se draper dans son orgueil offensé. Elizabeth avait espéré que cela le conduirait à abréger sa visite, mais son programme n'en parut pas le moins du monde affecté. Il avait toujours prévu de partir le samedi, et il comptait bien rester jusque-là.

Après le petit-déjeuner, les filles se retirèrent dans le dojo pour vaquer à leurs occupations du milieu de semaine : démontage et nettoyage de leurs mousquets. Munies de ces armes, elles allèrent ensuite à Meryton pour voir si Mr Wickham était revenu, et pour déplorer son absence au bal de Netherfield.

Elles étaient à moins d'un mile de Longbourn lorsque Kitty, qui avait été choisie pour ouvrir la marche, s'arrêta brusquement et fit signe aux autres d'en faire autant. Elle visa quelque chose sans qu'Elizabeth et ses sœurs sachent quoi, car la route ne présentait aucun signe de danger. Après être restées un moment immobiles, elles virent un écureuil sortir du bois, sur la droite. Il traversa le chemin à toute allure, avant de disparaître à gauche, parmi les arbres. Lydia ne put s'empêcher de rire.

— Ma chère Kitty, comment pourrons-nous jamais te remercier d'avoir épargné à nos orteils un regrettable chatouillement !

Mais Kitty garda le fusil en joue ; un deuxième écureuil traversa la route avec la même précipitation. Il fut bientôt suivi par deux furets, par un putois, puis par une renarde et ses petits. D'autres animaux vinrent ensuite, toujours plus nombreux, comme si Noé en personne les appelait en leur offrant un refuge contre un déluge invisible. Quand des cerfs se mirent à bondir sur le chemin, les demoiselles commencèrent à viser l'horizon, prêtes à affronter la meute de zombies qu'elles s'attendaient à voir surgir à tout instant.

Le premier était une jeune femme, morte récemment, dont la robe de mariée à dentelles était aussi étonnamment blanche que sa peau, blancheur quasi choquante, à part les rubis rouge vif qui coulaient de sa bouche sur les décorations de son corsage. Kitty abattit la créature d'une balle au visage ; Lydia plaça le canon de son arme contre sa tête et l'expédia promptement en enfer. La balle tirée à bout portant fit s'envoler les cheveux de la mariée.

— Dommage, dit Lydia alors que s'élevait une fumée âcre. Gâcher une aussi belle ro…

Elle fut interrompue par le croassement d'un autre mort-vivant. Sa grande barbe blanche et son visage à demi rongé étaient attachés à un corps robuste, sanglé dans un tablier de forgeron incrusté de sang. Elizabeth et Jane visèrent et déchargèrent leurs mousquets ; la balle de Jane vint se loger dans l'un des yeux de la créature et celle d'Elizabeth frappa le cou, transperçant la chair friable et séparant la tête du corps.

À ces zombies en succédèrent plusieurs autres, tous vaincus aussi rapidement les uns que les autres, jusqu'à ce que les détonations se tussent enfin. Sentant qu'elles étaient hors de danger, les sœurs baissèrent leurs armes et parlèrent de repartir pour Meryton. Mais ce projet fut retardé par un bruit tout à fait inhabituel, provenant de la forêt. C'était un hurlement suraigu, ni humain ni animal, qui ne ressemblait à aucun des cris de zombies que les sœurs avaient entendus. Il se rapprocha et, une fois de plus, tous les mousquets reprirent leur position de tir. Mais quand la source de ce bruit étrange se révéla, les canons se baissèrent.

— Oh, non ! s'exclama Jane. Non, ça n'est pas possible !

Un zombie femelle mort depuis longtemps sortit du bois en titubant, ses habits modestes légèrement déchiquetés, ses cheveux fragiles noués en un chignon si serré qu'il commençait à lui arracher la peau du front. Dans ses bras, elle tenait quelque chose d'excessivement rare, quelque chose que les sœurs n'avaient jamais vu et qu'elles n'auraient jamais voulu voir : un bébé innommable. Le bébé s'agrippait à la chair du zombie femelle en émettant des glapissements fort déplaisants. Elizabeth leva son mousquet, mais Jane s'empressa d'en saisir le canon.

— Non, il ne faut pas !

— As-tu oublié ton serment ?

— Lizzy, c'est un bébé !

— Un mort-vivant en réduction, pas plus vivant que le mousquet avec lequel je vais lui imposer le silence.

Elizabeth leva de nouveau son arme et visa. Elle fit la mise au point sur l'abominable créature, qui n'était plus très loin. Son doigt caressait la détente. Elle allait tirer, recharger, et éliminer ces deux zombies. Il suffisait d'appuyer. Pourtant… elle n'osait pas. Une force étrange était à l'œuvre, il lui revenait un sentiment d'autrefois, d'avant son premier séjour à Shaolin. Un sentiment curieux, proche de la honte, mais sans le déshonneur de la défaite. Une honte qui ne réclamait pas vengeance. « La pitié serait-elle compatible avec l'honneur ? » se demanda-t-elle. Cela contredisait toutes les leçons qu'elle avait reçues, tout l'instinct de guerrier qu'elle possédait. Pourquoi ne pouvait-elle pas tirer ? Désemparée, Elizabeth baissa son mousquet et les deux zombies poursuivirent leur chemin à travers bois jusqu'à ce qu'on ne les vît plus.

Il fut convenu que personne ne mentionnerait jamais cet incident.

Wickham se joignit aux sœurs dès leur arrivée en ville et les escorta chez leur tante, où il fut longuement question de ses regrets, de sa contrariété et de son affliction en apprenant le sort funeste qu'avaient connu les domestiques de Mr Bingley. À Elizabeth, cependant, il déclara qu'il s'était lui-même imposé cet éloignement.

— À mesure que la date approchait, j'ai compris qu'il valait mieux que je ne rencontrasse pas Mr Darcy. Me retrouver dans la même pièce que l'homme qui m'avait rendu invalide pendant douze mois risquait de m'être intolérable ; il aurait pu en résulter des scènes très désagréables, et pas seulement pour moi.

Elle approuva vivement cette maîtrise de soi, dont elle aurait été incapable car, elle l'avoua, il se serait certainement ensuivi un duel si elle avait été à sa place. Wickham et un autre officier les raccompagnèrent jusqu'à Longbourn et, en chemin, il se consacra à elle en particulier. Sa présence à leurs côtés avait un triple avantage ; Elizabeth était sensible à son hommage, ce serait une excellente occasion de le présenter à ses parents, et un guerrier supplémentaire serait bien utile s'ils rencontraient des difficultés en route.

Peu après leur retour, on apporta une lettre pour Miss Bennet ; elle venait de Netherfield et fut aussitôt ouverte. L'enveloppe contenait une élégante petite feuille de papier glacé, entièrement recouverte d'une écriture féminine, souple et déliée. Elizabeth vit sa sœur changer de visage en lisant ce message et s'attarder plus spécialement sur certains passages.

— C'est une lettre de Caroline Bingley ; son contenu m'a beaucoup étonnée. Tous les habitants de Netherfield semblent être partis et font à présent route vers Londres, sans aucune intention de revenir. Écoute ce qu'elle dit.

Jane lut alors à haute voix la première phrase : les deux sœurs venaient de décider de suivre sans retard leur frère dans la capitale, et elles prévoyaient de dîner le soir même à Grosvenor Street, où Mr Hurst avait une maison. Telle était la suite : « Je ne prétends pas regretter quoi que ce soit en quittant cette région dangereuse et infestée de zombies, à part votre compagnie, ma très chère amie, mais nous espérons renouer dans l'avenir nos délicieuses relations avec vous. En attendant, nous pourrons diminuer la douleur de la séparation par un échange très régulier de lettres où nous ne nous cacherons rien. Je compte sur vous pour cela. » Elizabeth écouta toutes ces déclarations grandiloquentes avec une indifférence méfiante. Ce départ soudain l'étonnait elle aussi, mais elle n'y voyait nulle raison de se lamenter.

— Il est bien dommage, dit-elle, que tu n'aies pu revoir tes amies avant qu'elles quittassent la région. Mais ne pouvons-nous espérer que ce bonheur futur qu'anticipe Miss Bingley viendra plus vite qu'elle ne pense, et que vos délicieuses relations amicales seront renouvelées de manière plus satisfaisante encore lorsque vous serez sœurs ? Elles ne pourront pas retenir Mr Bingley à Londres.

— Caroline explique très clairement qu'aucun d'eux ne reviendra cet hiver dans le Hertfordshire. Je vais te lire le passage : « En partant hier, mon frère croyait pouvoir conclure en trois ou quatre jours les affaires qui le requéraient à Londres. Cependant, nous sommes sûres que cela serait impossible. Beaucoup de mes connaissances sont déjà là-bas pour l'hiver ; j'aimerais, ma très chère amie, que vous m'annonciez votre intention de vous joindre à la foule, mais je ne saurais l'espérer. Je souhaite sincèrement que votre Noël dans le Hertfordshire soit riche de toutes les réjouissances propres à cette saison, et ne ressemble en rien au Noël d'il y a deux ans, qui a provoqué tant de désagréments. » Cela prouve bien qu'il ne reviendra plus cet hiver.

— Cela prouve seulement que Miss Bingley prétend l'en empêcher, répliqua Elizabeth.

— Mr Bingley est son propre maître. Peut-être son cœur sensible n'a-t-il pu supporter de voir ses domestiques étripés. Mais tu ne sais pas tout. Je veux te lire le passage qui me blesse particulièrement : « Mr Darcy est impatient de revoir sa sœur et, à dire vrai, nous le sommes tout autant. Je pense réellement que Georgiana Darcy n'a pas son égale pour la beauté, l'élégance et la maîtrise des arts meurtriers ; l'affection qu'elle nous inspire, à Louisa et à moi, est encore renforcée par l'espoir que nous osons nourrir de l'avoir bientôt pour sœur. Mon frère l'admire déjà beaucoup, il aura désormais l'occasion régulière de la voir dans l'intimité. Puisque tout favorise cet attachement et que rien ne s'y oppose, ai-je tort, ma très chère Jane, de me réjouir à la perspective d'un événement qui garantirait le bonheur de tant de gens ? » Que penses-tu de cette phrase-là, ma chère Lizzy ? N'est-elle pas assez claire ? Ne stipule-t-elle pas que Caroline ne s'attend ni ne souhaite que je devienne sa sœur, qu'elle est parfaitement convaincue de l'indifférence de son frère à mon endroit, et que si elle soupçonne la nature de mes sentiments pour lui, elle cherche – fort aimablement ! – à me mettre en garde ? Peut-on interpréter la situation autrement ?

— Oui, on le peut, car mon interprétation est entièrement différente. Veux-tu l'entendre ?

— Très volontiers.

— La voici en peu de mots. Miss Bingley voit que son frère est amoureux de toi et elle veut qu'il épouse Miss Darcy. Je pense qu'elle veut te soustraire à ses attentions. Ton honneur exige qu'elle soit tuée.

Jane secoua la tête.

— Tu oublies tes principes, Lizzy.

— Jane, ceux qui vous ont vus ensemble ne peuvent douter de son affection à ton égard. Miss Bingley n'en doute pas. Ce n'est pas une guerrière, mais elle est rusée. Ma très chère sœur, je t'implore, le meilleur moyen de remédier à ce malheur est d'appliquer bien vite un coutelas en travers de sa gorge.

— Si nous étions du même avis, répondit Jane, je devrais définitivement renoncer à l'affection de Mr Bingley pour venger mon honneur. Et au nom de quoi, s'il te plaît ? Caroline est incapable de vouloir tromper quiconque et, en l'occurrence, j'espère simplement qu'elle se trompe elle-même.

— Est-ce elle qui se trompe, ou toi ? C'est toi qui oublies tes principes, Jane. Tu laisses tes sentiments pour Mr Bingley contrarier les instincts inculqués par nos maîtres orientaux.

Même si elles ne purent se mettre d'accord sur un programme d'action, Jane et Elizabeth décidèrent d'annoncer ce départ à Mrs Bennet sans l'alarmer au sujet du comportement de Bingley. Cette révélation, même incomplète, inquiéta grandement leur mère, laquelle déplora l'infortune extrême que ces dames disparussent au moment précis où elles devenaient si amies. Cependant, après s'être longuement lamentée, elle eut la consolation de penser que Mr Bingley serait bientôt de retour et qu'il dînerait bientôt à Longbourn. Fort satisfaite, elle conclut en déclarant qu'elle l'avait invité à un dîner familial tout simple mais qu'elle prendrait soin de commander deux services complets.

Chapitre 22

LES BENNET devaient dîner avec les Lucas et, une fois de plus, Miss Lucas eut l'amabilité d'écouter Mr Collins pendant une grande partie de la journée. Elizabeth la remercia dès qu'elle en eut l'occasion. « Cela le maintient de bonne humeur et je t'en suis reconnaissante plus que je ne saurais dire. »

Voilà qui était bien aimable, mais la bonté de Charlotte allait plus loin que ne l'imaginait Elizabeth ; son but n'était ni plus ni moins que de lui éviter tout renouvellement des avances de Mr Collins en les accaparant elle-même. Tel était le projet de Miss Lucas, et les apparences étaient si favorables que, lorsqu'ils se séparèrent en fin de soirée, elle se serait sentie presque sûre de réussir s'il n'avait dû quitter le Hertfordshire si peu de temps après. Ce en quoi elle ne rendait pas justice à la fougue et à l'indépendance de son caractère, qui le poussèrent à s'esquiver de Longbourn House le lendemain matin avec une sournoiserie admirable, et à courir jusqu'à Lucas Lodge pour se jeter aux pieds de sa belle. Il avait voulu échapper aux regards de ses cousines car, si elles l'avaient vu partir, elles auraient forcément deviné ses desseins, et il ne souhaitait pas que sa tentative fût connue tant qu'il ne pourrait en faire connaître le succès. Même s'il était assez sûr de l'issue, et avec raison, Charlotte s'étant montrée tout à fait encourageante, il était devenu relativement méfiant depuis le refus que lui avait opposé Elizabeth. Il fut cependant reçu de la façon la plus flatteuse. D'une fenêtre de l'étage, Miss Lucas l'aperçut qui s'approchait de la maison et elle s'en fut aussitôt le rencontrer par hasard sur le sentier. Mais elle n'avait pas osé espérer y trouver tant d'amour et tant d'éloquence.

En aussi peu de temps que le permettaient les longs discours de Mr Collins, tout fut réglé entre eux, à la satisfaction des deux parties. Lorsqu'ils entrèrent dans la maison, il la supplia gravement de fixer la date où elle ferait de lui le plus heureux des hommes.

Le consentement de Sir William et de Lady Lucas fut aussitôt requis, et accordé avec le plus grand empressement. La situation présente de Mr Collins faisait de lui un excellent parti pour leur fille, à qui ils ne pourraient guère léguer de fortune, et il avait de solides espoirs de s'enrichir à l'avenir. Avec plus d'intérêt que jamais auparavant, Lady Lucas se mit sur-le-champ à calculer combien d'années Mr Bennet pouvait vivre encore. Sir William, quant à lui, fut catégorique : dès que Mr Collins serait en possession du domaine de Longbourn, il devrait s'y installer et éliminer l'affreux dojo sans tarder. Bref, toute la famille fut transportée de joie, comme il convenait. Le détail le moins agréable était la surprise que cela causerait à Elizabeth Bennet, dont Charlotte prisait l'amitié plus qu'aucune autre. La désapprouverait-elle ? Ou pis, refuserait-elle de lui parler à l'avenir ? Charlotte résolut de transmettre elle-même l'information et chargea donc Mr Collins, lorsqu'il repartit dîner à Longbourn, de dissimuler ce qui s'était passé à tous les membres de la famille. Bien entendu, il jura docilement de garder le secret, mais il eut bien du mal à tenir sa promesse car, à son retour, la curiosité suscitée par son absence prolongée se traduisit par des questions si directes qu'il lui fallut bien de l'ingéniosité pour les éluder.

Comme il s'en irait trop tôt le lendemain matin pour voir la famille, la cérémonie des adieux eut lieu quand les dames partirent se coucher. Avec une politesse et une cordialité extrêmes, Mrs Bennet lui dit combien ils seraient heureux de le revoir à Longbourn, aussi souvent que ses autres obligations lui permettraient de leur rendre visite.

— Ma chère madame, répondit-il, cette invitation me touche particulièrement car j'espérais bien la recevoir, et vous pouvez être certaine que je l'honorerai dès que possible.

Ils furent tous stupéfaits, et Mr Bennet, qui n'avait aucune envie de le voir revenir si vite, s'exclama aussitôt :

— Mais ne serait-ce pas vous exposer à la désapprobation de Lady Catherine, mon bon monsieur ? Mieux vaudrait négliger vos parents que de risquer d'offenser votre protectrice.

— Mon cher monsieur, répondit Mr Collins, je vous suis particulièrement obligé de cette mise en garde amicale, et vous pouvez compter sur moi pour ne pas hasarder une démarche aussi importante sans l'acquiescement de Sa Seigneurie.

— On n'est jamais trop prudent. Mieux vaut tout encourir que son déplaisir, et, si vous pensez le susciter en revenant ici, ce qui me paraît extrêmement probable, soyez sûr que nous n'en prendrons nul ombrage.

— Croyez-moi, mon cher monsieur, votre prévenance affectueuse m'inspire une vive gratitude et, fiez-vous à moi, je ne manquerai pas de vous exprimer au plus vite ma reconnaissance par une lettre de remerciements, pour cette attention comme pour toutes les preuves d'estime que vous m'avez données durant mon séjour dans le Hertfordshire. Quant à mes belles cousines, je vais maintenant prendre la liberté de leur présenter mes vœux de bonne santé et de bonheur, sans excepter ma cousine Elizabeth.

Elizabeth s'attendait à un tel affront et elle avait résolu de ne pas trahir la moindre indignation, de peur qu'il ne crût avoir ainsi remporté une victoire sur elle.

— Et moi, Mr Collins, je vous souhaite un retour sans danger aucun car, ces derniers temps, il y a sur les routes un nombre si extraordinaire de créatures atroces qu'un affrontement paraît inévitable. Je suis néanmoins certaine que votre voyage fera exception à la règle.

Les dames se retirèrent avec les politesses appropriées, toutes également surprises d'apprendre qu'il envisageait de revenir aussi vite. Mrs Bennet voulut comprendre qu'il prévoyait de faire la cour à une de ses cadettes, et on aurait pu convaincre Mary d'accepter sa demande. Mais le lendemain matin, tout espoir de ce genre fut anéanti. Miss Lucas vint les voir peu après le petit-déjeuner et, en tête à tête avec Elizabeth, raconta l'événement de la veille.

Depuis un jour ou deux, Elizabeth jugeait vraisemblable que Mr Collins s'imaginât épris de son amie, mais il lui paraissait presque aussi invraisemblable qu'il reçût des encouragements de Charlotte que d'elle-même.

— Fiancée à Mr Collins ! Ma chère Charlotte, c'est impossible !

Miss Lucas répondit avec sérénité :

— Pourquoi cette surprise, ma chère Eliza ? Te paraît-il incroyable que Mr Collins puisse mériter la bonne opinion d'une femme, parce que tu l'as trouvé indigne d'être le mari d'une femme aussi exceptionnelle que toi ?

Venant de n'importe qui d'autre, un tel affront aurait été réglé sur-le-champ mais, en l'occurrence, l'affection d'Elizabeth l'emportait même sur son honneur. Ne voyant aucun espoir de la dissuader, elle souhaita à Charlotte tout le bonheur du monde.

— Je devine ce que tu ressens, répliqua Charlotte. Tu dois être surprise, très surprise. C'est toi que Mr Collins voulait épouser il y a peu. Mais quand tu auras eu le temps d'y réfléchir, j'espère que tu approuveras ma décision. Je ne suis pas romantique, tu le sais. Je ne l'ai jamais été. Je n'aspire qu'à une maison confortable. Et compte tenu du caractère, des relations et de la situation de Mr Collins, je suis convaincue que mes chances de bonheur avec lui sont égales à celles de bien des gens lorsqu'ils entrent dans la vie conjugale, d'autant plus que… Oh ! Elizabeth, je t'en supplie, ne te mets pas en colère contre moi, ne me tranche pas la tête ! Elizabeth, je ne peux avoir aucun secret pour toi : j'ai été, je suis contaminée !

Elizabeth demeura bouche bée. Sa plus proche amie, frappée par l'épidémie ! Condamnée à servir Satan ! Son instinct l'obligea à reculer d'un pas. Elle écouta Charlotte lui raconter le malheureux incident, qui s'était produit mercredi, en venant à Longbourn. Ayant osé faire le trajet seule et sans arme, elle avait cheminé sans encombre jusqu'au moment où elle avait rencontré une calèche renversée. Comme aucun innommable n'était visible dans les parages, Charlotte s'était approchée et s'était agenouillée, se préparant à découvrir le visage ravagé d'un cocher piétiné par ses chevaux. Au lieu de quoi elle avait été empoignée par un zombie qui l'avait piégée sous la voiture. La jambe serrée entre ses doigts osseux, elle avait hurlé tandis que les dents de la créature lui déchiraient la peau. Elle avait pu se dégager et courir jusqu'à Longbourn, mais l'œuvre sinistre de l'enfer avait été accomplie.

— Je n'en ai plus pour longtemps, Elizabeth. Tout ce que je demande, c'est que mes derniers mois soient heureux, et qu'on m'autorise à avoir un mari qui veillera à ce que je sois décapitée et enterrée en bonne chrétienne.

Chapitre 23

ELIZABETH se trouvait en compagnie de sa mère et de ses sœurs, songeant à ce qu'elle venait d'entendre et se demandant si elle avait le droit d'en parler, lorsque Sir William Lucas parut en personne. Sa fille l'envoyait annoncer ses fiançailles à la famille. Avec force compliments pour ces dames, il révéla toute l'affaire à un auditoire non seulement stupéfait, mais incrédule. En effet, avec plus d'opiniâtreté que de politesse, Mrs Bennet affirma qu'il devait se tromper du tout au tout. Quant à Lydia, qui pouvait se montrer discourtoise en plus de manquer de réserve, elle s'exclama bruyamment :

— Mon Dieu ! Sir William, comment pouvez-vous raconter une histoire pareille ? Ignorez-vous que Mr Collins veut épouser Lizzy ?

Heureusement, Sir William avait longtemps été tailleur et non guerrier, car il fallait la patience d'un homme qui avait enfilé dix mille aiguilles pour supporter sans colère d'être traité ainsi.

Sentant qu'il lui appartenait de le tirer d'une situation aussi déplaisante, Elizabeth prit la parole pour confirmer ce récit, en expliquant que Charlotte lui en avait réservé la primeur. Mrs Bennet était trop accablée pour en dire long en présence de Sir William, mais à peine fut-il parti qu'elle trouva bien vite le moyen d'exprimer ses sentiments. Elle persista, premièrement, à mettre en doute toute cette histoire ; deuxièmement, elle était bien sûre que Mr Collins avait été victime d'un guet-apens ; troisièmement, elle avait la certitude qu'ils ne seraient jamais heureux ensemble ; et quatrièmement, que le mariage projeté pourrait être rompu. Deux déductions s'imposaient néanmoins : d'une part, Elizabeth était la cause de tout le mal et, d'autre part, Mrs Bennet avait été horriblement martyrisée par eux tous. Le reste de la journée fut essentiellement consacré à développer ces deux points. Rien ne pourrait la consoler, rien ne pourrait l'apaiser. Et la journée ne suffit pas à épuiser son ressentiment.

L'incident causa des émotions plus sereines à Mr Bennet, car il se réjouissait fort de cette découverte : Charlotte Lucas, qu'il avait toujours cru relativement sensée, était aussi sotte que sa femme, et bien plus sotte que sa fille !

Quant à Elizabeth, elle ne pouvait songer à toute cette affaire sans fondre en larmes, car elle seule connaissait la sinistre vérité. Elle envisagea de chausser ses bottes Tabi et de se glisser dans la chambre de son amie à la faveur de la nuit, pour mettre charitablement fin à ses souffrances en lui assenant le Baiser de la panthère. Mais elle avait donné sa parole, et ce serment était sacré. Elle ne s'opposerait pas à la transformation de Charlotte.

Attristée par le sort de son amie, elle concentra son affection sur sa sœur, dont elle était sûre de toujours pouvoir estimer la droiture et la délicatesse, et que de jour en jour elle redoutait de voir malheureuse, puisque Bingley était parti depuis une semaine sans qu'il eût été question de son retour.

Jane avait très tôt répondu à la lettre de Caroline, et elle comptait les jours en attendant celui où elle pourrait raisonnablement espérer une réponse. Les remerciements promis par Mr Collins (dont le voyage, contrairement aux vœux d'Elizabeth, n'avait été perturbé par aucune attaque de zombies) arrivèrent le mardi, adressés à leur père, et rédigés avec toute la gratitude solennelle qu'un séjour de douze mois chez eux aurait pu inspirer. Après avoir soulagé sa conscience à ce propos, il les informait qu'il avait eu le bonheur d'obtenir l'affection de leur aimable voisine, Miss Lucas, puis il expliquait que c'était simplement pour jouir de sa compagnie qu'il s'était montré si désireux de combler leurs vœux de le revoir à Longbourn, où il espérait pouvoir revenir quinze jours après, le lundi. En effet, ajoutait-il, Lady Catherine approuvait si résolument ce mariage qu'elle souhaitait qu'il eût lieu dès que possible : face à cet argument sans réplique, son aimable Charlotte serait contrainte de fixer une date proche pour faire de lui le plus heureux des hommes. Elizabeth ne put éviter d'éprouver de la compassion pour ce gros imbécile ; il ignorait quel malheur le guettait.

Le retour de Mr Collins dans le Hertfordshire ne procurait plus aucun plaisir à Mrs Bennet. Au contraire, elle avait tendance à s'en plaindre autant que son mari. Il était bien étrange qu'il vînt à Longbourn au lieu d'aller à Lucas Lodge ; c'était extrêmement incommode et excessivement ennuyeux. Elle détestait avoir des visiteurs chez elle lorsqu'elle était en si mauvaise santé et, de tous les gens, les amoureux étaient les plus insupportables. Tels étaient les délicats murmures de Mrs Bennet, qui ne cédèrent la place qu'au souci plus grand causé par l'absence prolongée de Mr Bingley. Il se passait rarement une heure sans qu'elle parlât de Bingley, exprimant son impatience de le voir arriver ou exigeant même que Jane s'estimât bien maltraitée s'il ne revenait pas. Il fallait tout l'entraînement que Jane avait suivi auprès de maître Liu pour supporter ces assauts avec une relative sérénité.

Fort ponctuel, Mr Collins reparut quinze jours plus tard, un lundi, mais ne fut pas accueilli à Longbourn aussi gracieusement que lors de sa première visite. Il était malgré tout trop heureux pour avoir besoin de beaucoup d'attention et, par chance pour les autres, la cour qu'il faisait à sa fiancée leur épargnait très souvent sa compagnie. Il passait le plus clair de son temps à Lucas Lodge et, lorsqu'il regagnait Longbourn, c'était parfois juste à temps pour demander pardon de son absence avant que la famille n'allât se coucher.

Mrs Bennet était en vérité dans un état bien pitoyable. Toute allusion aux détails de ce mariage la mettait dans une humeur exécrable et, partout où elle allait, elle en entendait forcément parler. La vue de Miss Lucas lui était odieuse. Elle regardait avec une haine jalouse celle qui lui succéderait un jour dans sa maison. Chaque fois que Charlotte venait les voir, elle la soupçonnait de s'imaginer déjà maîtresse des lieux, et chaque fois qu'elle la voyait parler à voix basse avec Mr Collins, elle était convaincue qu'ils évoquaient le domaine de Longbourn et complotaient pour les chasser, elle et ses filles, dès que Mr Bennet serait mort. Elle s'en plaignit à son mari.

— Vraiment, Mr Bennet, il est bien dur de penser que Charlotte Lucas sera un jour maîtresse de cette maison, que je serai forcée de m'en aller à cause d'elle et que je vivrai assez pour la voir prendre ma place.

— Ma chère, ne cédez pas à d'aussi lugubres pensées. Soyons plus optimistes, et flattons-nous de l'espoir que Mr Collins, qui semble toujours prêt à évoquer le Ciel, pourra y être envoyé par une horde de zombies avant ma mort.

Chapitre 24

LA LETTRE de Miss Bingley arriva et mit fin au doute. La toute première phrase indiquait clairement qu'ils passeraient l'hiver à Londres, et se terminait en signalant que son frère regrettait de n'avoir pas eu le temps de présenter ses respects à ses amis du Hertfordshire avant de quitter la région.

L'espoir était anéanti, entièrement anéanti. Quand Jane eut la force de lire le reste de la lettre, elle n'y trouva pas grand-chose qui pût la réconforter, à part les déclarations d'affection de son auteur. L'essentiel en était consacré à un éloge de Miss Darcy, dont les nombreux attraits étaient de nouveau vantés. Caroline se réjouissait de leur intimité croissante.

Elizabeth, à qui Jane communiqua bientôt l'essentiel de ce message, l'écouta dans un silence indigné. Son cœur était partagé entre l'inquiétude pour sa sœur et l'envie de partir aussitôt pour Londres afin d'aller tous les massacrer.

— Ma chère Jane ! s'exclama Elizabeth, tu es trop bonne. Ta douceur et ton désintéressement sont vraiment angéliques. Tu as choisi de croire que tout le monde est respectable et tu es blessée quand je dis du mal de quelqu'un. Ne crains rien, je ne basculerai pas dans l'extravagance, je n'empiéterai pas sur ton privilège, celui de la bonne volonté universelle. Tu n'as aucune raison d'avoir peur. Il y a peu de gens que j'aime vraiment, et encore moins dont j'aie bonne opinion. Plus je vois le monde, plus j'en suis mécontente. J'en viens à me dire que Dieu n'a réveillé les morts que pour punir les méfaits d'individus comme Miss Bingley.

— Ma chère Lizzy, ne te laisse pas aller à de tels sentiments. Ils gâteront ton bonheur. Tu ne tiens pas assez compte des différences de situation et de tempérament. Pour quelqu'un qui parle si souvent de notre cher maître, je crains que tu n'aies oublié beaucoup de sa sagesse ! Ne nous a-t-on pas appris à modérer nos sentiments ? Nous ne devons pas croire si vite qu'on a voulu nous blesser. C'est notre seule vanité qui nous trompe, bien souvent.

— Je suis loin d'attribuer la conduite de Mr Bingley au calcul, dit Elizabeth. Pourtant, même sans volonté de mal faire ou de rendre les gens malheureux, on peut commettre des erreurs, on peut causer des chagrins. La désinvolture, le manque d'attention pour les sentiments des autres et le manque de décision sont autant d'offenses graves à l'honneur.

— Et discernes-tu ici l'un ou l'autre de ces défauts ?

— Oui, tous, sans exception. Mais si je continue, je te déplairai en disant ce que je pense de personnes que tu estimes. Arrête-moi tant qu'il en est encore temps.

— Tu persistes donc à supposer que ses sœurs l'influencent ?

— J'en suis tellement convaincue que je te propose d'aller leur en demander raison.

— Je ne peux pas le croire. Pourquoi essaieraient-elles de l'influencer ? Elles ne peuvent souhaiter que son bonheur et, s'il m'est attaché, aucune autre femme ne peut le lui assurer.

— Ta première hypothèse est fausse. Elles peuvent souhaiter bien d'autres choses que son bonheur : elles peuvent souhaiter le voir devenir un homme plus riche et plus important, elles peuvent souhaiter le voir épouser une jeune fille parée des avantages que confèrent l'argent, les relations et l'orgueil.

— Indubitablement, elles souhaitent qu'il choisisse Miss Darcy, répondit Jane, mais leurs intentions sont peut-être meilleures que tu ne penses. Elles la connaissent depuis plus longtemps, il n'est pas étonnant qu'elles la préfèrent à moi. Mais quels que soient leurs désirs, il est fort peu probable qu'elles s'opposent à ceux de leur frère. Quelle sœur se permettrait une telle liberté ? Si elles le croyaient attaché à moi, elles n'essaieraient pas de nous séparer ; s'il l'était vraiment, elles n'y parviendraient pas. En supposant une telle affection, tu leur prêtes à chacun un comportement qui n'est ni naturel ni honnête, et tu me rends très malheureuse. Ne m'accable pas de cette idée. Je n'ai pas honte de m'être trompée. Laisse-moi voir toute la situation sous son meilleur jour.

Elizabeth eut peine à contenir sa colère. Cependant, Jane était l'aînée, elle était le chef des sœurs Bennet. En tant que cadette, elle n'avait d'autre choix que d'obéir. Dès lors, le nom de Mr Bingley ne fut pratiquement plus jamais mentionné entre elles.

Mrs Bennet continuait à s'étonner et à se plaindre qu'il ne revînt pas. Même s'il ne se passait guère de jour sans qu'Elizabeth lui expliquât très clairement cette absence, elle semblait incapable d'envisager la chose avec moins de perplexité. La seule consolation de Mrs Bennet était que Mr Bingley reviendrait sans doute en été.

Mr Bennet traitait la question différemment.

— Eh bien, Lizzy, je vois que ta sœur est malheureuse en amour. Je la félicite. Les jeunes filles se plaisent avant tout à l'idée qu'elles se marieront un jour, mais elles aiment presque autant à être malheureuses en amour de temps à autre. Cela leur occupe l'esprit et leur donne une sorte de distinction parmi leurs compagnes. Quand viendra ton tour ? Tu ne saurais longtemps supporter que Jane ait le dessus. C'est le moment que tu agisses. Il y a assez d'officiers à Meryton pour causer des déconvenues à toutes les demoiselles de la région. Choisis donc

Wickham : c'est un homme charmant, qui pourrait t'apprendre à te conduire en bonne épouse, ce que tu négliges plus qu'aucune de tes sœurs.

— Je vous remercie, mon père, mais je me contente parfaitement d'être la fiancée de la mort. Nous ne pouvons pas toutes espérer avoir autant de chance que Jane.

— C'est vrai, répondit Mr Bennet, mais il est réconfortant de penser que, s'il t'arrive le même genre de désagrément, tu as une mère affectueuse qui verra toujours le bon côté des choses.

Chapitre 25

APRÈS UNE SEMAINE consacrée aux serments d'amour et aux projets de bonheur, Mr Collins fut appelé loin de sa douce Charlotte quand vint le samedi. Il prit congé de ses parents à Longbourn avec autant de solennité que précédemment ; il présenta une fois de plus ses vœux de santé et de bonheur à ses belles cousines, et promit à leur père une nouvelle lettre de remerciements.

Le lundi suivant, Mrs Bennet eut le plaisir de recevoir son frère et sa femme, qui venaient comme à leur habitude passer Noël à Longbourn. Mr Gardiner était un homme de bon sens, un vrai gentleman, très supérieur à sa sœur, par sa nature comme par son éducation. Les dames de Netherfield auraient eu du mal à admettre qu'un commerçant qui, de sa maison, avait vue sur ses entrepôts pouvait être aussi courtois et charmant. Mrs Gardiner, de plusieurs années la cadette de Mrs Bennet et de Mrs Philips, était une femme élégante, intelligente et aimable, que ses nièces de Longbourn appréciaient beaucoup. Une estime très vive la liait aux deux aînées en particulier. Elle les avait souvent encouragées à poursuivre leur formation lorsque celle-ci était devenue trop sévère, et leur avait offert un refuge lorsque les sarcasmes de leur mère à l'encontre de leur « nature sauvage » devenaient insupportables.

À son arrivée, Mrs Gardiner dut d'abord distribuer ses cadeaux et narrer les derniers événements londoniens ; elle aborda des sujets aussi divers que les dernières modes et les récentes victoires contre les malheureux contaminés. Lorsqu'elle eut terminé, il lui restait un rôle moins actif à jouer. Ce fut son tour d'écouter. Mrs Bennet avait de nombreuses doléances à exprimer et beaucoup de sujets de mécontentement. Depuis la dernière fois qu'elle avait vu sa belle-sœur, le sort n'avait épargné aucun d'eux. Deux de ses filles avaient été sur le point de se marier, mais finalement, il n'en était rien résulté.

— Je ne reproche rien à Jane, car Jane aurait eu Mr Bingley, si elle avait pu. Mais Lizzy ! Ah, ma sœur ! Il est bien douloureux de penser que, sans son esprit de contradiction, elle pourrait être l'épouse de Mr Collins à l'heure qu'il est. Il lui a fait sa demande dans cette pièce même, et elle l'a refusé. En conséquence de quoi, Lady Lucas aura une fille mariée avant moi, et le domaine de Longbourn continue à nous échapper. Les Lucas sont vraiment des gens très habiles, ma sœur. Ils ne laissent passer aucune occasion. Je regrette de le dire, mais c'est la vérité.

Mrs Gardiner, à qui la principale nouvelle avait déjà été communiquée dans les lettres qu'elle échangeait avec Jane et Elizabeth, répondit rapidement à sa belle-sœur et, pour épargner ses nièces, changea de sujet de conversation.

Une fois seule avec Elizabeth, elle revint sur la question.

— À ce qu'il semble, Jane aurait fait là un mariage admirable, dit-elle. Je regrette que cela ait tourné court. Mais c'est si souvent le cas ! Il est si aisé à un jeune homme comme ce Mr Bingley de s'éprendre d'une jolie fille pendant quelques semaines puis, quand le hasard les sépare, tout aussi aisé pour lui de l'oublier.

— Cette consolation est excellente, à sa manière, dit Elizabeth, mais ne vaut pas pour nous. Il est rare que l'intervention de ses amis persuade un jeune homme fortuné de ne plus penser à une jeune fille dont il était violemment épris quelques jours auparavant.

— Je t'en prie, quelle était la violence de l'amour de Mr Bingley ?

— Il était aussi violent que les moines de la montagne du Dragon. Chaque fois qu'ils se rencontraient, ce penchant devenait plus net et plus remarquable.

— Pauvre Jane ! J'ai pitié d'elle car, avec son tempérament, elle risque de ne pas s'en remettre avant longtemps. Il aurait mieux valu que cela t'arrivât à toi, Lizzy ; tu aurais éventré ce Bingley et tu l'aurais étranglé avec ses propres entrailles, j'imagine. Crois-tu que nous pourrions la convaincre de repartir pour Londres avec nous ? Le changement de cadre pourrait lui profiter, et un peu de temps loin de la maison ne lui ferait pas de mal.

Elizabeth fut absolument ravie de cette proposition, certaine que sa sœur y consentirait bien volontiers. Il y avait trop longtemps que ses yeux ne s'étaient pas régalés des plaisirs de la capitale. Malgré la quarantaine imposée par ses immenses remparts, malgré la difficulté de se rendre d'un quartier à l'autre, Londres restait une source de distractions sans rivale.

— J'espère, ajouta Mrs Gardiner, qu'elle ne se laissera pas influencer par l'idée de revoir ce jeune homme. Nous sortons si peu qu'il est très improbable qu'ils se rencontrent, à moins qu'il ne vienne lui rendre visite.

— Et cela est tout à fait impossible, car il se trouve à présent sous la garde de son ami, et jamais Mr Darcy ne tolérerait qu'il allât voir Jane dans la sixième section est !

— Tant mieux. J'espère qu'ils ne se rencontreront pas du tout.

Les Gardiner restèrent une semaine à Longbourn ; entre les Philips, les Lucas et les officiers, ils n'eurent pas un jour de répit. Mrs Bennet avait si bien veillé à divertir son frère et sa belle-sœur qu'ils ne prirent pas un seul repas en famille. Quand ils recevaient, il y avait toujours quelques officiers parmi les convives, et Mr Wickham était forcément l'un d'eux ; en ces occasions, Mrs Gardiner, à qui l'éloge vibrant de ce jeune homme par Elizabeth avait mis la puce à l'oreille, les observa tous deux de près. Elle fut un peu gênée de constater leur penchant l'un pour l'autre ; et elle résolut d'en parler à Elizabeth avant de quitter le Hertfordshire.

Indépendamment de ses charmes, Wickham avait un moyen de plaire à Mrs Gardiner. Une douzaine d'années auparavant, avant son mariage, elle avait passé beaucoup de temps dans cette partie du Derbyshire dont il était originaire. Ils avaient donc de nombreuses connaissances en commun et, même si Wickham n'y avait guère résidé depuis la mort de Mr Darcy père, il était tout à fait capable de lui donner sur ses anciens amis des nouvelles plus fraîches qu'elle n'avait pu en obtenir jusque-là.

Mrs Gardiner avait vu le domaine de Mr Darcy, Pemberley, et avait connu feu son père, qui avait la réputation d'être un gentleman et un puissant destructeur de morts-vivants. Il y avait là, par conséquent, un sujet de conversation inépuisable. Lorsqu'elle apprit comment l'actuel Mr Darcy avait traité Wickham, elle chercha dans sa mémoire ce qu'on racontait sur ce monsieur ; finalement, elle crut se rappeler avec certitude avoir entendu dire que Mr Fitzwilliam Darcy était un petit garçon très orgueilleux, au fort mauvais caractère.

Chapitre 26

L'AVERTISSEMENT que Mrs Gardiner adressa à Elizabeth fut délivré avec ponctualité et gentillesse dès que se présenta l'occasion de lui parler seule. Après lui avoir dit ce qu'elle pensait en toute sincérité, elle poursuivit ainsi :

— Tu es une fille trop raisonnable, Lizzy, pour tomber amoureuse simplement parce qu'on te l'a déconseillé, et je n'ai donc pas peur de parler avec franchise. Je souhaite sérieusement que tu te tiennes sur tes gardes. Je n'ai rien à lui reprocher, il a abattu plus d'un innommable, et s'il avait la fortune qu'il devrait avoir, je dirais que tu n'aurais pu faire un meilleur choix. Mais en la circonstance, il ne faut pas que ton imagination t'emporte.

— Ma tante, voilà qui est en effet sérieux.

— Oui, et j'espère t'inciter à te montrer tout aussi sérieuse.

— Eh bien, alors, vous n'avez aucune raison de vous inquiéter. Je prendrai soin de moi, et aussi de Mr Wickham. Il ne sera pas amoureux de moi, si je peux l'en empêcher.

— Elizabeth, tu n'es pas sérieuse.

— Je vous demande pardon. Je vais réessayer. Je suis une guerrière, madame, j'ai survécu aux trente-six chambres de Shaolin, et je suis gardienne des rouleaux de Gan Xian Tan. Je ne recherche pas l'amour et, en ce moment, je ne suis pas amoureuse de Mr Wickham, même s'il est sans comparaison l'homme le plus agréable que j'aie jamais vu, par son physique, son caractère et sa maîtrise du mousquet. Cependant, je vois l'imprudence que constituerait tout attachement pour un individu aussi dépourvu de fortune. Je ne me hâterai pas de croire qu'il pense à moi. Quand je serai avec lui, je ne formerai aucun vœu. Bref, je ferai de mon mieux.

— Il pourrait aussi être bon de ne plus l'encourager à venir ici si souvent. Au moins, tu ne devrais pas rappeler à ta mère de l'inviter.

— Vous connaissez les idées de ma mère quant à la nécessité d'une compagnie constante pour ses amis. Mais vraiment, et sur mon honneur, je tenterai de faire ce que je jugerai le plus sage. Maintenant, j'espère que vous êtes satisfaite.

Sa tante l'assura qu'elle l'était et, quand Elizabeth l'eut remerciée pour la gentillesse de ses suggestions, elles se séparèrent, offrant un exemple admirable de conseils reçus de bonne grâce sur un sujet aussi délicat.

Mr Collins revint dans le Hertfordshire peu après le départ des Gardiner et de Jane, mais comme il s'installa chez les Lucas, son arrivée ne fut pas un grand inconvénient pour Mrs Bennet. Son mariage approchait à grands pas et elle s'était enfin résignée à le considérer comme inévitable. Elle répéta même, d'un ton malveillant, qu'elle « leur souhaitait d'être heureux ». La cérémonie devait être célébrée un jeudi et, le mercredi, Miss Lucas vint leur rendre une visite d'adieux. Lorsqu'elle se leva pour prendre congé, Elizabeth la raccompagna hors de la pièce, honteuse des bons vœux que sa mère présentait à contrecœur et de manière discourtoise, et elle-même sincèrement émue. Alors qu'elles descendaient ensemble l'escalier, Charlotte dit :

— Je promets d'écrire aussi longtemps que j'en serai capable. Je compte bien recevoir très souvent de tes nouvelles, Eliza.

— Sur ce point, tu ne seras pas déçue. Nous nous verrons souvent dans le Hertfordshire, je l'espère.

— Je risque de ne pas quitter le Kent avant quelque temps. Promets-moi donc de venir à Hunsford.

Elizabeth ne put refuser, même si elle pensait ne guère tirer de plaisir de cette visite. Bien qu'elle prît grand soin de les dissimuler aux yeux inexperts, son amie montrait déjà les premiers signes de la transformation imminente. Sa peau avait pris une teinte pâle et son élocution semblait un peu laborieuse.

— Mon père et Maria doivent venir en mars, ajouta Charlotte, et j'espère que tu consentiras à te joindre à eux. Je t'assure, Eliza, tu seras la bienvenue autant qu'eux.

Le mariage eut lieu, et Elizabeth fut apparemment la seule à soupçonner dans quel état se trouvait la mariée. Mr Collins semblait plus ravi que jamais, même si, au cours du dîner, il fallut à plusieurs reprises rappeler à Charlotte qu'elle devait se servir de sa fourchette. Les jeunes époux partirent pour le Kent dès qu'ils eurent franchi les portes de l'église, et tout le monde eut autant à dire ou à écouter sur le sujet que d'habitude. Elizabeth eut bientôt des nouvelles de son amie, leur correspondance demeura aussi régulière et fréquente, mais il était impossible qu'elle conservât le même ton affectueux. Les premières lettres de Charlotte furent attendues avec impatience : comment ne pas être curieuse de savoir ce qu'elle dirait de sa nouvelle maison, et si elle aimait Lady Catherine ? Elizabeth eut le sentiment que Charlotte s'exprimait en tous points comme on aurait pu le prévoir. La maison, les meubles, le voisinage et les routes, tout était à son goût, et le comportement de Lady Catherine tout à fait chaleureux et obligeant. C'était le tableau de Hunsford et de Rosings par Mr Collins, tempéré par la raison, et Elizabeth comprit qu'elle devrait attendre de visiter elle-même les lieux pour en savoir plus. Le seul signe avant-coureur du sort infortuné de Charlotte était son écriture, qui devenait de moins en moins lisible.

Jane avait déjà adressé quelques lignes à sa sœur pour annoncer leur arrivée à Londres sains et saufs. Elizabeth espérait que, dans un prochain courrier, elle pourrait lui parler un peu des Bingley.

Son impatience fut satisfaite par cette deuxième lettre comme, en règle générale, l'impatience est récompensée : depuis une semaine qu'elle était en ville, Jane n'avait ni vu Caroline, ni eu de ses nouvelles. Elle expliquait néanmoins ce silence en supposant que sa dernière missive, partie de Longbourn, avait dû se perdre.

« Ma tante, poursuivait-elle, se rend demain dans leur quartier, et j'en profiterai pour passer dans la quatrième section centre. »

Elle écrivit de nouveau après cette visite, lorsqu'elle eut rencontré Miss Bingley. « Je n'ai pas trouvé Caroline très enjouée, mais elle fut ravie de me voir et me reprocha de ne pas l'avoir avertie de ma venue à Londres. J'avais donc raison : ma dernière lettre n'est jamais arrivée à destination. Je lui ai bien sûr demandé comment allait son frère. Il va bien, mais il est si souvent avec Mr Darcy qu'elles ne le voient presque jamais. J'ai appris que Miss Darcy était attendue pour le dîner. J'aimerais la voir. Je ne me suis pas attardée, car Caroline et Mrs Hurst sortaient. Je pense que je recevrai bientôt leur visite ici. »

Elizabeth secoua la tête quand elle eut terminé sa lecture. Jane était bonne tueuse, mais mauvais juge des caractères. Sa seule faiblesse était d'ailleurs son cœur trop généreux. Elizabeth était tout à fait convaincue que Caroline Bingley n'avait aucune intention de parler à son frère de cette visite, ou de la présence de Jane à Londres. Une fois de plus, elle songea à la satisfaction de voir les derniers rubis de Miss Bingley couler de son cou et se répandre sur le devant de son corsage. Comme Elizabeth l'avait prédit, quatre semaines s'écoulèrent sans que Jane le vît. Elle tenta de se persuader qu'elle ne regrettait rien, mais elle ne pouvait plus s'aveugler quant à l'indifférence de Miss Bingley. Après s'être privée de sortir tous les matins pendant quinze jours, Jane reçut enfin sa visite, mais elle ne put continuer à se bercer d'illusions : Caroline ne fit que passer et se montra très distante. La lettre que reçut Elizabeth reflète bien cette déception.

> Ma chère Lizzy, je le sais, ne se réjouira pas à mes dépens d'avoir été plus clairvoyante que moi si j'avoue avoir été entièrement trompée par l'estime que Miss Bingley professait à mon égard. Mais, ma chère sœur, bien que les événements te donnent raison, ne me juge pas obstinée si je persiste à affirmer que ma confiance était aussi naturelle que ta méfiance. C'est seulement hier que Caroline est enfin venue me voir et, entre-temps, je n'ai rien reçu d'elle, pas une lettre, pas un mot. Elle a bien montré que cette visite ne lui procurait aucun plaisir ; elle m'a présenté de vagues excuses pour n'être pas venue plus tôt, elle n'a pas du tout exprimé le désir de me revoir, et elle m'a en tous points paru si changée que, lorsqu'elle est partie, j'étais parfaitement résolue à la suivre dans la rue pour l'affronter comme tu l'as suggéré ; si j'avais été vêtue de manière adéquate pour sortir, je l'aurais peut-être fait. Il sait que je suis à Londres, j'en suis certaine, car elle a dû le lui apprendre ; pourtant, en l'écoutant, on croirait qu'elle veut se persuader qu'il est réellement attiré par Miss Darcy. Je n'y comprends rien. Si je n'avais pas peur de la juger durement, je serais presque tentée d'exiger

réparation. Mais je vais m'efforcer de bannir toute idée douloureuse, et de ne penser qu'à ce qui me rend heureuse : ton affection et la gentillesse constante de mes chers oncle et tante. Écris-moi vite. Miss Bingley a sous-entendu qu'il ne retournerait plus jamais à Netherfield, qu'il renonçait au bail, mais elle n'a pas été catégorique. Mieux vaut ne pas en parler. Je suis absolument ravie que tu aies d'aussi bonnes nouvelles de nos amis à Hunsford. Je t'en prie, va les voir avec Sir William et Maria. Je suis sûre que tu y feras un excellent séjour.

Bien à toi, etc.

Cette lettre fit de la peine à Elizabeth, mais elle reprit courage en songeant que Jane ne se laisserait plus abuser, et qu'elle retrouverait désormais son ardeur au combat. Il n'y avait maintenant plus aucun espoir du côté de Bingley. Elle ne souhaitait pas même qu'il renouvelât ses attentions. Plus elle y réfléchissait, plus il baissait dans son estime ; pour le punir, et peut-être pour aider Jane, elle espérait sérieusement qu'il épouserait bientôt la sœur de Mr Darcy puisque, d'après Wickham, celle-ci lui ferait amèrement regretter celle qu'il avait dédaignée.

Ce fut vers cette époque que Mrs Gardiner écrivit à Elizabeth pour lui rappeler sa promesse au sujet de ce monsieur, en exigeant des précisions. Elizabeth lui assura que Wickham ne témoignait plus aucun penchant particulier, que ses attentions avaient cessé, et qu'il en admirait une autre. La soudaine acquisition de dix mille livres était le charme le plus remarquable de la demoiselle auprès de laquelle il cherchait à présent à se rendre agréable. Pourtant, peut-être moins lucide envers lui qu'envers Charlotte, Elizabeth ne critiquait pas ce désir d'indépendance. Au contraire, rien n'aurait pu être plus naturel et, même si elle supposait qu'il lui en coûtait de renoncer à elle, elle était prête à voir là une mesure sage et opportune pour tous deux, et elle souhaitait sincèrement son bonheur.

Tout cela fut confessé à Mrs Gardiner. Après avoir détaillé la situation, Elizabeth ajouta : « Je suis à présent convaincue, ma chère tante, de n'avoir jamais été très éprise, car si j'avais véritablement éprouvé cette passion noble et pure, je détesterais maintenant jusqu'au nom de Wickham et je lui voudrais tout le mal possible. Mais je me rends compte que j'ai de nouveau à cœur de protéger notre chère Angleterre ; il ne saurait y avoir de plus haute ambition et, en comparaison, les sentiments d'une demoiselle semblent bien insignifiants. Notre époque exige que je mette mes compétences au service de la patrie, et je crois que notre souverain sera plus satisfait de me voir sur les lignes de front que devant l'autel. »

Chapitre 27

JANVIER ET FÉVRIER s'écoulèrent sans qu'aucun événement plus notable survînt dans la famille de Longbourn, et sans grand-chose pour les animer à part les promenades jusqu'à Meryton (moins souvent interrompues par les zombies car l'hiver avait durci la terre). C'était en mars qu'Elizabeth devait se rendre à Hunsford. Elle n'avait d'abord pas envisagé très sérieusement d'y aller, mais elle comprit bientôt que Charlotte se débattait avec le peu de raison qui lui restait, et jugea qu'elle rendrait un hommage adéquat à leur ancienne amitié en allant la voir une dernière fois. Par ailleurs, l'absence et la pitié avaient atténué sa répugnance pour Mr Collins. De plus, cela lui permettrait de retrouver brièvement Jane ; à mesure que la date approchait, elle aurait donc été bien contrariée que ce voyage fût différé. Tout se passa néanmoins sans encombre et fut finalement réglé. Elle devait accompagner Sir William et sa fille cadette. Quand vint s'ajouter l'attrait supplémentaire d'une nuit à Londres, le programme devint aussi parfait que possible.

Elizabeth fit ses adieux à Mr Wickham de manière tout à fait amicale, et il se montra plus cordial encore. Sa nouvelle entreprise ne pouvait lui faire oublier qu'elle avait été la première à susciter et à mériter son attention, la première à écouter et à s'apitoyer, la première à être admirée. Le lendemain, ses compagnons de voyage n'étaient pas de nature à lui rendre Wickham moins agréable. Sir William Lucas et sa fille Maria, enfant enjouée mais tout aussi écervelée que lui et aussi inexperte au combat, n'avaient rien à dire qui valût d'être entendu, et elle les écouta avec presque autant de bonheur que le vacarme de la voiture. Ils n'avaient que vingt-quatre miles à parcourir, mais, comme c'était l'usage lorsqu'il fallait se rendre à Londres, le cocher avait engagé deux jeunes gens de Meryton pour l'escorter, munis de mousquets, et cela alors même qu'Elizabeth était armée de pied en cap et amplement capable de les défendre s'ils avaient rencontré des désagréments.

Ils se trouvaient à trois miles de la ville quand la voiture s'arrêta brusquement, interrompant le bavardage de Sir William qui n'en finissait pas d'évoquer les détails de son anoblissement. Le choc projeta Maria à l'autre bout de la banquette, après quoi on entendit bientôt des cris d'épouvante et des détonations à l'extérieur. Si Elizabeth n'avait été dotée de nerfs d'acier et aguerrie par des années d'entraînement, elle serait restée bouche bée en tirant l'un des rideaux, car des hordes d'innommables les entouraient de tous côtés. Ils étaient en train de dévorer l'un des jeunes gens de leur escorte après l'avoir précipité à terre ; les deux survivants tiraient maladroitement sur la foule alors que les mains des morts s'agrippaient à leurs pieds. Elizabeth saisit son Brown Bess et son sabre Katana, puis intima à Sir William et à Maria l'ordre de ne pas bouger.

D'un coup de pied elle ouvrit la portière, avant de bondir sur le toit. De là, elle put prendre pleinement la mesure de la situation, calculant rapidement que les innommables étaient au moins deux cents, montant à l'assaut de la voiture. La jambe du cocher était entre les griffes de plusieurs zombies qui s'apprêtaient à lui planter leurs dents dans la cheville. Ne voyant pas d'alternative, Elizabeth abattit son sabre pour couper la cuisse du pauvre homme, lui sauvant la vie. D'un bras, elle releva le cocher évanoui et le fit descendre dans la voiture, le sang jaillissant de son moignon. Hélas, ce geste empêcha la jeune fille de sauver le second homme au mousquet, qui avait été tiré à bas de son perchoir. Plaqué au sol par les abominables créatures, il hurla lorsqu'elles se mirent à lui arracher les entrailles pour s'en repaître. Les zombies tournèrent ensuite leur attention vers les chevaux terrorisés. Sachant que tous les passagers de la voiture étaient condamnés à une mort certaine si les bêtes tombaient entre les mains de Satan, Elizabeth sauta en l'air, tira un coup de mousquet alors qu'elle s'envolait et ses balles pénétrèrent dans la tête de plusieurs innommables. Elle atterrit sur ses pieds près d'un des chevaux et, de son sabre, commença à pourfendre les attaquants avec toute la grâce d'une Aphrodite et toute la cruauté d'un Hérode.

Ses pieds, ses poings et sa lame étaient rapides pour la horde malhabile, et les créatures durent battre en retraite. Voyant sa chance, Elizabeth remit son Katana dans son fourreau, monta à la place du cocher et saisit les rênes. Les zombies se regroupaient déjà lorsqu'elle fit claquer le fouet ; les chevaux démarrèrent et foncèrent sur la route à une vitesse assez dangereuse, jusqu'à ce qu'elle décidât qu'ils étaient hors de danger.

Peu après, ils arrivèrent en vue du rempart sud de Londres. Bien qu'elle eût jadis arpenté la Grande Muraille de Chine, Elizabeth n'en était pas moins impressionnée chaque fois qu'elle avait l'occasion de contempler la Barrière d'Angleterre. Le rempart était en effet si massif qu'on avait peine à le croire fait de la main de l'homme ; dominant chaque section s'élevaient à intervalles réguliers des tours à gorge ouverte et des batteries de rupture. Elizabeth arrêta la voiture devant la tour de garde méridionale. Une bonne dizaine de voitures à cheval attendaient avant eux d'être fouillées par les gardes pour démasquer d'éventuels contrebandiers et s'assurer qu'aucun des passagers ne manifestait les signes de l'étrange épidémie. Sir William passa la tête dehors pour signaler à Elizabeth que le cocher était mort et demanda si elle jugeait bon de laisser le corps sur le bord de la route.

Tandis qu'ils s'approchaient de chez Mr Gardiner, ils virent Jane qui guettait leur arrivée, d'une fenêtre du salon. Lorsqu'ils passèrent sous la porte cochère, elle était là pour les accueillir, surprise de voir Elizabeth à la place du cocher. Celle-ci fut bien contente de retrouver sa sœur, qui semblait aussi jolie et pleine de santé qu'autrefois. Elle raconta les détails de leur malheureux voyage aussi vite qu'elle le put, s'étonnant seulement du nombre de leurs attaquants, et s'excusant ensuite d'avoir à faire une rapide toilette. La journée se passa de façon fort agréable ; l'après-midi en emplettes affairées, et la soirée au théâtre.

Elizabeth manœuvra alors pour être assise à côté de sa tante. Elles parlèrent d'abord de sa sœur, et elle fut plus chagrinée qu'étonnée d'apprendre, en réponse à ses questions détaillées, que Jane avait beau lutter pour rester vaillante, elle n'en connaissait pas moins des périodes de désespoir. On pouvait néanmoins raisonnablement espérer que tout rentrerait bientôt dans l'ordre. Mrs Gardiner la renseigna aussi sur la visite de Miss Bingley dans la sixième section est et répéta diverses conversations qu'elle avait eues avec Jane, prouvant que celle-ci avait, du fond du cœur, renoncé à cette amitié.

Mrs Gardiner plaisanta ensuite sa nièce sur son abandon par Wickham et la félicita de l'avoir si bien supporté.

— Mais, ma chère Elizabeth, ajouta-t-elle, quelle sorte de jeune fille est ce nouvel objet de son affection ? Je serais désolée de penser que notre ami se comporte en homme vénal.

— Je vous en prie, ma tante, quelle différence faites-vous, dans les affaires matrimoniales, entre les motifs vénaux et la prudence ? À Noël dernier, vous aviez peur qu'il m'épousât parce que cela eût été imprudent, et maintenant, vous le jugez vénal parce qu'il essaie d'obtenir une fille qui n'a que dix mille livres.

— Dis-moi seulement de quel genre de jeune fille il s'agit, et je saurai à quoi m'en tenir.

— C'est une jeune fille très bien, je crois. Je n'ai jamais entendu dire du mal d'elle.

Avant que la fin de la pièce ne les séparât, elle eut le bonheur imprévu d'être invitée à accompagner son oncle et sa tante pour un voyage d'agrément qu'ils se proposaient d'accomplir au cours de l'été.

— Nous n'avons pas encore tout à fait décidé jusqu'où il nous mènera, dit Mrs Gardiner, mais peut-être jusqu'aux Lacs.

Aucun projet n'aurait pu davantage enthousiasmer Elizabeth, et elle accepta l'invitation bien volontiers et avec gratitude.

— Ma chère, chère tante ! s'exclama-t-elle, transportée de joie, quel plaisir ! quelle félicité ! Vous me redonnez vie, vous m'insufflez une vigueur nouvelle. Adieu déception et langueur. Que sont les jeunes gens, comparés aux rochers et aux montagnes ? Oh ! Quelles heures nous allons passer à nous battre sur les cimes ! Combien de daims nous tuerons avec nos seuls poignards, en courant d'un pied léger ! Oh, comme nous allons satisfaire Bouddha en communiant avec la terre !

Chapitre 28

LE LENDEMAIN, tout, au cours du trajet, parut nouveau et enthousiasmant à Elizabeth. Avec un nouveau cocher et deux fois plus d'hommes armés pour assurer leur protection, ils firent route vers Hunsford. Une fois dans le village (après un voyage heureusement sans incident), tous trois se mirent à chercher des yeux le presbytère, qu'ils s'attendaient à voir surgir à chaque virage. La clôture de Rosings Park longeait le chemin. Elizabeth sourit en se rappelant tout ce qu'elle avait entendu dire de ses habitants.

Ils finirent par distinguer le presbytère. Le jardin en pente jusqu'à la route, la maison au centre, la palissade verte et la haie de laurier, tout indiquait qu'ils arrivaient. Elizabeth se sentit aussitôt soulagée, car aucun zombie n'avait été signalé à Hunsford depuis des années, ce que beaucoup attribuaient à la présence de Lady Catherine, tueuse si réputée que les contaminés fuyaient les abords de sa demeure.

Mr Collins et Charlotte apparurent à la porte et, au milieu des sourires et des signes de tête, la voiture s'arrêta devant la petite grille qu'une courte allée de gravier reliait à la maison. Les passagers sortirent bien vite du véhicule pour profiter de ces retrouvailles. Mais quand Mrs Collins accueillit Elizabeth, celle-ci fut atterrée par l'aspect de son amie. Deux mois s'étaient écoulés depuis qu'elles s'étaient séparées, et le temps s'était montré cruel, car Charlotte avait désormais la peau tout à fait grise et marquée de plaies, et son élocution était devenue affreusement laborieuse. Les autres ne s'aperçurent de rien, ce qu'Elizabeth attribua à leur stupidité ; Mr Collins, surtout, ne soupçonnait apparemment pas que son épouse était aux trois quarts morte.

On les conduisit ensuite à l'intérieur de la maison et, dès qu'ils furent dans le salon, Mr Collins les accueillit une seconde fois dans son humble demeure, avec force cérémonies, et il répéta systématiquement chacune des propositions de son épouse en matière de rafraîchissements.

Elizabeth était prête à le voir dans sa gloire, et elle ne put s'empêcher de penser qu'en soulignant les bonnes proportions de la pièce, son aspect et son mobilier, il s'adressait à elle en particulier, comme s'il voulait lui faire prendre conscience de ce qu'elle avait perdu en le dédaignant. Mais bien que tout parût propre et confortable, elle fut incapable de lui donner satisfaction en marquant quelque regret. Lorsqu'ils furent restés assis assez longtemps pour admirer chacun des meubles de la pièce, Mr Collins les invita à une promenade dans le jardin. Travailler dans son potager était l'un de ses plaisirs les plus respectables, et Elizabeth admira les efforts qu'accomplit Charlotte pour évoquer les bienfaits de cet exercice pour la santé de son mari, même si son élocution était bien difficile à comprendre.

De son jardin, Mr Collins leur aurait ensuite fait volontiers visiter ses deux prairies attenantes, mais les dames firent demi-tour car elles n'étaient pas chaussées de manière à affronter la gelée blanche qui les recouvrait. Tandis que Sir William l'accompagnait, Charlotte reconduisit chez elle sa sœur et son amie. La maison était assez petite, mais bien construite et pratique. Quoique ravie de voir son amie confortablement installée, Elizabeth ressentit un chagrin poignant à la pensée que Charlotte ne pourrait longtemps jouir de ce bonheur.

Elle avait déjà appris que Lady Catherine était encore dans la région. Il en fut de nouveau question au dîner, lorsque Mr Collins, se joignant à la discussion, déclara :

— Oui, Miss Elizabeth, vous aurez l'honneur de voir Lady Catherine de Bourgh dimanche à l'église, et je n'ai pas besoin de préciser que vous serez enchantée. Son attitude envers ma chère Charlotte est charmante. Nous dînons à Rosings deux fois par semaine et elle ne nous laisse jamais rentrer à pied. La voiture de Sa Seigneurie est toujours commandée pour nous. Je devrais plutôt dire l'une des voitures de Sa Seigneurie, car elle en a plusieurs.

— Lady Cathine … femme très respectab … très sensée, grommela Charlotte. Voisine … très attention…

— Très juste, ma chère, c'est exactement ce que je dis. Elle est de ces femmes qu'on ne saurait considérer avec trop de déférence.

Tandis que le dîner se poursuivait ainsi, Elizabeth avait constamment l'œil attiré par Charlotte qui, penchée au-dessus de son assiette, se servait d'une cuiller pour pousser la viande d'oie et la sauce en direction de sa bouche, mais sans grand succès. Soudain, l'une des plaies qu'elle avait sous l'œil éclata, répandant sur sa joue et jusque dans sa bouche un filet de pus sanglant. Apparemment, Charlotte en apprécia la saveur, car cela ne fit que précipiter la cadence des cuillerées. Prise de malaise, Elizabeth enfouit son visage dans son mouchoir.

Le reste de la soirée fut principalement consacré à évoquer les nouvelles du Hertfordshire et à redire ce qui avait déjà été annoncé par écrit. Lorsqu'elle se termina, Elizabeth put, dans la solitude de sa chambre, méditer sur l'aggravation de l'état de Charlotte, et s'étonner que personne ne l'eût remarqué, même

Lady Catherine, réputée la plus grande pourfendeuse de zombies du comté.

Le lendemain, en milieu de journée, alors qu'elle se préparait dans sa chambre pour aller se promener, un bruit soudain parut provoquer la panique dans toute la maison. Tendant l'oreille, elle entendit quelqu'un monter les marches quatre à quatre et la héler d'une voix forte. Elizabeth saisit son Katana, ouvrit la porte et trouva sur le palier Maria qui s'écria :

— Oh, ma chère Eliza ! Je t'en prie, dépêche-toi de descendre dans la salle à manger, car il s'y donne un de ces spectacles ! Je ne te dirai pas de quoi il s'agit. Hâte-toi et viens tout de suite.

Maria refusa d'en dire davantage, et elles coururent donc jusqu'à la salle à manger, située face à la route, en quête de cette grande merveille. C'était simplement deux dames assises dans une calèche arrêtée devant la grille du jardin.

— C'est tout ? s'étonna Elizabeth. Je m'attendais au moins à une douzaine d'innommables, mais il n'y a là rien que Lady Catherine et sa fille !

— Pas du tout, ma chère ! reprit Maria, tout à fait choquée par cette erreur. Ce n'est pas Lady Catherine. La vieille dame est Mrs Jenkinson, qui vit chez elles. L'autre est Miss de Bourgh. Regarde-la un peu. Elle ne paie pas de mine. Qui aurait cru qu'elle était si maigre et si petite ?

— Elle est horriblement impolie de retenir Charlotte en plein vent. Pourquoi n'entre-t-elle pas ?

— Oh ! Charlotte dit qu'elle n'entre presque jamais. C'est une immense faveur quand Miss de Bourgh franchit le seuil.

— J'aime son air, dit Elizabeth, frappée par d'autres réflexions. Elle semble maladive et renfrognée. Oui, elle conviendra très bien à Mr Darcy. Elle sera pour lui une épouse tout à fait adéquate.

Debout à la grille, Mr Collins et Charlotte conversaient avec les dames. Elizabeth s'amusa beaucoup de voir Sir William planté sur le pas de la porte, plongé dans la contemplation de tant de grandeur, se prosternant chaque fois que Miss de Bourgh regardait dans sa direction.

Il n'y eut bientôt plus rien à dire ; les dames repartirent et les autres rentrèrent à la maison. À peine Mr Collins eut-il vu les demoiselles qu'il se mit à les féliciter de leur chance, car ils étaient tous invités à dîner à Rosings le lendemain. Succombant apparemment à l'enthousiasme, Charlotte s'écroula à terre et se mit à se remplir la bouche de feuilles d'automne moisies, par poignées entières.

Chapitre 29

— J'AVOUE, dit Mr Collins, que je n'aurais pas du tout été surpris si Sa Seigneurie nous avait invités dimanche à aller prendre le thé et passer l'après-midi à Rosings. Connaissant son affabilité, je m'attendais assez à ce que cela se produisît. Mais qui aurait pu prévoir une telle marque d'attention ? Qui aurait pu imaginer que nous recevrions une invitation à dîner chez elle (invitation incluant toute la compagnie, qui plus est) si tôt après votre arrivée ?

— J'en suis d'autant moins surpris, répondit Sir William, que sa maîtrise supérieure des arts meurtriers et sa bonne éducation sont connues dans toutes les cours d'Europe.

Pendant toute cette journée et le lendemain, il ne fut guère question d'autre chose que de leur invitation à Rosings. Mr Collins les instruisit avec soin de ce à quoi ils devaient s'attendre, afin qu'ils ne fussent pas impressionnés outre mesure à la vue de pièces aussi splendides, de domestiques aussi nombreux et d'un dîner aussi somptueux. Sans oublier la garde personnelle de Sa Seigneurie, composée de vingt-cinq ninjas d'élite.

Quand les dames allèrent préparer leur toilette, il dit à Elizabeth :

— Ne vous tourmentez pas, ma chère cousine, pour votre tenue. Lady Catherine est loin d'exiger de nous cette élégance vestimentaire qui leur convient, à elle et à sa fille. Je vous conseille seulement de mettre ce que vous avez de mieux, il n'y a pas lieu d'en faire davantage. Lady Catherine ne vous en tiendra pas rigueur si vous êtes vêtue simplement, tout comme elle ne saurait vous en vouloir d'être infiniment moins habile qu'elle au combat.

Sous l'insulte, Elizabeth serra les poings mais, par affection pour son amie aux trois quarts morte, elle retint sa langue et son sabre.

Tandis qu'elles s'habillaient, il vint deux ou trois fois à la porte de leurs chambres respectives, pour leur recommander de se dépêcher, car Lady Catherine avait horreur qu'on la fît attendre pour dîner.

Comme il faisait beau temps, la promenade jusqu'à Rosings, à un demi-mile de là, fut très agréable.

Lorsqu'ils gravirent les marches montant au vestibule, Maria sentit son inquiétude augmenter ; même Sir William ne semblait pas parfaitement calme. L'aplomb d'Elizabeth ne lui fit pas défaut, alors qu'on la rassasiait de récits des hauts faits de Lady Catherine depuis qu'elle était assez grande pour tenir son premier poignard. Elle pouvait affronter sans trembler cette majesté qu'imposent seuls l'argent et le rang, mais elle était fort intimidée à l'idée de rencontrer une femme qui avait anéanti quatre-vingt-dix innommables avec pour seule arme une enveloppe trempée par la pluie.

Après avoir été accueillis par des domestiques, ils traversèrent une antichambre pour gagner la pièce où se tenaient Lady Catherine, sa fille et Mrs Jenkinson. Sa Seigneurie leur fit l'honneur insigne de se lever pour les recevoir, et comme Charlotte était convenue avec son mari qu'elle se chargerait elle-même de cette tâche, les présentations furent particulièrement difficiles car il lui fallait lutter pour énoncer chaque syllabe de manière compréhensible.

Bien qu'il fût allé au palais de Saint-James, Sir William fut si entièrement abasourdi par la grandeur dont il était entouré qu'il eut tout juste assez de courage pour faire une profonde révérence et prendre un siège sans dire un mot. Sa fille, terrorisée au point d'en perdre la raison, s'assit sur le bord de sa chaise sans savoir où tourner les yeux. Elizabeth ne se laissa pas intimider et put observer sereinement les trois dames. Lady Catherine était une femme grande et forte, aux traits marqués, qui avait pu jadis être belle. Sa silhouette autrefois irréprochable s'était arrondie avec l'âge, mais ses yeux étaient aussi impressionnants qu'on les avait souvent décrits à Elizabeth. C'étaient les yeux d'une femme qui avait tenu le courroux de Dieu entre ses mains. Elizabeth se demanda si ces mains illustres avaient conservé toute leur rapidité.

Lorsque, après avoir examiné la mère, dont le visage et l'allure n'étaient pas sans lui rappeler Mr Darcy, elle tourna les yeux vers la fille, elle fut tentée de partager la stupeur de Maria en la trouvant si maigre et si petite. Ni dans la silhouette ni dans la physionomie, il n'y avait la moindre ressemblance entre ces dames. Miss de Bourgh était pâle et souffreteuse ; ses traits, sans être laids, étaient quelconques ; elle parlait très peu, sauf pour s'adresser à voix basse à Mrs Jenkinson, dont l'aspect n'avait rien de remarquable et qui se consacrait exclusivement à écouter ce qu'elle lui disait.

Après être restés assis quelques minutes, ils furent tous envoyés vers l'une des fenêtres pour contempler la vue : Mr Collins les accompagna pour en signaler les beautés et Lady Catherine les informa aimablement qu'en été elle était autrement plus admirable.

Le dîner fut absolument splendide. Tous les domestiques et toute la vaisselle promis par Mr Collins étaient au rendez-vous. Comme il l'avait également prédit, il s'installa en bout de table, conformément au désir de Sa Seigneurie, et il semblait penser que la vie ne pouvait rien offrir de plus enviable. Les convives ne contribuaient guère à la conversation. Elizabeth était prête à prendre la parole chaque fois que cela serait possible, mais elle était assise entre Charlotte et Miss de Bourgh : il lui fallait régulièrement rappeler à la première qu'elle devait se servir de ses couverts, et la seconde ne lui dit pas un mot de tout le dîner.

Quand elles regagnèrent le salon, les dames furent réduites à écouter Lady Catherine parler de ses expérimentations pour découvrir un sérum susceptible de ralentir – ou même de contrer – les effets de l'étrange épidémie. Elizabeth en fut fort surprise, car on considérait en général cette recherche comme le dernier refuge des naïfs. Les plus grands esprits d'Angleterre se penchaient sur le problème depuis vingt-cinq ans. Puis, sur un ton familier, Lady Catherine s'enquit en détail des préoccupations domestiques de Charlotte, et lui offrit quantité de conseils sur la bonne gestion de son foyer ; elle lui dit comment tout devait être réglé dans une maisonnée aussi petite que la sienne. Elizabeth s'aperçut que cette grande dame daignait s'intéresser à tous les sujets qui lui offraient l'occasion d'imposer sa volonté aux autres. Entre deux remarques adressées à Mrs Collins, elle posait toutes sortes de questions à Maria et à Elizabeth, mais surtout à cette dernière, dont elle connaissait le moins la famille.

— Mr Collins me dit que vous avez été formée aux arts meurtriers, Miss Bennet.

— Je suis cependant bien loin du degré d'excellence que Votre Seigneurie a atteint.

— Oh ! Alors je serai enchantée de vous voir un de ces jours affronter mes ninjas. Vos sœurs ont-elles reçu la même éducation ?

— Oui, toutes.

— Je suppose que vous avez étudié au Japon ?

— Non, madame. En Chine.

— En Chine ? Les moines arrivent-ils encore à vendre aux Anglais leur kung-fu maladroit ? Vous voulez sans doute parler de Shaolin ?

— Oui, madame, avec maître Liu.

— Eh bien, je suppose que vous n'avez pas eu d'autre occasion. Si votre père en avait eu les moyens, il aurait dû vous emmener à Kyoto.

— Ma mère n'y aurait vu aucune objection, mais mon père déteste le Japon.

— Vos ninjas vous ont-ils quittés ?

— Nous n'avons jamais eu de ninjas.

— Pas de ninjas ! Comment est-ce possible ? Cinq filles élevées à la maison sans ninjas ! Je n'ai jamais rien entendu de pareil. Vos parents ont dû travailler comme des esclaves pour assurer votre sécurité.

Elizabeth ne put s'empêcher de sourire en lui assurant que tel n'avait pas été le cas.

— Alors qui vous protégeait lors de votre premier combat ? Sans ninjas, vous avez dû offrir un spectacle bien lamentable.

— Par rapport à certaines familles, je pense que vous avez raison, mais nous éprouvions un tel désir de vaincre et une telle affection les unes pour les autres que nous n'avons eu aucun mal à triompher, même face à nos premiers adversaires.

— Si j'avais connu votre mère, je lui aurais vivement conseillé d'engager une équipe de ninjas. Je dis toujours qu'en matière d'instruction on n'obtient rien sans leçons constantes et régulières. Si le Ciel avait accordé une constitution plus robuste à ma propre fille, je l'aurais envoyée dans les meilleurs dojos du Japon dès l'âge de quatre ans. Miss Bennet, laquelle de vos sœurs cadettes a-t-elle fait son entrée dans le monde ?

— Toutes l'ont faite, madame.

— Toutes ! Quoi, toutes les cinq en même temps ? Très curieux ! Et vous n'êtes que la deuxième. Les cadettes dans le monde avant que l'aînée soit mariée ! Vos sœurs doivent être très jeunes ?

— Oui, la plus jeune d'entre nous n'a pas seize ans. Peut-être est-elle très jeune pour être dans le monde. Mais vraiment, madame, je pense qu'il serait bien dur pour les cadettes qu'elles n'eussent pas leur part de la société et des distractions parce que l'aînée n'a ni les moyens ni le désir de se marier tôt. La dernière-née a droit aux plaisirs de la jeunesse autant que la première. Rester enfermée pour une raison comme celle-là ! Je pense que cela ne serait guère de nature à encourager l'affection entre sœurs ou la délicatesse de sentiments.

— Sur ma parole, s'exclama Lady Catherine, vous énoncez votre opinion d'une façon bien décidée pour une personne aussi jeune. Quel âge avez-vous, je vous prie ?

— Avec trois cadettes déjà grandes, répondit Elizabeth en souriant, Votre Seigneurie ne peut s'attendre à ce que j'avoue mon âge.

Lady Catherine parut abasourdie qu'on ne lui répondît pas directement, et Elizabeth soupçonna qu'elle était la première à avoir osé plaisanter face à tant d'insolence et de majesté.

— Vous ne pouvez avoir plus de vingt ans, j'en suis sûre, et vous n'avez donc pas besoin de dissimuler votre âge.

— Je n'ai pas encore vingt et un ans.

Quand les messieurs les eurent rejointes et que le thé fut terminé, on apporta les tables de jeu. Lady Catherine, Sir William, Mr et Mrs Collins prirent place pour jouer à Caveau et Cercueil ; comme Miss de Bourgh avait envie de jouer à Fouette-Curé, Elizabeth et Maria eurent l'honneur de compléter la table avec Mrs Jenkinson. La conversation fut suprêmement stupide. À peine prononça-t-on une syllabe qui ne fût en relation avec la partie, sauf lorsque Mrs Jenkinson exprima sa crainte que Miss de Bourgh n'eût trop chaud ou trop froid, qu'elle n'eût trop ou trop peu de lumière. L'autre table était beaucoup plus animée. Lady Catherine parlait sans discontinuer, pour signaler leurs erreurs aux trois autres ou pour relater des anecdotes personnelles. Mr Collins était occupé à acquiescer à tout ce que disait Sa Seigneurie, à la remercier pour tous les caveaux qu'il gagnait et à lui présenter ses excuses quand il croyait en avoir gagné trop.

Après avoir bavé une troisième tasse de thé sur ses genoux, Charlotte se leva pour demander la permission de quitter l'autre table. La mine douloureuse, elle se serrait le ventre à deux mains.

— Demande… pardon, Otre Feigneurie...

Lady Catherine ne répondit rien, et Mr Collins et Sir William étaient trop absorbés par la partie pour remarquer ce qui se passa ensuite.

Elizabeth vit Charlotte faire une légère révérence, puis boitiller vers l'autre bout du salon, où elle plia les genoux pour s'accroupir après avoir levé le bas de sa robe. Elizabeth demanda pardon à ses partenaires de jeu, se leva et (en veillant à ne pas attirer l'attention) saisit par le bras son amie contaminée et l'escorta jusqu'au cabinet de toilette. Là, pendant un quart d'heure, elle assista Charlotte, secouée par des vomissements si graves que la bienséance en interdit toute description dans ces pages.

Le jeu cessa peu après. La voiture fut proposée à Mrs Collins qui l'accepta poliment, et aussitôt attelée. On se réunit ensuite devant la cheminée pour entendre Lady Catherine déterminer quel temps il ferait le lendemain. Ces pronostics furent interrompus par l'arrivée de la voiture et, avec force discours reconnaissants de la part de Mr Collins, et force courbettes de la part de Sir William, ils partirent. Dès qu'ils eurent franchi la porte, Elizabeth fut interpellée par son cousin, désireux de connaître son opinion sur tout ce qu'elle avait vu à Rosings ; par amitié pour Charlotte, elle se déclara plus enchantée qu'elle ne l'était réellement. « La Grande Catherine » l'avait déçue à tous points de vue, et Elizabeth ne pourrait lui pardonner le mépris qu'elle avait manifesté pour son temple et son maître.

Chapitre 30

SIR WILLIAM ne resta qu'une semaine à Hunsford, mais sa visite fut assez longue pour l'assurer que sa fille était fort confortablement établie. Mr Collins consacra ses matinées à promener son beau-père dans sa carriole et à lui montrer la région, mais lorsqu'il fut parti, toute la famille reprit ses activités ordinaires.

De temps en temps, Sa Seigneurie leur faisait l'honneur de leur rendre visite, et rien n'échappait à l'attention de Lady Catherine en ces occasions. Elle s'intéressait à leurs travaux, observait leur ouvrage, leur conseillait de procéder autrement ; elle critiquait la disposition des meubles, elle détectait une négligence de la bonne ; lorsqu'elle acceptait une collation, elle semblait ne le faire que pour le plaisir de trouver les rôtis de Mrs Collins trop copieux pour sa maisonnée.

Elizabeth découvrit bientôt que cette grande dame, bien qu'elle ne participât plus à la défense quotidienne de son pays, n'en était pas moins une magistrate fort active dans sa paroisse, dont les plus petits soucis lui étaient relatés par Mr Collins. Chaque fois qu'un paysan avait tendance à se montrer querelleur, mécontent ou trop pauvre, elle surgissait dans le village pour l'implorer de régler le différend ou, à défaut, pour manier son sabre encore fatal afin de le régler elle-même.

La distraction d'un dîner à Rosings se répéta environ deux fois par semaine. Malgré le départ de Sir William, qui réduisait le jeu à une seule table, chacune de ces soirées ressembla à la première. Ce fut après l'un de ces dîners qu'on demanda à Elizabeth de se battre avec plusieurs des ninjas de Sa Seigneurie, pour divertir la compagnie.

La démonstration eut lieu dans le grand dojo de Lady Catherine, qu'elle avait à grands frais fait venir de Kyoto, brique par brique, à dos d'homme. Les ninjas portaient leur traditionnel habit noir, leur masque et leurs bottes Tabi ; Elizabeth avait revêtu sa robe de combat et s'était munie de son fidèle sabre Katana. Quand Lady Catherine se leva pour donner le signal, Elizabeth se banda les yeux, en signe de défi.

— Ma chère enfant, dit Lady Catherine, je vous suggère de prendre cet affrontement au sérieux. Mes ninjas seront sans pitié.

— Moi de même, madame.

— Miss Bennet, je vous rappelle que vous n'avez pas reçu une instruction adéquate en matière d'arts meurtriers. Votre maître était un moine chinois ; ces ninjas viennent des meilleurs dojos du Japon.

— Si ma formation est réellement inférieure, alors j'épargnerai à Votre Seigneurie la peine de me regarder combattre longtemps.

Elizabeth prit position et, comprenant qu'elle ne convaincrait jamais cette fille entêtée et hors du commun, Lady Catherine claqua des doigts. Le premier ninja dégaina et poussa un cri de guerre en fonçant directement vers Elizabeth. Lorsque la lame fut à quelques centimètres de sa gorge, elle s'écarta de son adversaire et lui ouvrit le ventre avec son Katana. Le ninja s'écroula, se vidant de ses entrailles plus vite qu'il ne pouvait les remettre en place. Elizabeth remit son sabre dans son fourreau, s'agenouilla derrière lui et l'étrangla avec ses propres intestins.

Lady Catherine claqua des doigts une deuxième fois et un autre ninja apparut. Celui-ci lançait des étoiles d'acier tout en chargeant. Elizabeth tira son Katana pour se protéger des trois premiers projectiles, puis attrapa le quatrième en plein vol et le lança vers son propriétaire qu'elle atteignit à la cuisse. Le ninja poussa un hurlement et empoigna la plaie à deux mains. Elizabeth baissa sa lame et lui trancha non seulement les mains, mais aussi la jambe à laquelle celles-ci s'accrochaient. Le ninja tomba à terre et fut promptement décapité.

Bien que mécontente d'un tel début, Lady Catherine fondait de grands espoirs sur son troisième et dernier ninja, le plus meurtrier. Mais à peine eut-elle claqué des doigts qu'Elizabeth jeta son Katana en travers du dojo, perçant la poitrine du ninja et le fixant à une colonne de bois. La jeune fille ôta son bandeau et vint se planter devant son adversaire qui, pantelant, avait saisi la poignée du sabre. D'un coup de poing brutal, elle introduisit la main dans sa cage thoracique, puis en sortit le cœur encore palpitant du ninja. Tandis que tous, hormis Lady Catherine, se détournaient, dégoûtés, Elizabeth en mordit un morceau, laissant ruisseler le sang sur son menton et sur sa robe de combat.

— Étrange, dit-elle tout en mastiquant. J'ai goûté plus d'un cœur, mais je dois avouer que je trouve les organes japonais très tendres.

Lady Catherine quitta le dojo sans complimenter Elizabeth sur ses talents.

Il n'y eut guère d'autres divertissements car le mode de vie du voisinage était au-dessus des moyens de Mr Collins. Elizabeth ne s'en plaignait pas et, dans l'ensemble, son temps s'écoula fort agréablement. Elle eut avec Charlotte plusieurs demi-heures de conversation pénible, quasi inintelligible, et il faisait si beau pour la saison qu'elle put souvent profiter de la campagne. Sa promenade préférée longeait le bosquet qui bordait leur côté du parc ; il y avait là un beau chemin abrité qu'elle semblait être la seule à apprécier, et où elle se sentait hors d'atteinte de la curiosité de Lady Catherine.

C'est de cette manière paisible que se déroulèrent les deux premières semaines de sa visite. Pâques approchait et, quelques jours avant cette fête, un nouveau venu devait arriver à Rosings, événement important dans un cercle si restreint. Elizabeth avait très tôt appris que Mr Darcy était attendu dans les semaines suivantes ; même s'il y avait beaucoup de gens qu'elle aurait préféré revoir, parmi toutes ses connaissances, ce visiteur introduirait une relative nouveauté lors des soirées à Rosings, et elle aurait peut-être le plaisir de constater combien les desseins de Miss Bingley sur lui étaient vains, en voyant comment il se comportait vis-à-vis de sa cousine, à qui Lady Catherine le destinait évidemment. Celle-ci se déclarait hautement satisfaite de sa venue, elle parlait de lui en des termes extrêmement élogieux et parut presque fâchée d'apprendre que Miss Lucas et Elizabeth le connaissaient déjà bien.

Le presbytère sut très tôt qu'il était là car Mr Collins passa toute la matinée à déambuler à proximité des pavillons qui encadraient la route de Hunsford, pour en acquérir la certitude au plus vite ; après avoir salué bien bas quand la voiture tourna dans le parc, il se hâta de rentrer transmettre la grande nouvelle. Le lendemain matin, il s'empressa d'aller présenter ses respects à Rosings, qui furent reçus par deux neveux de Lady Catherine, car Mr Darcy avait amené avec lui un certain colonel Fitzwilliam, le plus jeune fils de son oncle Lord N... Au grand étonnement de toute la compagnie, ces messieurs accompagnèrent Mr Collins lorsqu'il repartit chez lui. Depuis le bureau de son mari, Charlotte les avait vus traverser la route et elle courut aussitôt dans l'autre pièce pour annoncer aux jeunes femmes à quel honneur elles pouvaient s'attendre, ajoutant :

— Dois remercier... toi, Eliza, pour... po-po-politesse. Jamais Mr Darcy... serait v-v-venu... si v-v-vite saluer moi.

À peine Elizabeth eut-elle le temps de se proclamer indigne de ce compliment que l'arrivée des visiteurs fut signalée par la sonnette de la porte ; les trois messieurs entrèrent dans la pièce peu après. Le colonel Fitzwilliam, qui ouvrait la marche, avait une trentaine d'années. Il n'était pas beau, mais son allure et ses façons étaient celles d'un vrai gentleman. Mr Darcy, resté tel qu'il était dans le Hertfordshire, présenta ses hommages à Mrs Collins avec sa réserve habituelle. Quels qu'eussent été ses sentiments envers Elizabeth, il la revit apparemment avec un calme parfait. Elizabeth se contenta d'une révérence, sans un mot.

Le colonel Fitzwilliam engagea aussitôt la conversation avec l'aisance et l'entrain d'un homme bien élevé, et parla fort agréablement. Après avoir adressé à Mrs Collins quelques mots sur la maison et le jardin, son cousin resta un moment assis sans rien dire à personne. Pourtant, sa courtoisie finit par se réveiller assez pour qu'il s'enquît auprès d'Elizabeth de la santé de sa famille. Elle lui fit la réponse habituelle et, après un silence, ajouta :

— Ma sœur aînée est à Londres depuis trois mois. Vous ne l'y avez jamais rencontrée ?

Elle savait fort bien que non, mais elle voulait voir s'il trahirait la moindre conscience de ce qui s'était passé entre Jane et les Bingley. Elle crut discerner une agitation nerveuse de sa paupière lorsqu'il répondit qu'il n'avait pas eu la chance de rencontrer Miss Bennet. On changea ensuite de sujet, et ces messieurs s'en allèrent peu de temps après.

Chapitre 31

LES MANIÈRES du colonel Fitzwilliam furent très admirées au presbytère et les dames estimèrent toutes qu'il ajoutait considérablement au plaisir de leurs soirées à Rosings. Il s'écoula pourtant quelques jours avant qu'une nouvelle invitation ne leur parvînt, car on pouvait se passer d'eux tant qu'il y avait des visiteurs au château. Il fallut donc attendre le lundi de Pâques, près d'une semaine après l'arrivée du colonel, pour qu'on leur fît l'honneur d'une attention de ce genre : à la sortie de l'église, on les convia simplement à venir le soir même.

L'invitation fut bien sûr acceptée et, à une heure convenable, ils se présentèrent dans le petit salon de Lady Catherine. La noble dame les reçut poliment, mais il était clair que leur compagnie lui semblait bien plus agréable lorsqu'elle n'avait personne d'autre sous la main.

Le colonel Fitzwilliam parut vraiment ravi de les voir ; il accueillait avec joie tout ce qui introduisait un peu de variété à Rosings et, de plus, il trouvait très à son goût la charmante amie de Mrs Collins. Il s'assit près d'elle et parla fort agréablement des affrontements à Manchester, de cette merveille qu'étaient les armes mécaniques, de ses méthodes favorites pour anéantir les malheureux contaminés : Elizabeth ne s'était jamais autant divertie dans ce salon. Ils bavardaient avec tant de vigueur et d'entrain qu'ils attirèrent l'attention de Lady Catherine en personne, ainsi que celle de Mr Darcy. Il avait très vite tourné les yeux vers eux, à plusieurs reprises, d'un air intrigué ; l'intérêt de Sa Seigneurie fut plus flagrant car elle n'hésita pas à les interpeller :

— Que dites-vous, Fitzwilliam ? De quoi parlez-vous ? Que contez-vous à Miss Bennet ? Je veux savoir de quoi il s'agit.

— Nous parlons arts meurtriers, madame, dit-il lorsqu'il devint inévitable de répondre.

— Arts meurtriers ! Alors parlez donc à haute voix, je vous prie. De tous les sujets, c'est celui que je préfère. Il faut que je participe à la conversation, si vous parlez arts meurtriers. Il existe peu de gens en Angleterre, je suppose, qui les apprécient plus sincèrement que moi, ou qui y soient naturellement plus disposés. Si sa santé avait permis à Anne de s'y consacrer, je suis sûre qu'elle serait devenue une grande tueuse de ces créatures. Georgiana a-t-elle fait des progrès dans son initiation, Darcy ?

Mr Darcy fit un éloge affectueux des talents de sa sœur pour combattre au sabre, à coups de poing et au pistolet.

— Je suis bien aise d'entendre de si bonnes nouvelles, s'exclama Lady Catherine. Veuillez lui dire de ma part qu'elle doit beaucoup s'exercer si elle veut atteindre l'excellence.

— Je vous assure, madame, qu'elle n'a pas besoin de tels conseils. Elle s'exerce avec une grande constance.

— Tant mieux. On ne saurait trop s'entraîner, et la prochaine fois que je lui écrirai, je lui enjoindrai de ne négliger cela sous aucun prétexte. Je dis souvent aux demoiselles que l'excellence dans les arts meurtriers est impossible sans une pratique constante. J'ai déclaré plusieurs fois à Miss Bennet qu'elle ne pourrait jamais espérer s'approcher si peu que ce soit de mon excellence tant qu'elle ne s'entraînerait pas davantage. Et comme Mrs Collins n'a pas de dojo, elle est la bienvenue, comme je le lui ai souvent répété, si elle souhaite venir à Rosings chaque jour défier mes ninjas, pourvu qu'elle promette de ne plus en tuer un seul. Elle ne gênerait personne, vous savez, dans cette partie-là de la maison.

Mr Darcy sembla un peu honteux de la mauvaise éducation de sa tante et garda le silence.

Quand le café fut terminé, le colonel Fitzwilliam rappela à Elizabeth qu'elle avait promis de leur offrir une démonstration de la force considérable qu'elle avait dans les doigts, et elle se mit aussitôt à nouer une cordelette autour de ses chevilles pour préserver sa pudeur. Lady Catherine et les autres regardèrent Elizabeth placer les mains au sol et soulever ses pieds en l'air, sa robe étant maintenue en place grâce à la cordelette. Dans cette posture, elle leva une de ses paumes, de sorte que tout son poids ne reposait plus que sur une main. Mr Darcy s'installa de manière à bien voir le visage de la belle acrobate. Elizabeth remarqua son manège et, dès qu'elle put faire une pause, arbora un sourire espiègle et dit :

— Vous cherchez à me faire peur, Mr Darcy, en venant m'observer avec tant de cérémonies ? Je ne me laisserai pas alarmer. Il y a en moi tant d'opiniâtreté que je refuse toujours de me laisser effrayer. Plus on essaie de m'intimider, plus mon courage augmente.

Pour prouver ses dires, elle leva la paume de sorte qu'un seul de ses doigts était maintenant en contact avec le sol.

— Je ne dirai pas que vous vous trompez, répliqua-t-il, parce que vous ne croyez pas vraiment que j'aie l'intention de vous inquiéter. J'ai eu assez longtemps le plaisir de vous connaître pour savoir que vous aimez fort professer des opinions qui ne sont pas les vôtres en réalité.

Ce portrait fit éclater de rire Elizabeth, qui dit au colonel Fitzwilliam :

— Si vous écoutez votre cousin, vous vous ferez de moi une charmante idée et vous apprendrez à ne pas croire un mot de ce que je dis. Je n'ai vraiment pas de chance : dans une région où j'espérais duper tout le monde, il faut que je rencontre un homme si bien capable de me démasquer ! En vérité, Mr Darcy, vous n'êtes guère charitable de publier tout le mal que vous avez appris de moi dans le Hertfordshire, car je suis tentée de me venger et je pourrais divulguer des choses qui choqueraient votre famille.

— Je n'ai pas peur de vous, dit-il en souriant.

— S'il vous plaît, révélez-moi de quoi vous l'accusez ! s'écria le colonel Fitzwilliam. J'aimerais savoir comment il se conduit parmi les gens qu'il ne connaît pas.

— Alors vous saurez tout, mais préparez-vous à quelque chose d'épouvantable.

Elizabeth fit un bond, retomba doucement sur ses pieds et détacha la cordelette reliant ses chevilles.

— C'est lors d'un bal, sachez-le, que je l'ai vu pour la première fois dans le Hertfordshire, et que pensez-vous qu'il ait fait, dans ce bal ? Il n'a pris part qu'à quatre danses, alors que les messieurs étaient rares. Et plus d'une demoiselle passa la soirée assise faute de cavalier, je le sais de source sûre. Mr Darcy, vous ne pouvez nier ce fait.

— Je n'avais pas à cette époque l'honneur de connaître quiconque au sein de l'assemblée, en dehors de mon petit cercle d'amis.

— C'est vrai, et l'on ne saurait être présenté dans une salle de bal ! Eh bien, colonel, quelle démonstration dois-je vous offrir maintenant ? Mes doigts attendent vos ordres.

— Peut-être aurais-je été plus avisé, reprit Darcy, si j'avais cherché à être présenté, mais je n'ai pas l'art de me rendre agréable aux inconnus.

— En demanderons-nous la raison à votre cousin ? riposta Elizabeth, toujours à l'adresse du colonel Fitzwilliam. Lui demanderons-nous pourquoi un homme sensé et instruit, dont le corps a été sculpté pour faire de lui un tueur du plus haut rang, ne maîtrise pas l'art de se rendre agréable aux inconnus ?

— Je peux répondre à votre question sans l'interroger, dit Fitzwilliam. C'est parce qu'il ne veut pas s'en donner la peine.

— C'est certain, admit Darcy, je n'ai pas comme d'aucuns le talent de bavarder aisément avec des gens que je n'ai jamais vus. Je ne sais pas prendre le ton de leur conversation, je ne sais pas paraître intéressé par leurs soucis, comme j'ai souvent vu d'autres le faire.

— Mes doigts ne possèdent pas la vigueur qu'ont ceux de votre tante, dit Elizabeth. Je n'ai ni leur force, ni leur vélocité, ils ne produisent pas des résultats aussi meurtriers. Mais j'ai toujours considéré que c'était de ma faute, parce que je ne m'exerçais pas assez.

Ils furent ici interrompus par Lady Catherine, qui les héla pour apprendre de quoi ils parlaient. Elizabeth rattacha aussitôt la cordelette autour de ses chevilles et se mit à arpenter la pièce sur le bout des doigts. Lady Catherine, après l'avoir observée pendant quelques minutes, dit à Darcy :

— Miss Bennet exécuterait les Griffes du léopard de façon assez correcte si elle s'exerçait davantage, et si elle pouvait profiter des conseils d'un maître japonais. Son doigté est très bon, mais elle a moins de style qu'Anne. Anne aurait été une gymnaste exquise, si sa santé lui avait permis d'y travailler.

Elizabeth regarda Darcy pour voir avec quelle chaleur il s'approchait de Miss de Bourgh, mais ni alors ni plus tard elle ne put discerner en lui le moindre symptôme d'amour et, de toute son attitude face à sa cousine, elle tira ce réconfort pour Miss Bingley : Mr Darcy aurait aussi bien pu l'épouser, elle, si elle avait été sa parente.

Lady Catherine poursuivit ses remarques sur la démonstration d'Elizabeth, en y mêlant de nombreuses instructions. L'intéressée reçut tous ces conseils avec la patience qu'impose la politesse ; à la demande de ces messieurs, elle resta en équilibre sur le bout des doigts jusqu'à ce que la voiture de Sa Seigneurie fût prête à les ramener au presbytère.

Chapitre 32

LE LENDEMAIN MATIN, Elizabeth était seule, Mrs Collins et Maria étant parties faire une course dans le village. Alors qu'elle méditait, elle sursauta en entendant sonner à la porte. Comme elle n'avait pas entendu de voiture arriver, il ne lui parut pas improbable qu'il s'agît de Lady Catherine. Donc, pour se soustraire à toute question impertinente, elle éteignait déjà ses bâtons d'encens lorsque la porte s'ouvrit : à sa très grande surprise, ce fut Mr Darcy qui entra dans la pièce.

Il sembla stupéfait lui aussi de la trouver seule, et lui présenta ses excuses pour cette intrusion en lui déclarant qu'il croyait trouver là toutes les dames.

Ils s'assirent et, une fois qu'elle lui eut demandé comment on se portait à Rosings, le danger parut grand de sombrer dans un silence total. Il était donc absolument nécessaire de trouver un autre sujet de conversation. Dans cette urgence, se rappelant la dernière fois qu'elle l'avait vu dans le Hertfordshire, et curieuse de savoir ce qu'il aurait à dire à propos de leur départ précipité, Elizabeth s'exclama :

— Vous êtes tous partis de Netherfield de façon bien soudaine, en novembre dernier, Mr Darcy ! Ce dut être une surprise fort agréable pour Mr Bingley de vous voir tous le suivre aussi vite car, si j'ai bonne mémoire, il n'était parti que la veille. Ses sœurs et lui allaient bien, j'espère, quand vous avez quitté Londres.

— Parfaitement bien, merci.

Sentant qu'elle n'obtiendrait pas d'autre réponse, elle ajouta après une courte pause :

— Il me semble avoir compris que Mr Bingley n'envisage guère de revenir un jour à Netherfield ?

— Je ne l'ai jamais entendu le dire, mais il est probable qu'il y passe à l'avenir fort peu de son temps. Il redoute les innommables, dont le nombre dans cette partie du pays ne cesse d'augmenter.

— S'il ne compte guère résider à Netherfield, mieux vaudrait pour le voisinage qu'il renonce entièrement au bail, car nous pourrions alors voir une famille s'y installer, une famille plus exercée aux arts meurtriers. Mais peut-être Mr Bingley a-t-il loué cette maison moins dans l'intérêt du voisinage que pour le sien propre, et nous devons nous attendre à ce qu'il la garde ou la délaisse selon le même principe.

— Je ne serais pas étonné, dit Darcy, s'il y renonçait dès qu'il aura reçu une offre intéressante pour racheter le bail.

Elizabeth ne répondit rien. Elle craignait de parler davantage de leur ami et, n'ayant rien de plus à dire, elle avait résolu de laisser à son visiteur le soin de trouver un autre sujet à aborder.

Percevant la cause de son silence, il dit bientôt :

— Cette maison semble très confortable. Lady Catherine, je crois, y a fait faire d'importants travaux quand Mr Collins est venu vivre à Hunsford.

— Je le crois, en effet, et je suis sûre que sa générosité n'aurait pu trouver destinataire plus reconnaissant.

— La chance semble avoir souri à Mr Collins… dans le choix de son épouse.

Elizabeth détecta une hésitation dans ce compliment. S'était-il rendu compte que Charlotte était contaminée ?

— Oui, c'est vrai. Ses amis ont lieu de se réjouir qu'il ait rencontré l'une des très rares femmes raisonnables susceptibles de vouloir de lui ou de le rendre heureux. Mon amie est une personne très intelligente, même si je ne suis pas sûre de penser que son union avec Mr Collins soit l'action la plus sage qu'elle ait accomplie. Cependant, elle semble parfaitement heureuse et, du point de vue de la prudence, elle a certainement conclu un excellent mariage.

— Il doit lui être fort agréable de vivre à une distance si commode pour ses parents et amis.

— Si commode, dites-vous ? La distance est de cinquante miles.

— Et que sont cinquante miles de bonne route sans zombies ? À peine plus d'une demi-journée de voyage. Oui, cela me paraît une distance commode, en effet.

— Je n'aurais jamais considéré la distance comme un des avantages de ce mariage, s'écria Elizabeth. Je n'aurais jamais dit que Mrs Collins vivait près de sa famille !

— Cela prouve votre attachement pour le Hertfordshire. Tout ce qui se situe en dehors du voisinage immédiat de Longbourn vous paraît loin, j'imagine.

Il parlait avec une sorte de sourire qu'Elizabeth s'imagina pouvoir percer à jour ; il supposait sans doute qu'elle pensait à Jane et à Netherfield, de sorte qu'elle rougit en répondant :

— Monsieur, vous oubliez que je me suis rendue deux fois dans les contrées les plus obscures de l'Orient, et vous savez que le voyage est affreusement long et qu'on y croise constamment des animaux d'une sauvagerie inconnue dans nos contrées. Je vous assure que mes horizons ne se limitent pas à Longbourn. Néanmoins, Mr et Mrs Collins n'ont jamais eu besoin de s'embarquer dans une telle aventure, et je soupçonne que leur notion des distances ressemble davantage à celle des gens ordinaires. De ce fait, j'en suis convaincue, il faudrait réduire la distance de moitié pour que mon amie crût vivre près de sa famille.

Mr Darcy rapprocha un peu sa chaise d'Elizabeth.

Elle parut surprise. Son interlocuteur changea de sentiment ; il recula sa chaise, ramassa un journal sur la table, y jeta un coup d'œil et dit d'une voix plus froide :

— Êtes-vous contente des nouvelles de Sheffield ?

Il s'ensuivit un bref dialogue au sujet de la récente victoire de l'armée, calme et concis de part et d'autre, auquel mit bientôt fin l'entrée de Charlotte et de sa sœur, de retour de leur promenade. Ce tête-à-tête les étonna. Mr Darcy évoqua l'erreur qui l'avait conduit à déranger Miss Bennet dans sa solitude et, après être resté quelques minutes de plus sans dire grand-chose à quiconque, il s'en alla.

— Quoi… signifier tout ça ? demanda Charlotte dès qu'il fut parti. Chère …liza, il doit… amoureux toi, sinon il… jamais venu voir nous… si peu cérémonie.

Mais lorsqu'Elizabeth évoqua le silence de Mr Darcy, même Charlotte ne put juger très vraisemblable qu'il fût épris d'elle. Après diverses conjectures, elles en furent finalement réduites à supposer que cette visite résultait de sa difficulté à trouver une occupation, ce qui était très probable en cette saison. Le sol était tout à fait gelé, et il faudrait attendre le printemps pour voir ressurgir des innommables et reprendre les activités de grand air. À l'intérieur, il y avait Lady Catherine, les livres, le billard, mais les hommes ne peuvent passer leur vie enfermés. La proximité du presbytère, le charme du chemin qui y menait, ou de ceux qui y résidaient, constituèrent dès lors pour les deux cousins une tentation de s'y rendre chaque jour ou presque. Ils venaient à différentes heures de la journée, parfois ensemble, parfois séparément, et de temps en temps accompagnés par leur tante. Il était évident pour tous que le colonel Fitzwilliam venait parce qu'il prenait plaisir à leur compagnie, ce qui le rendait plus sympathique encore.

Quant à Mr Darcy, il était beaucoup plus difficile de comprendre pourquoi il venait si souvent au presbytère. Ce ne pouvait être pour la compagnie, car il lui arrivait fréquemment de rester assis dix minutes sans desserrer les dents, et lorsqu'il parlait, c'était par nécessité plutôt que par choix, semblait-il. Il n'avait jamais l'air très animé, même en voyant Mrs Collins se mordiller la main. Charlotte – ou du moins ce qu'il en restait – aurait voulu croire que cette transformation en lui était un effet de l'amour, et que l'objet de cet amour était son amie Eliza. Elle l'observait chaque fois qu'ils allaient à Rosings, chaque fois qu'il venait à Hunsford, mais sans grand succès, car elle ne pouvait s'empêcher de penser à d'autres sujets, comme la sensation succulente d'entamer un cerveau tout chaud. Certes, Mr Darcy regardait beaucoup Elizabeth, mais l'expression de ce regard était discutable. C'était un regard sérieux, appuyé, pourtant Charlotte doutait souvent qu'il indiquât beaucoup d'admiration, et il semblait quelquefois ne trahir qu'un esprit soucieux. Et en songeant à l'esprit de Mr Darcy, elle rêvait à nouveau de mâcher cette cervelle salée, pommelée comme un chou-fleur.

Elle avait une ou deux fois suggéré à Elizabeth la possibilité qu'il eût de l'inclination pour elle, mais Elizabeth riait toujours de cette idée, et Mrs Collins crut bon de ne pas insister, de peur de susciter des espoirs qui ne pourraient se solder que par une déception.

Dans ses aimables projets pour Elizabeth, elle envisageait parfois de la marier au colonel Fitzwilliam. Des deux hommes, il était sans conteste le plus charmant ; il l'admirait assurément et sa situation faisait de lui un fort bon parti. Mais, pour compenser ces avantages, Mr Darcy avait le crâne nettement plus grand, et donc un plus gros cerveau à déguster.

Chapitre 33

PLUS D'UNE FOIS, et contre toute attente, Elizabeth croisa Mr Darcy alors qu'elle se promenait dans le parc. Assurément, elle jouait de malchance puisque ses pas le menaient dans des endroits qui n'attiraient personne d'autre. Pour éviter que cela ne se reproduisît, elle prit soin de lui indiquer d'emblée que cette promenade était celle qu'elle préférait. Il était donc bien étrange qu'une seconde rencontre eût lieu ! Il y en eut pourtant même une troisième. Il ne disait jamais grand-chose, et elle ne se donnait pas le mal de parler ou d'écouter beaucoup, mais elle fut frappée de constater, lors de leur troisième rencontre, qu'il lui posait des questions curieuses et sans lien entre elles, sur le plaisir qu'elle avait d'être à Hunsford, la quantité d'os qu'elle avait brisés et son opinion quant à la possibilité d'un mariage heureux pour des guerriers comme eux.

Un jour, tout en marchant, elle relisait la dernière lettre de Jane et s'attardait sur certains passages qui prouvaient que sa sœur n'était pas de très vaillante humeur. Au lieu d'être à nouveau surprise par Mr Darcy, ce fut le colonel Fitzwilliam qu'elle découvrit en levant les yeux. Elle rangea aussitôt sa lettre et s'obligea à lui sourire.

— J'ignorais que vous aviez l'habitude de vous promener par ici.

— Je faisais le tour du parc, répondit-il, comme tous les ans, en général, et j'ai l'intention de terminer par une visite au presbytère. Allez-vous continuer dans l'autre direction ?

— Non, je comptais revenir sur mes pas.

Elle prit donc le chemin du retour et ils se dirigèrent ensemble vers le presbytère.

— Est-il absolument certain que vous quittez le Kent samedi ? demanda-t-elle.

— Oui, si Darcy ne repousse pas notre départ une fois de plus. Mais je suis à sa disposition, et il en décide comme il lui plaît.

— Et s'il ne peut prendre aucune décision qui lui plaise, il a du moins le grand plaisir de pouvoir choisir. Je ne connais personne qui semble apprécier davantage que Mr Darcy la liberté d'agir à sa guise.

— Il aime beaucoup suivre son caprice, répondit le colonel Fitzwilliam. Mais nous sommes tous pareils. Simplement, il en a davantage les moyens que bien des gens, parce qu'il est riche, beau et très habile à donner la mort. Je parle en connaissance de cause. Un cadet de famille doit se résigner à l'abnégation et à la dépendance, vous le savez.

— Selon moi, le cadet d'une famille comtale souffre fort peu de l'une ou de l'autre. Soyons sérieux : quelle expérience avez-vous de l'abnégation et de la dépendance ? Quand le manque d'argent vous a-t-il empêché d'aller où vous en aviez envie, ou de vous procurer ce que vous désiriez ?

— Vos questions font mouche, et je ne peux sans doute pas prétendre avoir beaucoup connu pareilles difficultés. Mais sur des points plus essentiels, je souffre du manque d'argent. Les cadets sont censés servir dans l'armée du roi, vous le savez.

— Oui, mais j'imagine qu'on n'envoie pas le fils d'un comte sur les lignes de front.

— Détrompez-vous, Miss Bennet.

Le colonel souleva une des jambes de son pantalon et montra à Elizabeth un spectacle tout à fait lamentable : il n'y avait que plomb et noyer entre son genou et le sol. Lorsqu'ils avaient été présentés, Elizabeth avait remarqué qu'il boitait, mais elle avait attribué cette claudication à une blessure ou à un défaut de naissance. Pour rompre un silence qui eût pu donner l'impression qu'elle était affectée par cette vision, elle reprit peu après :

— J'imagine que si votre cousin vous a amené ici avec lui, c'était surtout pour avoir quelqu'un à sa disposition. Je m'étonne qu'il ne se marie pas, pour s'assurer ce genre de commodité de manière durable. Mais peut-être sa sœur fait-elle l'affaire pour le moment et, comme elle ne dépend que de lui, il peut faire d'elle ce qu'il lui plaît.

— Non, protesta le colonel Fitzwilliam, c'est un avantage qu'il doit partager avec moi. Miss Darcy est sous sa tutelle et sous la mienne.

— Vraiment ? Et quel genre de tuteurs êtes-vous ? Votre pupille vous donne-t-elle bien du tracas ?

Tout en parlant, elle remarqua qu'il la dévisageait ; comme il lui demanda aussitôt pourquoi elle croyait Miss Darcy susceptible de leur donner du fil à retordre, elle fut persuadée qu'elle avait dû deviner assez juste. Elle répondit immédiatement :

— Ne vous inquiétez pas, je n'ai jamais entendu dire aucun mal d'elle, et j'imagine qu'elle est l'une des jeunes filles les plus dociles qui soient. Elle est très appréciée de certaines dames que je connais, Mrs Hurst et Miss Bingley. Vous les connaissez, je crois.

— Un peu. Leur frère est un homme charmant, un vrai gentleman. C'est un grand ami de Darcy.

— Ah, oui ! fit sèchement Elizabeth. Mr Darcy manifeste envers Mr Bingley une bonté hors du commun, et il prend de lui un soin inouï.

— S'il prend soin de lui ? Oui, je crois bien que Darcy prend soin de lui dans les domaines où il en a le plus grand besoin. D'après ce qu'il m'a raconté en venant ici, j'ai des raisons de penser que Bingley lui est extrêmement redevable. Mais je m'avance, car je n'ai pas le droit de supposer qu'il parlait de Bingley. Ce n'est qu'une hypothèse.

— Que voulez-vous dire ?

— Darcy ne souhaite évidemment pas que cela se sache, car il serait fort déplaisant que la chose revînt aux oreilles de la famille de la demoiselle en question.

— Monsieur, j'ai été initiée aux antiques secrets de l'Orient, et je les garderai jusque dans la tombe. Vous pouvez sans crainte parler devant moi des badinages de Mr Darcy.

— Et rappelez-vous que rien ne me permet d'affirmer qu'il s'agit de Bingley. Voici simplement ce qu'il m'a raconté : il se félicitait d'avoir récemment épargné à un ami les désagréments d'un mariage fort imprudent, mais il n'a mentionné aucun nom, aucun détail. J'ai soupçonné que cet ami était Bingley parce que je le crois capable de ce genre de faux pas, et parce que je sais qu'ils ont passé l'été dernier ensemble.

— Mr Darcy vous a-t-il expliqué les raisons de son intervention ?

— J'ai cru comprendre qu'il existait de fortes objections contre la demoiselle.

— Et à quel procédé a-t-il eu recours pour les séparer ?

— Il ne m'a pas parlé du procédé, dit Fitzwilliam en souriant. Il m'a simplement dit ce que je viens de vous répéter.

Elizabeth ne répondit rien et continua de marcher, son désir de vengeance grandissant à chaque pas. Après l'avoir observée un moment, Fitzwilliam lui demanda pourquoi elle était si songeuse.

— Je songe à ce que vous venez de m'apprendre. La conduite de votre cousin ne me satisfait pas. Pourquoi s'est-il érigé en juge ?

— Vous qualifieriez son intervention d'intempestive ?

— Je ne vois pas quel droit avait Mr Darcy de décider si l'inclination de son ami était ou non convenable. Je ne vois pas pourquoi, sur la foi de son seul jugement, il devait déterminer de quelle façon son ami trouverait le bonheur. Mais, poursuivit-elle avec moins d'emportement, comme nous ne connaissons aucun détail, il est injuste de le condamner. Il faut supposer qu'il n'y avait guère d'affection en jeu.

— Cette supposition est naturelle, dit Fitzwilliam, mais elle prive hélas mon cousin de l'honneur d'avoir triomphé.

Il plaisantait, mais elle vit là un portrait si juste de Mr Darcy qu'elle préféra s'interdire de répliquer. Changeant brusquement de conversation, elle n'aborda plus que des sujets futiles jusqu'à leur arrivée au presbytère. Enfermée dans sa chambre, dès que leur visiteur fut parti, elle put réfléchir librement à tout ce qu'elle avait entendu. Elle ne pouvait imaginer que Darcy eût fait référence à des personnes qu'elle ne connaissait pas. Il ne pouvait exister au monde deux hommes sur lesquels il exerçait une influence aussi illimitée. Elle l'avait toujours cru impliqué dans les manœuvres visant à séparer Jane et Mr Bingley, mais elle en attribuait jusque-là la conception et la mise en œuvre à Miss Bingley. À moins qu'il ne se fût vanté sans fondement, c'est bien lui qui était la cause de toutes les souffrances passées et présentes de Jane, son orgueil et son caprice qui en étaient la cause. Il avait pour longtemps détruit tout espoir de bonheur pour le cœur le plus tendre et le plus généreux qui fût au monde, et à cause de cela, Elizabeth avait résolu qu'avant de quitter le Kent elle brandirait dans sa main le cœur de Darcy encore palpitant.

« Il existait de fortes objections contre la demoiselle », avait dit le colonel Fitzwilliam, et ces fortes objections étaient sans doute que Jane avait un oncle avoué en province, un autre commerçant à Londres, et qu'elle aurait pu écraser le crâne de Bingley dans la chaleur d'une dispute, car il n'avait pas suivi comme elle une formation au combat.

— Contre Jane elle-même, il ne pouvait exister l'ombre d'une objection ! s'exclama-t-elle. Elle n'est que beauté et bonté ! Son jugement est excellent, sa maîtrise des armes inégalée, ses manières séduisantes. Et il n'y avait rien à dire contre mon père qui, s'il a quelques bizarreries, jouit cependant de facultés que Mr Darcy en personne ne saurait dédaigner, et d'une respectabilité que ce monsieur n'atteindra probablement jamais.

Lorsqu'elle pensa à sa mère, elle perdit un peu de son assurance, mais elle refusa d'admettre qu'une objection de cette nature aurait pu peser aux yeux de Mr Darcy. L'orgueil de cet homme, elle en était convaincue, aurait été plus profondément blessé par le manque d'importance sociale de la famille avec laquelle son ami voulait s'allier, que par son manque de bon sens. Elle résolut finalement qu'il avait été inspiré en partie par cet orgueil de la pire espèce, en partie par le désir de réserver Mr Bingley pour sa propre sœur.

L'agitation et les larmes suscitées par ces idées provoquèrent une migraine qui s'aggrava tellement dans la soirée que, outre le fait qu'elle répugnait à tuer Mr Darcy en présence de sa tante (de peur que celle-ci ne s'interposât), elle décida de ne pas aller avec les Collins à Rosings, où ils devaient prendre le thé.

Chapitre 34

LORSQU'ILS FURENT PARTIS, Elizabeth, comme pour s'exaspérer autant que possible contre Mr Darcy, choisit pour s'occuper de relire toutes les lettres que Jane lui avait écrites depuis qu'elle était dans le Kent. Sa sœur n'y formulait aucune véritable plainte, aucun rappel des incidents passés, aucune expression de sa souffrance présente. Mais à chacune de ces lettres, à chaque ligne ou presque, faisait défaut cette gaieté qui caractérisait auparavant son style. Avec une attention qu'elle ne leur avait pas prêtée à la première lecture, Elizabeth remarqua toutes les phrases exprimant une sensation de malaise. Elle percevait plus vivement la douleur de Jane depuis que Mr Darcy s'était scandaleusement vanté du malheur qu'il avait pu infliger. C'était une consolation de penser qu'elle lui ferait bientôt tâter de son sabre et que, dans moins de deux semaines, elle retrouverait sa sœur et pourrait contribuer à lui rendre le sourire, en lui offrant sur un plateau la tête et le cœur de Darcy.

En songeant à lui, elle ne put éviter de penser à son cousin mais, si charmant fût-il, le colonel Fitzwilliam était aussi le seul qui pourrait attribuer à Elizabeth l'assassinat de Darcy. Il faudrait donc l'éliminer lui aussi.

Alors qu'elle prenait cette décision, elle fut soudain tirée de ses réflexions par la sonnette de la porte et elle se troubla à l'idée qu'il pouvait s'agir du colonel Fitzwilliam en personne. Mais Elizabeth bannit vite cette hypothèse et éprouva une tout autre émotion lorsque, à son grand étonnement, elle vit entrer Mr Darcy. Il lui demanda en hâte comment elle se portait et attribua sa venue au désir d'apprendre qu'elle allait mieux. Elle lui répondit avec une politesse froide, car elle ne pouvait en croire sa chance, le voyant ainsi s'offrir à ses coups, et elle attendit la première occasion d'aller chercher son sabre Katana. Il resta quelques instants assis, puis se leva et se mit à arpenter la pièce. Après un bref silence, il s'approcha d'elle, l'air agité, et commença ainsi :

— J'ai lutté en vain. C'est impossible, je ne saurais réprimer mes sentiments. Vous devez me permettre de vous dire avec quelle ardeur je vous admire et je vous aime.

La stupeur d'Elizabeth fut indescriptible. Elle écarquilla les yeux, rougit, douta, garda le silence. Comme il vit là un encouragement suffisant, il lui avoua tout ce qu'il éprouvait pour elle, et depuis longtemps. Il s'exprima fort bien, mais s'étendit bien au-delà des sentiments amoureux, et se montra aussi éloquent dans l'évocation de son orgueil que dans celle de sa tendresse. Il savait combien Elizabeth lui était inférieure, il était conscient de la mésalliance à laquelle il s'exposait, il connaissait les obstacles familiaux qui s'étaient d'emblée opposés à son inclination ; la chaleur avec laquelle il développa ces points résultait sans doute de l'affront infligé à sa vanité, mais ne faisait pas de lui un prétendant bien attirant.

En dépit d'une profonde soif de sang, Elizabeth ne put d'abord être insensible au compliment que représentait l'affection d'un tel homme, et même si pas une seconde elle ne changea d'avis, elle fut d'abord désolée de la souffrance qu'elle allait lui causer ; bientôt, indignée par le discours qu'il lui tenait, elle perdit toute compassion sous l'effet de la colère. Elle essaya néanmoins de se calmer pour lui répondre avec patience, de peur qu'il ne devinât ses intentions. Pour conclure, il évoqua la force de cet attachement que, malgré tous ses efforts, il avait été incapable de surmonter et qu'il espérait voir à présent récompensé par l'acceptation de sa demande en mariage. À ces mots, elle comprit qu'il était certain d'être favorablement accueilli. Il parlait d'appréhension et d'inquiétude, mais son visage exprimait une authentique confiance. Cela ne pouvait qu'exaspérer un peu plus Elizabeth, dont les joues s'empourprèrent lorsqu'il se tut.

— En pareil cas, il est de règle, je crois, de dire sa gratitude pour les sentiments exprimés, même lorsqu'ils ne sont pas du tout réciproques. Cette gratitude est naturelle et si je pouvais l'éprouver, je vous remercierais maintenant. Mais je ne le puis. Je n'ai jamais souhaité cette bonne opinion que vous m'accordez bien à contrecœur. Je regrette d'avoir occasionné votre souffrance, mais uniquement parce que je l'ai fait inconsciemment. Avant que vous ne franchissiez cette porte, j'avais résolu de vous anéantir, monsieur. Mon honneur… non, l'honneur de ma famille, n'en exige pas moins.

Elizabeth souleva alors sa robe au-dessus de ses chevilles et adopta la position de la Grue, qui lui parut adaptée à cet espace limité. Adossé à la cheminée, Mr Darcy la dévisagea et parut entendre ces mots avec autant de déplaisir que de surprise. Il blêmit de rage, son désarroi se manifestant dans toute sa physionomie. D'une voix faussement apaisée, il finit par dire :

— Voilà donc toute la réponse que j'aurai l'honneur de recevoir ! Peut-être pourrais-je apprendre pourquoi je suis éconduit et défié sans le moindre soupçon de courtoisie ?

— Je pourrais aussi vous demander pourquoi, dans l'intention évidente de m'offenser et de m'insulter, vous avez choisi de me déclarer que vous m'aimiez contre votre gré, contre votre raison et même contre votre caractère ? Croyez-vous que je serais tentée un seul moment d'épouser l'homme qui s'est employé à détruire, peut-être à jamais, le bonheur d'une sœur bien-aimée ?

Lorsqu'elle prononça ces mots, Mr Darcy changea de couleur, mais cette émotion fut brève, car Elizabeth lui assena alors une série de coups de pied, l'obligeant à parer en recourant à la tactique de la Blanchisseuse enivrée. Elle poursuivit tout en l'attaquant :

— J'ai toutes les raisons possibles de penser du mal de vous. Rien ne peut excuser le rôle injuste et cruel que vous avez tenu en l'occurrence. Vous n'oseriez ni ne pourriez nier que vous avez été le principal, sinon le seul instrument de cette séparation.

L'un de ses coups de pied atteignit sa cible et Darcy fut projeté contre la cheminée avec tant de force que le dessus de marbre se brisa. Essuyant le sang de sa bouche, il la regarda avec un sourire incrédule.

— Pouvez-vous nier votre acte ? répéta-t-elle.

Avec une tranquillité feinte, il répliqua :

— Je n'ai aucun désir de le nier, j'ai fait tout ce qui était en mon pouvoir pour séparer mon ami de votre sœur et je me réjouis de mon succès. Je me suis montré envers lui plus généreux qu'envers moi-même.

Elizabeth refusa de prendre en compte cette remarque civile, et saisit le tisonnier qu'elle brandit sous le nez de Darcy.

— Pourtant, mon antipathie ne se fonde pas que sur cette affaire. Je m'étais forgé une opinion bien avant. Votre caractère m'a été révélé il y a plusieurs mois par le récit que m'a fait Mr Wickham. Qu'avez-vous à dire là-dessus ? Au nom de quel acte d'amitié imaginaire pouvez-vous vous défendre ?

— Vous vous passionnez fort pour les torts qu'aurait subis ce monsieur, dit Darcy d'un ton moins serein, son visage reprenant des couleurs.

— Qui pourrait rester insensible en connaissant ses malheurs ?

— Ses malheurs ! répéta Darcy, dédaigneux. Oui, ses malheurs ont été bien grands.

Là-dessus, il la déséquilibra et se leva d'un bond. Elizabeth fut trop rapide pour lui laisser l'avantage, car elle fut bientôt debout et se remit à agiter le tisonnier dans sa direction, avec une vigueur renouvelée.

— Tout comme votre barbarie, s'écria Elizabeth avec vigueur. Vous l'avez réduit à son état présent de pauvreté, de relative pauvreté. Vous l'avez frustré des avantages qui lui étaient destinés, vous le savez fort bien. Vous avez privé ses plus belles années de cette indépendance qui lui était promise et qu'il méritait. Tout cela, vous l'avez fait ! Et cependant l'évocation de ses malheurs ne suscite que votre mépris et votre ironie.

— Est-ce là ce que vous pensez de moi ? cria Darcy en lui arrachant le tisonnier des mains. Est-ce là toute l'estime que vous me portez ? Merci de me l'avoir si bien expliqué en détail. Mes fautes, à ce compte-là, pèsent lourd, en effet ! Néanmoins, ajouta-t-il en lui enserrant le cou, peut-être auriez-vous pu oublier ces crimes si je n'avais pas blessé votre orgueil par ma confession sincère des scrupules qui m'ont longtemps empêché de former un projet sérieux. Ces accusations amères m'auraient peut-être été épargnées si j'avais eu l'habileté de taire la lutte que j'ai menée, si je vous avais bercée de l'illusion flatteuse que j'étais poussé par une inclination sans mélange, sans réticence, par la raison, par la réflexion, par tout. Mais j'ai horreur de la dissimulation sous toutes ses formes. Et je n'ai pas honte des sentiments que j'ai professés. Ils étaient naturels et justes. Devais-je me réjouir de votre infériorité au combat ? me féliciter de cette union avec une famille dont le rang est tellement en dessous du mien ?

Elizabeth sentait sa colère monter à chaque instant mais, comme Darcy l'avait plaquée contre le mur, elle se maîtrisa de son mieux pour répondre calmement :

— Vous avez tort de penser, Mr Darcy, qu'en vous exprimant différemment vous auriez pu provoquer une autre réaction que la compassion que j'aurais éprouvée en vous décapitant si vous vous étiez davantage comporté en gentleman.

Elle le vit tressaillir, mais il ne dit rien, et elle continua :

— Quel qu'eût été le ton de votre déclaration, je n'aurais jamais été tentée d'accepter.

Une fois de plus, il fut visiblement stupéfait et il la regarda avec un mélange d'incrédulité et d'humiliation. Elle poursuivit :

— Dès le départ, dès le premier instant où je vous ai été présentée, vous dirai-je, vos façons m'ont si pleinement convaincue de votre arrogance, de votre prétention et de votre mépris égoïste pour les sentiments d'autrui, qu'elles ont jeté les fondements d'une désapprobation sur laquelle les événements ont ensuite bâti une antipathie immuable. Je vous connaissais depuis un mois à peine que vous étiez déjà le dernier homme au monde qu'on eût pu me forcer à épouser.

— Vous en avez dit assez, madame. Je comprends parfaitement vos sentiments et je n'ai plus qu'à être honteux de ce qu'étaient les miens. Pardonnez-moi d'avoir ainsi occupé votre temps et daignez accepter mes meilleurs vœux de santé et de bonheur.

Sur ces mots, il quitta bien vite la pièce, non sans avoir lancé le tisonnier dans l'âtre ; un instant après, Elizabeth l'entendit ouvrir la porte principale et sortir de la maison.

Il régnait à présent dans son esprit un tumulte pénible. Elle ne savait comment se soutenir et, succombant à cette ignoble faiblesse féminine qu'elle avait tenté d'éliminer à force d'entraînement, elle s'assit et pleura pendant une demi-heure. Sa stupéfaction, à l'idée de ce qui venait de se passer, augmentait à mesure qu'elle y repensait. Elle, recevoir une demande en mariage de Mr Darcy ! Elle, incapable de le tuer lorsque son honneur l'exigeait ! Lui, épris d'elle depuis tant de mois ! Épris au point de vouloir l'épouser malgré toutes les objections qui l'avaient poussé à empêcher le mariage de son ami avec Jane, et qui devaient lui apparaître avec une force au moins égale dans son propre cas ! Voilà qui était presque incroyable. Il était gratifiant d'avoir à son insu inspiré une si vive affection. Mais son orgueil, son abominable orgueil, son aveu éhonté de ce qu'il avait accompli à l'encontre de Jane, son impardonnable aplomb en l'avouant, même sans pouvoir le justifier, et l'indifférence avec laquelle il avait mentionné Mr Wickham, envers qui il n'avait pas cherché à nier sa cruauté, tout cela surpassait la pitié que la pensée de son attachement pour elle avait un moment inspirée à Elizabeth. Elle poursuivit ces réflexions bien troublantes jusqu'à l'instant où, entendant la voiture de Lady Catherine, elle sentit qu'elle n'était pas en état de s'exposer au regard de Charlotte, et elle courut se réfugier dans sa chambre.

Chapitre 35

LE LENDEMAIN MATIN, au réveil, Elizabeth avait encore en tête les idées et les méditations sur lesquelles ses yeux avaient fini par se fermer. Elle ne revenait toujours pas de sa surprise face à ce qui s'était produit ; il lui était impossible de penser à autre chose. Tout à fait incapable de s'occuper utilement, elle résolut après le petit-déjeuner de s'accorder un peu d'exercice vigoureux. Elle se dirigeait donc vers sa promenade favorite lorsque, se souvenant que Mr Darcy y venait parfois, elle s'arrêta et, au lieu d'entrer dans le parc, remonta le chemin qui menait au-delà de la route à péage.

Après qu'elle se fut aventurée deux ou trois fois de ce côté-là, le beau temps de la matinée l'incita à s'arrêter devant la grille pour contempler le parc. Ces cinq semaines passées dans le Kent avaient transformé la région et chaque jour ajoutait à la verdure des arbres précoces. Elle était sur le point de se remettre en marche lorsqu'elle aperçut, près du bosquet bordant le parc, un homme qui venait dans sa direction. Elle craignit que ce ne fût Mr Darcy et battit aussitôt en retraite. Voulait-il l'abattre ? Comment avait-elle pu être assez stupide pour sortir du presbytère sans son Katana ? Comme il marchait plus vite, Darcy ne lui laissa pas le temps de se replier derrière la palissade. Il lui tendit une lettre qu'elle prit sans réfléchir et dit, avec un calme hautain :

— Je me promène depuis quelque temps près du bosquet dans l'espoir de vous rencontrer. Me ferez-vous l'honneur de lire cette lettre ?

Puis, avec un léger salut, il repartit vers le bosquet et disparut bientôt.

Sans en attendre aucun plaisir, mais avec la plus vive curiosité, Elizabeth ouvrit le pli et, avec une surprise redoublée, elle découvrit que la lettre comprenait deux pages entièrement couvertes d'une écriture très serrée. Poursuivant son chemin, elle commença à lire. La missive avait été rédigée à Rosings, à huit heures du matin.

> Ne vous laissez pas alarmer, Mademoiselle, en recevant cette lettre, par la crainte d'y trouver une répétition des sentiments ou un renouvellement de la demande qui vous ont tant déplu hier soir. J'écris sans désir de vous causer de la peine ou de m'humilier en m'attardant sur des vœux qui ne sauraient être trop vite oubliés, dans notre intérêt à tous deux.
>
> Vous m'avez hier soir accusé de deux crimes de nature très différente et d'inégale gravité. Le premier était d'avoir séparé Mr Bingley de votre sœur, sans tenir compte des sentiments des intéressés ; l'autre, d'avoir privé Mr Wickham de toute prospérité immédiate et de toute perspective d'avenir, au mépris de divers principes, au mépris de l'honneur et de l'humanité. Si, en expliquant mes actions et mes motivations, je me vois obligé d'exprimer des sentiments qui vous offensent, je puis seulement dire que j'en suis désolé. Je dois obéir à la nécessité, et il serait absurde de vous présenter des excuses supplémentaires.
>
> Je n'étais pas depuis longtemps dans le Hertfordshire lorsque j'ai vu, comme d'autres, que Bingley préférait votre sœur aînée à toutes les demoiselles de la région. Mais c'est seulement quand elle tomba malade et séjourna à Netherfield que je conçus des appréhensions : sachant qu'elle s'employait à pourfendre les morts-vivants, je fus certain qu'elle avait été contaminée par l'étrange épidémie. Soucieux de ne troubler personne, je ne communiquai cette théorie ni à vous ni à aucun des habitants

de Netherfield et j'entrepris d'étouffer l'affection de Bingley, pour lui épargner la souffrance de voir périr votre sœur. Lors de sa guérison, que je croyais temporaire, j'ai discerné que le penchant de mon ami pour Miss Bennet allait au-delà de ce que j'avais jusque-là pu remarquer chez lui. J'ai aussi observé votre sœur. Son air et ses manières étaient toujours aussi ouvertes, joyeuses et engageantes, mais je restai persuadé que commencerait bientôt son lugubre déclin au service de Satan. Quand les semaines se changèrent en mois, je me mis à douter de mes observations. Pourquoi ne s'était-elle pas encore transformée ? Pouvais-je m'être trompé au point de confondre une simple fièvre avec l'étrange épidémie ? Lorsque je compris mon erreur, il était trop tard pour chercher à revenir en arrière. Mr Bingley avait été entièrement séparé de Miss Bennet, dans l'espace comme dans l'affection. Bien que j'eusse agi sans intention de nuire, mes actions ont sans doute causé du tourment à votre sœur, et votre ressentiment à mon endroit n'a rien de déraisonnable. Mais je n'hésiterai pas à affirmer que la gravité du rhume de votre sœur était de nature à persuader l'œil le plus vigilant que, malgré son caractère aimable, elle avait désormais mis son cœur au service des ténèbres. Je désirais la croire contaminée, c'est certain, mais j'ose dire que mes observations et mes décisions sont rarement influencées par mes espoirs ou mes craintes. Si je l'ai crue atteinte, ce ne fut pas parce que je le souhaitais ; je me fondais sur une conviction impartiale, tout autant que ma raison désirait qu'il en fût ainsi. Il existait cependant d'autres causes de réticence, causes que je dois énoncer, même brièvement. La situation de votre famille maternelle, quoique sujette à désapprobation, n'était rien comparée au total irrespect des convenances dont étaient si fréquemment et si régulièrement coupables votre mère, vos trois plus jeunes sœurs et parfois même votre père. Pardonnez-moi, il m'est pénible de vous offenser. Si les défauts de vos plus proches parents vous peinent, consolez-vous en pensant que je vous tiens en très haute estime, votre sœur aînée et vous, tant pour vos dispositions que pour vos talents de guerrières. J'ajouterai simplement que les incidents de cette soirée confirmèrent mon opinion : lorsque nous partîmes enquêter sur le malencontreux incident survenu en cuisine, je crus que Miss Bennet ne nous accompagnait pas parce qu'elle était contaminée. Cela me rendit plus que jamais désireux de préserver mon ami de ce que je considérais comme une alliance fort regrettable. Vous vous le rappelez assurément, il est parti le lendemain pour Londres, avec le projet de revenir bientôt.

Je dois à présent expliquer quel rôle j'ai joué. Ses sœurs étaient tout aussi embarrassées que moi, mais pour des raisons différentes, et nous avons vite découvert que nous étions du même avis. Sentant qu'il n'y avait pas de temps à perdre pour le guérir de son inclination, nous avons résolu de le rejoindre sans attendre. Nous l'avons donc suivi et j'ai aussitôt entrepris de signaler à mon ami les inconvénients certains d'un pareil choix. Je les ai décrits et les lui ai fait très sérieusement comprendre. Cette mise en garde aurait peut-être ébranlé ou retardé sa détermination, mais je ne pense pas qu'elle aurait pu l'empêcher de se marier, si je n'avais pas eu pour argument l'indifférence de votre sœur. Il croyait jusque-là qu'elle répondait à son amour par une affection sincère, sinon égale. Mais Bingley est naturellement plein d'une grande modestie et il se fie à mon jugement davantage qu'au sien. Il ne fut donc guère difficile de le convaincre qu'il s'était trompé. Une fois cette conviction formée, il ne fallut qu'un moment pour le dissuader de retourner dans le Hertfordshire. Je ne puis me reprocher d'avoir accompli cela. La seule chose dont je ne sois pas satisfait dans la manière dont j'ai mené toute cette affaire, c'est que je me suis abaissé à pratiquer la dissimulation au point de lui taire que votre sœur était à Londres. Je le savais, comme le savait Miss Bingley, mais son frère l'ignore encore à l'heure qu'il est. Peut-être auraient-ils pu se rencontrer sans conséquence fâcheuse, mais son amour ne me semblait pas assez éteint pour qu'il la vît sans danger. Ce secret, ce déguisement, était peut-être indigne de moi. Il est trop tard, cependant, et j'ai agi pour le mieux. À ce propos, je n'ai plus rien à dire, plus d'excuses à présenter. Si j'ai blessé les sentiments de votre sœur, ce fut seulement la conséquence de mon affection pour mon ami, et parce que je croyais Miss Bennet condamnée à parcourir la terre en quête de cerveaux à dévorer.

Quant à l'autre accusation, bien plus grave, d'avoir nui à Mr Wickham, je ne peux la réfuter qu'en vous expliquant toute l'histoire de ses liens avec ma famille. J'ignore de quoi il m'a accusé en particulier, mais plus d'un témoin pourra confirmer la véracité de ce que je vais vous conter.

Mr Wickham est le fils d'un homme très respectable qui, pendant de nombreuses années, a géré tout le domaine de Pemberley. Ses bons et loyaux services ont naturellement poussé mon père à l'aider et à se montrer généreux envers George Wickham, son filleul. Mon père a financé sa scolarité, puis ses études à Kyoto, assistance d'autant plus cruciale qu'il n'aurait jamais pu recevoir une éducation en Orient, Wickham père étant constamment appauvri par l'extravagance de sa femme. Mon père appréciait la compagnie de ce jeune homme aux manières toujours engageantes ; il avait la plus haute opinion de ses talents au combat et voulait l'encourager à embrasser une carrière dans la pratique des arts meurtriers. Pour ma part, il y a de très nombreuses années que mon opinion à son sujet a pris un tout autre cours. Sa tendance au vice, le manque de principes qu'il avait soin de dissimuler aux yeux de son protecteur, n'avaient pu échapper au regard d'un jeune homme qui avait à peu près le même âge et qui avait, contrairement à Mr Darcy père, l'occasion de le voir lorsqu'il ne se surveillait plus. Dans l'un de ces moments, Mr Wickham se vanta gaiement de vouloir s'entraîner au coup de pied circulaire sur notre garçon d'écurie, lequel était sourd : il comptait lui briser le cou pour le punir d'avoir, selon lui, fort mal ciré sa selle. Mon affection pour ce malheureux serviteur m'imposait de briser sur-le-champ les deux jambes de Mr Wickham, pour lui interdire de mener à bien ce projet scélérat. Une fois encore, je vais vous causer de la peine, et vous seule savez à quel point. Mais quels que soient les sentiments que vous inspire Mr Wickham, ce que j'imagine être leur nature ne m'empêchera pas de vous exposer son véritable caractère. Cela me donne même une motivation supplémentaire.

Mon excellent père est mort il y a environ cinq ans et, jusqu'au bout, il conserva un tel attachement pour Mr Wickham qu'il me recommanda dans son testament de favoriser son avancement dans la lutte contre les abjectes créatures. Il lui légua également mille livres. Le père de Wickham ne survécut pas longtemps au mien et, moins de six mois après ces événements, Mr Wickham m'écrivit pour m'informer qu'il avait l'intention d'étudier les mille manières de terrasser les innommables ; je devais savoir que l'intérêt versé sur la somme qui lui avait été léguée ne suffirait pas à le nourrir. J'ai voulu le croire sincère, plus que je ne le croyais vraiment, mais j'étais en tout cas parfaitement prêt à accéder à sa requête. Il reçut une somme de trois mille livres. Tout lien entre nous semblait désormais rompu. J'avais trop mauvaise opinion de lui pour l'inviter à Pemberley ou pour le côtoyer à Londres. Je pense qu'il habitait surtout la capitale, mais l'étude des arts meurtriers n'était qu'un prétexte et, comme il était désormais délivré de toute contrainte, il menait une vie d'oisiveté et de dissipation. Je n'entendis pratiquement plus parler de lui pendant près de trois ans mais, lorsqu'il eut épuisé les fonds qui lui étaient destinés, il m'adressa de nouveau une lettre. Il m'assurait qu'il se trouvait dans une situation exécrable. La lutte contre les innommables lui étant apparue bien aride, il était maintenant tout à fait résolu à entrer dans les ordres si je lui offrais une pension annuelle. Vous ne me blâmerez pas d'avoir refusé de satisfaire cette supplique ou de m'être opposé à ce qu'il la renouvelât. L'indignation qu'il en ressentit fut proportionnelle à son désarroi financier et il mit probablement la même violence dans ses reproches à mon encontre et dans ses calomnies à mon propos. Nous avons dès lors fait comme si nous ne nous connaissions plus. J'ignore comment il vécut. Mais l'été dernier, il s'imposa de nouveau à mon attention, et de manière fort désagréable.

Je dois maintenant évoquer une circonstance que je préférerais oublier, et que seule l'obligation dans laquelle je me trouve envers vous peut m'obliger à dévoiler. Ayant dit cela, je sais que je puis compter sur votre discrétion. Ma sœur, qui est de plus de dix ans ma cadette, a été placée sous la tutelle du neveu de ma mère, le colonel Fitzwilliam, et de moi-même. Il y a environ un an, nous l'avons retirée de son école et établie à Londres ; l'été dernier, elle s'est rendue à Ramsgate avec sa dame de compagnie, Mrs Younge. Mr Wickham y est allé lui aussi, et ce n'était pas un hasard, car on a découvert qu'il s'était d'abord entendu avec Mrs Younge, sur le compte de laquelle nous nous étions bien trompés. Grâce à sa complicité, il a pu s'insinuer dans les bonnes grâces de Georgiana, dont le cœur affectueux gardait le vif souvenir de la gentillesse qu'il lui avait témoignée quand elle était enfant, si bien qu'elle en vint à se croire éprise et consentit à un enlèvement. Elle n'avait alors que quinze ans, et sa jeunesse est son excuse. Je les rejoignis à l'improviste un jour ou deux avant l'enlèvement prévu et, incapable de supporter l'idée de chagriner et d'offenser un frère qu'elle respecte presque comme un père, Georgiana me dévoila tout le projet. Vous pouvez imaginer ce que je ressentis et comment je réagis. Par égard pour la réputation et les sentiments de ma sœur, j'évitai toute dénonciation publique, mais mon honneur exigeait un duel avec Mr Wickham, qui s'enfuit aussitôt ; Mrs Younge fut bien sûr sauvagement rouée de coups sous les yeux de tous les autres domestiques. À n'en point douter, Mr Wickham ne visait que la fortune de ma sœur, qui s'élève à trente mille livres, mais je ne puis éviter de supposer qu'il était aussi fortement guidé par l'espoir de se venger de moi. Sa revanche eût de fait été complète.

Voilà, madame, le récit fidèle de toutes mes relations avec lui, et si vous ne le rejetez pas entièrement comme faux, vous m'acquitterez, je l'espère, de toute accusation de cruauté envers Mr Wickham. J'ignore par quel moyen, par quel mensonge il a pu vous duper, mais son succès n'est peut-être pas étonnant. Comme vous ne saviez rien de lui ou de moi, vous ne pouviez le percer à jour et vous n'êtes assurément pas de nature méfiante.

Vous vous demandez peut-être pourquoi je ne vous ai pas dit tout cela hier soir, mais je n'étais alors pas assez maître de moi pour savoir ce que je pouvais révéler. Comme garant de la vérité de tout ce que j'ai relaté ici, j'en appelle plus spécifiquement au témoignage du colonel Fitzwilliam : de par notre proche parenté et notre intimité constante, et plus encore en tant qu'exécuteur testamentaire de mon père, il connaît nécessairement tous les détails de cette histoire. Si la haine que je vous inspire rendait mes propos sans valeur, la même cause ne saurait vous empêcher de croire mon cousin, et pour que vous puissiez le consulter, je m'efforcerai de trouver une occasion de glisser cette lettre entre vos mains dans le courant de la matinée. Que Dieu vous garde, et qu'il sauve l'Angleterre de ses malheurs présents.

Fitzwilliam Darcy

Chapitre 36

QUAND MR DARCY lui remit la lettre, Elizabeth ne s'attendait certes pas à y trouver sa demande réitérée, mais elle ne s'était fait aucune idée de son contenu. Elle lut avec une frénésie qui lui permettait à peine de comprendre ce qu'elle lisait ; impatiente de savoir ce qu'apporterait la phrase suivante, elle était incapable de s'arrêter au sens de celle qu'elle avait sous les yeux. Elle décida aussitôt qu'il n'avait jamais réellement cru à la contamination de Jane, et sa liste des plus sérieuses objections à ce mariage la mit dans une telle colère qu'elle n'avait nulle envie de lui rendre justice. Elle ressentit pourtant des émotions plus douloureuses et plus difficiles à définir encore quand elle en arriva au passage concernant Wickham, lorsqu'elle découvrit, l'esprit un peu plus clair, un récit qui, s'il était véridique, allait à l'encontre de la haute estime en laquelle elle avait voulu tenir ce monsieur, récit qui présentait une inquiétante parenté avec sa propre version des faits. Elle fut envahie par la stupeur, la crainte et même l'horreur. Elle aurait voulu ne rien en croire, et s'exclama à plusieurs reprises : « Ce ne peut être qu'un mensonge ! C'est impossible ! Il ne peut s'agir que du plus grossier mensonge ! »

Dans cet état d'esprit perturbé, sans pouvoir arrêter ses pensées sur rien, elle poursuivit son chemin, mais en vain. Moins d'une demi-minute après, elle déplia de nouveau la lettre et, tâchant de s'apaiser de son mieux, elle reprit la lecture mortifiante des paragraphes relatifs à Mr Wickham. Elle se maîtrisa assez pour examiner la signification de chaque phrase. L'exposé de ses liens avec la famille de Pemberley coïncidait parfaitement avec ce qu'il en avait dit lui-même ; la bonté de feu Mr Darcy, dont elle ignorait auparavant l'étendue, correspondait aussi à sa version. Mais cette idée de châtier un garçon d'écurie sourd ! Et pour une telle broutille ! Il était presque impossible de croire un gentleman capable d'autant de cruauté ! Il était impossible de ne pas percevoir une duperie flagrante de la part de l'un ou de l'autre des deux hommes. Pendant quelques instants, elle se flatta de penser que sa sympathie ne l'avait pas trompée. Mais elle fut de nouveau contrainte d'hésiter lorsqu'elle lut et relut avec la plus grande attention les détails entourant le moment où Wickham, ayant abandonné toute idée de poursuivre sa formation aux arts meurtriers, avait reçu en contrepartie la somme fort considérable de trois mille livres. Elle posa la lettre, pesa le pour et le contre avec ce qu'elle pensait être de l'impartialité, délibéra sur la vraisemblance de chacune des deux versions, sans grand succès. Ce n'était que la parole d'un homme contre celle d'un autre. Elle se remit à lire, mais chaque ligne prouvait plus clairement que toute cette affaire pouvait être envisagée de manière à laver Mr Darcy de toute accusation, alors qu'elle avait cru impossible de présenter sa conduite sous un jour moins infâme.

De la vie passée de Mr Wickham, on ne savait dans le Hertfordshire que ce qu'il avait bien voulu en dire. Quant à son véritable caractère, même si elle avait eu le moyen de le vérifier, Elizabeth n'avait jamais cherché à se renseigner. Sa voix et ses manières l'avaient aussitôt désigné comme paré de toutes les vertus. Elle tenta de se rappeler un exemple de sa bonté, une marque incontestable d'intégrité ou de bienfaisance, qui pût sauver Wickham des attaques de Mr Darcy ou du moins compenser, la vertu l'emportant, l'oisiveté et le vice dans lesquels, selon Mr Darcy, il avait vécu plusieurs années. Mais aucun souvenir de ce genre ne vint à son secours.

Elle se rappelait parfaitement tout ce que Wickham lui avait confié lors de leur première soirée chez Mr Philips, et gardait un souvenir très clair des termes qu'il avait employés. Elle fut alors frappée par l'inconvenance de ces aveux à une inconnue, et s'étonna de ne pas l'avoir remarqué auparavant. Elle perçut l'indélicatesse qu'il y avait à se mettre à nu comme il l'avait fait, et l'incohérence entre ses déclarations et son comportement. Elle se rappela qu'il s'était vanté de ne pas craindre la vue de

Mr Darcy. Mr Darcy pouvait quitter la région, mais il camperait, lui, sur ses positions ; et cependant, la semaine suivante, il avait évité le bal de Netherfield. Elle se rappela aussi que, jusqu'au départ des habitants de Netherfield, il n'avait raconté son histoire à personne d'autre, mais qu'ensuite ce récit avait circulé partout. Il n'avait alors plus aucune réserve, plus aucun scrupule à noircir la réputation de Mr Darcy, bien qu'il lui eût assuré que, par respect pour le père, jamais il ne dénoncerait le fils.

Tout ce qui concernait Wickham apparaissait à présent sous un jour bien différent ! Désormais le comportement qu'il avait eu envers Elizabeth ne pouvait avoir qu'un motif abject : soit on l'avait trompé sur le montant de sa richesse, soit il avait satisfait sa vanité en encourageant cette préférence qu'elle pensait avoir très imprudemment manifestée. Elle avait beau tenter encore de prendre sa défense, elle avait de moins en moins la force de lutter ; d'ailleurs, Jane avait depuis longtemps affirmé que Darcy n'avait rien à se reprocher dans cette affaire. Depuis qu'elle le connaissait, si orgueilleuses et déplaisantes que fussent ses manières, elle n'avait jamais rien constaté qui trahît en lui l'injustice ou le manque de principes, rien qui indiquât des habitudes immorales.

Elizabeth fut envahie par la honte. Elle ne pouvait penser à Darcy ou à Wickham sans s'accuser de partialité aveugle et de préjugés absurdes. Si elle avait eu son poignard, elle se serait agenouillée pour s'infliger les sept balafres du déshonneur sans un instant d'hésitation.

« Je me suis conduite de manière méprisable ! s'écria-t-elle. Moi qui m'enorgueillissais de mon discernement ! Moi qui me vantais de maîtriser mon corps et mon esprit ! Moi qui me suis si souvent moquée de la bonté de ma sœur, et qui ai satisfait ma vanité par une défiance vaine ou condamnable ! Quelle découverte humiliante ! Ah ! Si mon maître était là pour me mettre le dos en sang avec un bambou mouillé ! »

De fil en aiguille, elle songea à Jane, puis à Bingley, et ses réflexions la menèrent bientôt à se souvenir que l'explication de Mr Darcy à leur sujet lui avait paru très insuffisante. Elle relut donc ce paragraphe. La seconde lecture produisit un effet tout à fait différent. Comment refuser d'ajouter foi à ce qu'il affirmait sur ce point alors qu'elle était obligée de le croire pour le reste ? Il déclarait avoir soupçonné la contamination de sa sœur, et elle ne pouvait nier la justesse de sa méfiance : le refroidissement de Jane avait été des plus graves et Elizabeth elle-même avait conçu ce soupçon.

Lorsqu'elle arriva au passage de la lettre qui évoquait sa famille, avec des reproches humiliants, mais justifiés, sa honte s'accrut encore.

Le compliment qu'il leur adressait, à Jane et à elle, ne lui fut pas indifférent. Il l'apaisa, mais ne put la consoler du mépris que s'était attiré le reste de sa famille. Et comme elle songeait que la déception de Jane avait en fait été l'œuvre de ses plus proches parents, dont la conduite inconvenante nuisait à leur réputation à toutes deux, elle ressentit un abattement plus profond que jamais.

Pendant deux heures, tout en parcourant le chemin, elle s'abandonna à toutes sortes de réflexions : elle passa en revue les événements, évalua les probabilités et tâcha d'accepter un bouleversement aussi soudain et aussi important. Puis la fatigue et le souvenir de sa longue absence la contraignirent à regagner le presbytère, où elle fit son entrée en s'efforçant de manifester sa gaieté habituelle, soucieuse de repousser toutes les pensées qui pourraient l'empêcher de participer à la conversation.

Elle apprit aussitôt que les deux messieurs de Rosings étaient venus en son absence : Mr Darcy n'était resté que quelques minutes, pour prendre congé, mais le colonel Fitzwilliam avait attendu au moins une heure, dans l'espoir qu'elle reviendrait, et il avait bien failli se lancer à sa poursuite. Elizabeth ne put que feindre d'être contrariée, alors qu'en réalité elle se réjouissait de ce départ. Le colonel Fitzwilliam ne l'intéressait plus ; elle ne pensait qu'à la lettre.

Chapitre 37

CES MESSIEURS quittèrent Rosings le lendemain matin. En faction près des pavillons pour leur adresser une ultime révérence, Mr Collins put rapporter chez lui la plaisante nouvelle qu'ils semblaient en fort bonne santé et d'aussi agréable humeur qu'ils pouvaient l'être après la triste scène qui venait de se dérouler à Rosings à cause du départ imminent des visiteurs. Il se hâta donc de se rendre au château afin de consoler Lady Catherine et sa fille ; à son retour, il eut la grande satisfaction de transmettre un message de Sa Seigneurie, qui s'ennuyait tellement qu'elle avait grande envie de les inviter tous à dîner.

En voyant Lady Catherine, Elizabeth ne put s'empêcher de se souvenir que, si elle l'avait voulu, elle aurait déjà pu lui être présentée comme sa future nièce et elle ne put songer sans sourire à l'indignation qu'aurait ressentie la noble dame. « Qu'aurait-elle dit ? Comment aurait-elle réagi ? », voilà les questions qu'elle s'amusa à se poser.

La conversation porta d'abord sur le départ de ces messieurs.

— Je vous assure, j'en souffre énormément, dit Lady Catherine. Je pense que personne ne souffre autant que moi de la perte de ses amis. Mais je suis particulièrement attachée à ces jeunes gens et je sais qu'ils me sont fort attachés ! Ils étaient extrêmement désolés de partir ! Mais ils le sont toujours. Ce cher colonel est resté courageux jusqu'au dernier instant, mais c'est surtout Darcy qui semblait en éprouver du chagrin, davantage que l'an dernier, je crois. Il est de plus en plus attaché à Rosings, la chose est sûre.

Mrs Collins avait un compliment et une allusion tout prêts, dont daignèrent sourire la mère et la fille, même si personne ne comprit un traître mot à ses grommellements.

Après le dîner, Lady Catherine fit remarquer que Miss Bennet ne semblait pas très animée, ce qu'elle expliqua aussitôt elle-même en supposant qu'elle regrettait de devoir bientôt rentrer chez elle, non sans ajouter :

— Mais si c'est le cas, vous devez écrire à votre mère pour la prier de vous laisser rester un peu plus longtemps. Mrs Collins sera ravie de votre compagnie, j'en suis certaine.

— Je vous suis fort obligée, madame, pour cette aimable invitation, répondit Elizabeth, mais il n'est pas en mon pouvoir de l'accepter. Je dois être à Londres samedi prochain.

— Eh bien, à ce compte-là, vous n'aurez passé que six semaines ici. Je pensais vous garder deux mois. Je l'avais dit à Mrs Collins avant votre arrivée. Quelle bonne raison pourriez-vous avoir pour partir aussi vite ? Mrs Bennet pourrait assurément se passer de vous pendant quinze jours encore.

— Mais mon père ne pourrait pas. Il m'a écrit la semaine dernière pour hâter mon retour, car le sol commence à ramollir et le Hertfordshire sera bientôt envahi d'innommables.

— Oh ! Votre père pourra bien entendu se passer de vous. J'ai pu juger de vos talents dans les arts meurtriers, ma chère, et ils ne sont pas de nature à faire la moindre différence dans le destin du Hertfordshire ou de quelque région que ce soit.

Elizabeth put à peine en croire ses oreilles. Si elle n'avait pas été si émue, elle aurait pu provoquer la dame en duel pour avoir osé insulter son honneur de la sorte.

Lady Catherine poursuivit :

— Et si vous restez ici jusqu'à la fin du second mois, je serai en mesure de ramener Miss Lucas ou vous jusqu'à Londres, car je vais y passer une semaine, au début de juin, pour discuter de stratégie avec le roi. Comme mon garde du corps exige que je voyage en voiture fermée, il y aura une très bonne place pour une de ces demoiselles et, d'ailleurs, si le temps est à la fraîcheur, je ne verrai aucun inconvénient à vous emmener toutes deux, car vous n'êtes pas aussi grosses que Mr Collins, ni l'une ni l'autre.

— C'est trop de bonté, madame, mais je pense que nous devons nous en tenir à notre projet initial.

Lady Catherine parut résignée.

— Mrs Collins, vous devrez envoyer un de mes ninjas avec elles. Vous savez que je dis toujours ce que je pense, et je ne supporte pas l'idée que deux jeunes femmes voyagent seules. C'est tout à fait inconvenant en nos temps troublés. Vous devrez vous arranger pour que quelqu'un les accompagne. Les jeunes femmes devraient toujours être gardées et servies comme il faut, à moins que, comme moi, elles n'aient suivi une formation auprès des maîtres les plus respectés du Japon, et non de ces abominables paysans chinois.

— Mon oncle doit nous envoyer un domestique, mais je vous assure, madame, que je suis tout à fait capable de…

— Ah ! Votre oncle ! Il a donc un domestique ? Je suis ravie que quelqu'un pense à ces choses-là, dans votre entourage. Où changerez-vous de chevaux ? Oh ! à Bromley, bien sûr. Si vous mentionnez mon nom à l'auberge de la Cloche, on s'occupera bien de vous.

Lady Catherine avait beaucoup d'autres questions relatives à leur voyage et, comme elle n'avait pas toujours elle-même la réponse, il était nécessaire d'y prêter attention, ce qu'Elizabeth considéra comme une chance. Sinon, dans sa préoccupation, elle aurait pu oublier où elle se trouvait. Ses réflexions devraient attendre un moment de solitude ; chaque fois qu'elle était seule, elle s'y abandonnait avec un immense soulagement, et il ne se passait pas une journée sans une promenade solitaire pendant laquelle elle pouvait se livrer entièrement au plaisir des souvenirs désagréables.

Elle finissait par connaître par cœur la lettre de Mr Darcy. Elle en étudiait chaque phrase et, à l'égard de son auteur, ses sentiments variaient du tout au tout. Lorsqu'elle se rappelait la manière hautaine dont il lui avait parlé, elle rêvait de voir ses yeux devenir vitreux à mesure qu'elle ferait sortir la vie de son corps, mais lorsqu'elle songeait avec quelle injustice elle l'avait condamné et chapitré, elle tournait sa colère contre elle-même et empoignait bien vite son poignard pour s'infliger les sept balafres de la honte, qui avaient à peine le temps de cicatriser d'une fois à l'autre. L'inclination de Mr Darcy inspirait de la gratitude à Elizabeth, et sa personnalité du respect. Pourtant, elle ne pouvait approuver sa conduite ; à aucun moment elle ne se repentit d'avoir repoussé sa demande, à aucun moment elle ne ressentit le désir de le revoir. Lorsqu'elle examinait la façon dont elle s'était comportée, elle y trouvait une source constante de contrariété et de regret ; les malheureux défauts de sa famille lui causaient un chagrin plus vif encore. Le mal était sans espoir de remède. Son père se contentait de se moquer d'elles et ne cherchait jamais à limiter l'inconduite écervelée de ses filles cadettes ; sa mère, dont les manières étaient si critiquables, n'avait aucune conscience du problème. Elizabeth s'était souvent alliée à Jane pour châtier l'imprudence de Catherine et de Lydia à coups de bambou mouillé, mais tant qu'elles seraient soutenues par l'indulgence de leur mère, quelle chance y avait-il de constater une amélioration ? Indisciplinée, irritable et entièrement menée par Lydia, Catherine s'offusquait toujours de leurs efforts pour la corriger ; opiniâtre et stupide, Lydia les écoutait à peine. Elles étaient ignorantes, oisives et vaniteuses. Tant qu'on pourrait y aller de Longbourn à pied, elles iraient à Meryton, et ne tueraient des zombies que lorsque ceux-ci compromettraient leurs chances de flirter avec un officier.

L'inquiétude pour sa sœur aînée était une autre grande cause de souci, et l'explication de Mr Darcy, grâce à laquelle Bingley avait entièrement retrouvé son estime, lui rendait d'autant plus sensible tout ce que Jane avait perdu. Il avait eu pour elle un amour sincère et sa conduite était lavée de toute accusation, à moins de lui reprocher la confiance aveugle qu'il accordait à son ami. Il était d'autant plus amer de songer que, par la sottise et l'incorrection de sa propre famille, Jane avait été privée d'une situation si désirable à tous points de vue, si pleine d'avantages, si prometteuse de bonheur ! Ah, si seulement elle avait eu le courage de les anéantir, tous !

On imagine aisément que, les révélations sur la vraie nature de Wickham s'ajoutant à ces souvenirs, la gaieté dont Elizabeth ne s'était guère départie jusqu'alors était désormais si entamée qu'elle avait le plus grand mal à paraître relativement joyeuse.

Pendant la dernière semaine de leur séjour, les invitations à Rosings furent aussi nombreuses que les premiers temps. C'est là qu'elles passèrent leur toute dernière soirée, au cours de laquelle Lady Catherine dénigra une fois de plus la qualité de l'entraînement chinois au combat, les gratifia de conseils sur la meilleure manière de remplir une malle et insista tant sur la seule bonne façon de plier une robe que, à son retour, Maria se crut obligée de défaire tout le travail de la matinée pour réorganiser son bagage.

Lorsqu'elles firent leurs adieux, Lady Catherine eut l'immense bonté de leur souhaiter un bon voyage et les invita à revenir à Hunsford l'année suivante. Miss de Bourgh accomplit l'effort insigne de leur faire la révérence et de leur tendre la main à toutes deux.

Chapitre 38

Le samedi matin, Elizabeth et Mr Collins se retrouvèrent au petit-déjeuner quelques minutes avant les autres, et il en profita pour lui présenter les politesses qu'il jugeait indispensables entre gens sur le point de se séparer.

— J'ignore, Miss Elizabeth, si Mrs Collins vous a déjà dit combien elle était sensible à la bonté que vous avez eue de venir nous voir, mais je suis bien certain que vous ne quitterez pas la maison sans recevoir ses remerciements. Nous savons bien que vous nous avez fait une grande faveur en nous accordant votre compagnie, je vous assure. Notre humble demeure a si peu d'attraits. Notre mode de vie très simple, nos petites pièces, nos rares domestiques et le peu de monde que nous voyons, tout cela doit rendre Hunsford bien morne pour une demoiselle qui est allée deux fois en Orient.

Elizabeth lui témoigna vivement sa gratitude et son bonheur. Elle avait beaucoup apprécié ces six semaines ; c'était elle qui leur était redevable, pour le plaisir d'être avec Charlotte et pour les attentions aimables dont ils l'avaient entourée. Mr Collins répondit :

— Ma chère Charlotte et moi, nous ne formons qu'un seul esprit, qu'une seule pensée. Une extraordinaire ressemblance de caractère et d'idées nous unit en toutes choses. Il semble que nous ayons été conçus l'un pour l'autre.

Elizabeth aurait pu avouer qu'elle était bien de cet avis, puisque Charlotte était contaminée et que Mr Collins était atrocement dépourvu de toute séduction, mais elle se contenta de se dire persuadée de la réalité de ces avantages domestiques, dont elle se réjouissait. Elle n'eut pourtant aucun regret lorsque l'inventaire en fut interrompu par l'entrée de la dame qui en était la source. Pauvre Charlotte ! Il était bien triste de la voir à présent presque entièrement transformée ! Mais elle avait fait son choix en son âme et conscience ; même s'il ne s'écoulerait pas longtemps avant que cet imbécile de Mr Collins ne découvrît son état et ne fût contraint de la décapiter, elle ne semblait pas requérir leur compassion. Sa maison et son ménage, sa paroisse et son poulailler, et les savoureux morceaux de cervelle tendre dont elle rêvait de plus en plus n'avaient pas encore perdu leur charme.

La diligence finit par arriver, les malles furent attachées et les paquets rangés à l'intérieur ; enfin, on se déclara prêt à partir. Après des adieux affectueux avec Charlotte, qu'elle savait ne plus jamais revoir, Elizabeth fut escortée jusqu'à la route par Mr Collins et, tandis qu'ils traversaient le jardin, il la chargea de transmettre ses meilleurs respects à toute sa famille, sans oublier ses remerciements pour l'accueil dont il avait bénéficié à Longbourn cet hiver, et ses compliments pour Mr et Mrs Gardiner, qu'il n'avait pourtant jamais vus. Il l'aida ensuite à monter dans la diligence, Maria suivit, et l'on allait fermer la portière lorsqu'il leur rappela tout à coup, non sans consternation, qu'elles avaient omis de laisser un message pour les dames de Rosings.

— Mais, ajouta-t-il, vous souhaiterez bien sûr que je leur fasse part de vos humbles respects et de votre gratitude pour leur bonté envers vous pendant votre séjour.

Elizabeth n'y vit aucune objection ; il laissa alors fermer la portière et la diligence partit.

— Mon Dieu ! s'exclama Maria au bout de quelques minutes de silence, j'ai l'impression que nous sommes arrivées ici il y a un jour ou deux à peine ! Et il s'est pourtant passé tant de choses !

— Bien des choses, en vérité, acquiesça sa compagne avec un soupir.

— Nous avons dîné neuf fois à Rosings, et nous y avons pris le thé deux fois ! J'aurai tant de choses à raconter !

Elizabeth ajouta en son for intérieur : « Et j'aurai tant de choses à dissimuler. »

Elles ne bavardèrent pas beaucoup pendant les dix premiers miles. Mais lorsqu'elles arrivèrent à la vieille église blanche de la paroisse Saint-Ezra, Elizabeth reconnut aussitôt dans l'air l'odeur de la mort et ordonna au cocher de s'arrêter.

C'était un édifice imposant pour un si petit village, avec ses troncs d'arbres en guise de colonnes et sa toiture composée de centaines de planches blanchies à la chaux. La piété des habitants de Saint-Ezra était connue ; tous les samedis et les dimanches, ils se pressaient sur les bancs de leur église afin de prier pour être délivrés des légions de Satan. De part et d'autre de la nef, d'immenses vitraux relataient le déclin de l'Angleterre pacifique tombée dans le chaos. La dernière verrière montrait un Christ ressuscité revenant pourfendre le dernier des innommables, l'épée Excalibur à la main.

Tandis que le cocher et le domestique inquiets attendaient avec Maria, Elizabeth monta les marches menant aux portes fendues de l'église, sabre au clair. La puanteur de la mort dominait tout et plusieurs vitraux avaient été brisés. Il s'était passé ici quelque chose de terrible, mais elle ne savait pas quand la catastrophe s'était produite.

Elizabeth pénétra dans le bâtiment, prête au combat, mais en découvrant l'intérieur, elle rangea son Katana dans son fourreau, car il ne pouvait lui être d'aucune utilité. Plus maintenant. Toute la paroisse Saint-Ezra semblait s'être barricadée dans l'église. Des corps gisaient partout, sur les bancs, dans les bas-côtés. Les crânes ouverts avaient été nettoyés de leur cerveau jusqu'à la dernière miette, comme des citrouilles évidées pour les transformer en lanternes. Face à l'assaut, ces braves gens s'étaient retirés dans le seul lieu où ils croyaient être à l'abri, mais ce refuge n'avait pu les protéger. Grâce à leur supériorité numérique et à leur détermination insatiable, les zombies avaient eu le dessus. Les hommes agrippaient encore leurs fourches. Les femmes serraient encore leurs enfants contre elles. Elizabeth sentit ses yeux se mouiller en s'imaginant l'horreur des derniers instants. Les hurlements. Le spectacle d'êtres chers déchiquetés sous les yeux des ultimes survivants. L'horreur d'être dévoré tout cru par les créatures du mal indicible.

Une larme roula sur la joue d'Elizabeth. Elle s'empressa de l'essuyer, un peu honteuse de l'avoir laissée échapper.

— Profaner la maison du Seigneur ! dit Maria lorsqu'elles eurent repris la route. Ces innommables n'ont-ils donc aucun sens des convenances ?

— Ils ignorent ce genre de principe, répliqua Elizabeth en regardant sans rien voir à la vitre de la diligence. Et nous devons l'ignorer aussi.

Elles parvinrent sans plus de difficultés chez Mr Gardiner, où elles devaient séjourner quelques jours. Jane semblait en bonne santé et, parmi les diverses occupations que sa tante avait aimablement prévues pour elles, Elizabeth n'eut guère l'occasion d'étudier son état d'esprit. Mais comme Jane devait rentrer avec elle à Longbourn, elle aurait tout le temps de l'observer alors.

Ce fut néanmoins au prix d'un réel effort qu'elle dut attendre d'être à Longbourn pour parler à sa sœur de la demande en mariage de Mr Darcy. À la pensée que la nouvelle allait provoquer la stupéfaction de Jane et, en même temps, flatter le peu de vanité qu'elle-même n'était pas parvenue à anéantir totalement, elle était tentée de tout lui dire ; elle parvint à se maîtriser uniquement parce qu'elle hésitait encore quant à l'étendue de la révélation qu'elle pouvait faire et parce qu'elle craignait, en abordant ce sujet, de se laisser aller à parler de Bingley et d'accroître ainsi le chagrin de sa sœur.

Chapitre 39

AU COURS de la deuxième semaine de mai, les trois demoiselles partirent ensemble de la sixième section est pour le Hertfordshire. Alors qu'elles s'approchaient de l'auberge où devait les attendre la voiture de Mr Bennet, elles aperçurent Kitty et Lydia qui guettaient à la fenêtre d'une salle à manger à l'étage, signe de la ponctualité du cocher. Les deux cadettes se trouvaient là depuis plus d'une heure et, entre autres occupations agréables, avaient amusé la sentinelle qui montait la garde en se livrant à une démonstration impudique de leur maîtrise des étoiles ninjas, au grand effroi du cheval qui leur servait de cible bien involontaire.

Après avoir accueilli leurs sœurs, elles montrèrent triomphalement une table chargée de ces viandes froides qu'offre généralement le garde-manger d'une auberge, en s'exclamant :

— N'est-ce pas magnifique ? N'est-ce pas une surprise délicieuse ?

— Et nous voulons vous inviter toutes les trois, ajouta Lydia, mais vous devrez nous prêter l'argent car nous venons de dépenser le nôtre dans le magasin d'en face. Regardez, j'ai acheté ce chapeau, dit-elle en montrant son acquisition.

Comme ses sœurs jugeaient affreux cet achat, elle déclara avec une indifférence parfaite :

— Ah, mais il y en avait dans la boutique deux ou trois autres bien plus affreux, et quand je me serai procuré du satin d'une plus jolie couleur pour le regarnir, je pense qu'il sera tout à fait supportable. Et puis, peu importe ce qu'on mettra cet été, quand les soldats auront quitté Meryton. Ils partent dans quinze jours.

— Vraiment ? s'écria Elizabeth, avec la plus grande satisfaction, car ses sœurs seraient désormais plus attentives à leur entraînement, et surtout parce que leur départ signifiait qu'en son absence le Hertfordshire avait été en grande partie débarrassé de la menace des innommables.

— Ils camperont près de Brighton, et j'aimerais tant que papa nous emmenât toutes là-bas pour l'été ! Ce serait un projet si charmant, et je suis sûre que ça ne coûterait presque rien. Maman aussi aimerait tellement y aller ! Imagine l'été lugubre que nous allons passer, sinon ! Il n'y aura presque plus personne pour valser à Meryton !

« Oui, songea Elizabeth, voilà qui serait un projet charmant, en vérité, et qui nous achèverait toutes. Juste Ciel ! Brighton, toute une garnison, pour nous qui sommes déjà bouleversées par un pauvre régiment de milice et les bals mensuels de Meryton. »

— Et maintenant, j'ai des nouvelles pour vous, dit Lydia alors qu'elles s'attablaient. Devinez un peu. C'est une excellente nouvelle, une nouvelle capitale, qui concerne quelqu'un que nous aimons toutes !

Jane et Elizabeth se regardèrent et dirent au serveur qu'il pouvait disposer. Lydia éclata de rire et dit :

— Oh, je reconnais bien là vos cérémonies et votre discrétion ! Vous pensez que le serveur ne doit rien entendre, comme si cela l'intéressait ! Je suis sûre qu'il entend souvent des choses bien pires que ce que je vais vous annoncer. Mais il est si laid !

De ma vie je n'avais jamais vu un menton aussi long. J'ai failli le transpercer car je le prenais pour un zombie. Eh bien, venons-en à ma nouvelle : elle concerne ce cher Wickham. C'est trop bon pour les oreilles du serveur, n'est-ce pas ? Il n'y a aucun danger que Wickham épouse Mary King. Voilà ! Elle est à Liverpool avec son oncle, chez qui elle vivra désormais. Wickham est sauvé.

— Et Mary King est sauvée ! ajouta Elizabeth. Sauvée d'un attachement imprudent du point de vue de la fortune.

— Elle est bien sotte de partir, si elle l'aime.

— Mais j'espère qu'ils ne sont très épris ni l'un ni l'autre, dit Jane.

— Je suis sûre qu'il ne l'aime pas. Il ne s'est jamais soucié d'elle, j'en réponds. Qui aurait pu avoir du goût pour cette vilaine petite chose couverte de taches de rousseur, qui ignore tout des règles du combat ?

Dès qu'elles eurent terminé leur repas et que les aînées eurent payé, on fit atteler la voiture et, au prix de quelques efforts, elles s'y installèrent toutes avec leurs malles, leurs paquets, leurs armes et l'adjonction indésirable des emplettes de Kitty et de Lydia.

— Nous voilà bien entassées ! s'exclama Lydia. Je suis contente d'avoir acheté mon chapeau, ne serait-ce que pour le plaisir d'avoir un carton supplémentaire ! Allons, mettons-nous à l'aise, bien au chaud, pour parler et rire tout le long du chemin. Et d'abord, racontez-nous ce qui vous est arrivé à toutes les trois, depuis que vous êtes parties. Avez-vous vu des hommes agréables ? Avez-vous flirté ? J'espérais vraiment que l'une de vous aurait un mari avant de revenir. Jane sera bientôt tout à fait vieille fille, je vous le dis. Elle a presque vingt-trois ans ! Seigneur, comme je serais honteuse si j'étais encore célibataire à vingt-trois ans ! Ma tante Philips a grande envie de vous trouver des époux, vous n'imaginez pas à quel point. Elle prétend que Lizzy aurait mieux fait de prendre Mr Collins, mais moi, je crois que ça n'aurait pas été drôle du tout. Seigneur ! J'aimerais tellement être mariée avant vous toutes, comme ça je vous chaperonnerais dans tous les bals. Mon Dieu ! Nous nous sommes tant amusées l'autre jour, chez le colonel Forster. Kitty et moi, nous devions y passer la journée, et Mrs Forster avait promis de donner un petit bal dans la soirée (à propos, nous sommes devenues de grandes amies, Mrs Forster et moi !), donc elle a invité les deux sœurs Harrington, mais Harriet était malade, alors Pen a dû venir toute seule…

Par ce genre de jacassements intarissables, Lydia tenta de divertir ses compagnes jusqu'à Longbourn, aidée par les remarques et les suggestions de Kitty. Elizabeth écouta le moins possible, mais le nom de Wickham, fréquemment mentionné, ne put lui échapper.

À la maison, l'accueil fut très chaleureux. Mrs Bennet se réjouit de voir Jane toujours aussi belle et, plus d'une fois pendant le dîner, Mr Bennet déclara à Elizabeth, avec beaucoup de conviction :

— Je suis content que tu sois de retour, Lizzy.

Les convives étaient nombreux car presque toute la famille Lucas était venue à la rencontre de Maria pour apprendre les nouvelles. Divers sujets les occupèrent : par-dessus la table, Lady Lucas demanda comment se portait sa fille aînée et Maria répondit qu'elle était en pleine forme et d'excellente humeur. « Sont-ils tous devenus fous ? songea Elizabeth. Personne ne peut donc voir qu'elle a été frappée par l'épidémie et qu'elle est morte à quatre-vingt-dix pour cent ? » Mrs Bennet sollicitait Jane, assise un peu plus loin, pour être mise au courant des dernières modes, puis transmettait l'information aux plus jeunes sœurs Lucas ; Lydia, d'une voix plus forte que tout le monde, énumérait les différents plaisirs de la journée à qui voulait l'entendre.

— Oh, Mary ! dit-elle, je regrette que tu ne nous aies pas accompagnées, car nous nous sommes tant amusées ! En chemin, nous avons ouvert toutes les vitres de la voiture, Kitty et moi, pour nous moquer des ouvriers agricoles chargés de brûler les cadavres de la matinée. En arrivant à l'auberge du Roi

George, je crois que nous avons fort bien agi car nous avons régalé les trois autres du plus joli repas froid au monde, et si tu étais venue, nous t'aurions invitée aussi. Et quand nous sommes reparties, nous avons bien ri ! J'ai cru que nous ne pourrions jamais remonter dans la voiture. J'étais prête à mourir de rire. Et nous avons été si gaies pendant tout le trajet ! Nous parlions et nous riions si fort que des zombies auraient pu nous entendre à dix miles à la ronde !

À quoi Mary répondit, l'air grave :

— Loin de moi l'idée de dénigrer de tels plaisirs, ma chère sœur. Ils raviraient assurément la majorité des esprits féminins. Mais je confesse qu'ils n'auraient pour moi aucun attrait. Je préférerais infiniment un bon duel à l'épée.

Cependant, Lydia n'entendit pas un mot de cette réponse. Elle écoutait rarement les gens pendant plus d'une demi-minute, et ne prêtait jamais aucune attention à Mary.

L'après-midi, Lydia insista auprès des autres pour se rendre à Meryton afin de voir comment allaient ces messieurs, mais Elizabeth s'opposa résolument à ce projet. Il ne serait pas dit que les demoiselles Bennet se lançaient à la poursuite des officiers moins d'une demi-journée après leur retour. Il y avait une autre raison à son hostilité. Elle craignait de revoir Wickham et avait décidé de lui mettre la bouche en sang le jour où cela se produirait. Le départ prochain du régiment la rassurait au-delà de toute expression. Dans quinze jours, ils ne seraient plus là et elle espérait ensuite ne plus être tourmentée par le souvenir de Wickham.

Au bout de quelques heures à peine, elle s'aperçut que ses parents discutaient fréquemment du projet de séjour à Brighton auquel Lydia avait fait allusion à l'auberge. Elizabeth comprit aussitôt que son père n'avait pas la moindre intention de céder, mais il répondait de façon à la fois si vague et si ambiguë que sa mère, bien que découragée par moments, ne désespérait pas de parvenir à son but.

Chapitre 40

ELIZABETH ne pouvait plus davantage maîtriser son impatience de conter à Jane ce qui lui était arrivé ; elle résolut enfin de taire tous les détails concernant sa sœur et, lui annonçant une surprise, elle lui relata le lendemain matin l'essentiel de la scène qui s'était déroulée entre Mr Darcy et elle.

La stupeur de Miss Bennet fut vite atténuée par la vigoureuse affection grâce à laquelle elle jugeait tout à fait naturel que l'on admirât Elizabeth. Elle était désolée que Mr Darcy eût dévoilé ses sentiments d'une manière si impropre à les rendre acceptables, mais elle s'affligea plus encore d'apprendre qu'un combat s'était ensuivi, et que la cheminée de Mr Collins avait été endommagée.

— Il avait tort d'être aussi sûr de son succès, dit-elle, et il n'aurait assurément pas dû le montrer, mais songe à quel point cela aura aggravé sa déception !

— C'est vrai, répondit Elizabeth, je suis tout à fait désolée pour lui, mais il a d'autres sentiments qui chasseront probablement son estime pour moi. Tu ne me reproches cependant pas d'avoir décliné sa proposition ?

— Ah, non, je ne te reproche pas cela.

— Mais tu me reproches d'avoir parlé de Wickham avec autant de chaleur.

— Non, je ne sache pas que tu aies eu tort de parler ainsi.

— Mais tu le sauras quand je t'aurai raconté ce qui s'est passé le lendemain.

Elle mentionna alors la lettre, dont elle répéta tout le contenu relatif à George Wickham, notamment le traitement qu'il avait infligé au jeune sourd. Le coup fut rude pour la pauvre Jane, qui aurait volontiers traversé le monde sans croire qu'il existât dans toute la race humaine autant de petitesse qu'il s'en trouvait chez cet individu. Et la défense de Darcy, bien que consolante à ses yeux, ne put compenser cette atroce découverte. Elle se donna beaucoup de mal pour établir la possibilité d'un malentendu et pour tâcher d'innocenter l'un sans incriminer l'autre.

— C'est inutile, protesta Elizabeth, tu ne pourras jamais les disculper tous les deux à la fois. Fais ton choix, mais tu devras te contenter d'un seul. Les qualités à répartir entre eux sont limitées, il y en a juste assez pour fabriquer un homme de bien et, depuis peu, la balance ne penche plus du tout du même côté qu'avant. Pour ma part, j'ai tendance à croire que tout le mérite est du côté de Mr Darcy, mais tu feras comme il te plaira.

Il fallut néanmoins un certain temps avant qu'elle pût arracher à Jane un sourire.

— Je n'ai pas le souvenir d'avoir jamais ressenti un tel choc face à un être vivant. Wickham si mauvais ! Cela dépasse presque l'entendement. Et le pauvre Mr Darcy ! Chère Lizzy, pense donc comme il a dû souffrir. Une telle déception ! Et en sachant tout le mal que tu pensais de lui ! Et devoir fouetter la gouvernante de sa sœur ! C'est trop affreux, vraiment. Je suis sûre que tu es de mon avis.

— C'est certain. Mais j'ai besoin de tes conseils sur un point : dis-moi si je devrais ou non faire connaître à notre entourage la vérité sur Wickham ?

Miss Bennet prit le temps de réfléchir avant de répondre :

— Rien ne saurait justifier une si horrible dénonciation. Qu'en penses-tu ?

— Il ne faut pas s'y risquer. Mr Darcy ne m'a pas autorisée à rendre publiques ses révélations. Au contraire, j'étais censée autant que possible garder pour moi tous les détails concernant sa sœur, et si je tente de détromper les gens quant au reste de sa conduite, qui me croira ? Le préjugé général à l'encontre de Mr Darcy est si violent que si j'essayais de le montrer sous un jour agréable, je ferais mourir d'étonnement la moitié des bonnes gens de Meryton. Je ne m'en sens pas capable. Wickham sera bientôt parti et donc peu importe ici ce qu'il est vraiment. Pour le moment, je vais me taire.

— Tu as bien raison. Proclamer ses erreurs pourrait l'obliger à demander satisfaction à Mr Darcy, et quand deux gentlemen se battent en duel, le résultat est rarement heureux. Nous ne devons pas l'acculer au désespoir. Pour citer notre cher maître, « un tigre en cage mord deux fois plus fort ».

Cette conversation contribua à dissiper le tumulte régnant dans l'esprit d'Elizabeth. Elle s'était soulagée de deux des secrets qui pesaient sur elle depuis quinze jours. Mais dans l'ombre restait encore tapi un sujet dont la prudence interdisait la mise au jour. Elle n'osait pas évoquer l'autre moitié de la lettre de Mr Darcy, ni expliquer à sa sœur quel amour sincère Bingley avait eu pour elle.

Revenue chez elle, Elizabeth avait maintenant tout loisir d'observer le véritable état d'esprit de sa sœur. Jane n'était pas heureuse. Elle nourrissait toujours une tendre affection pour Bingley. Ne s'étant encore jamais crue éprise, elle éprouvait toute la chaleur d'un premier attachement mais, de par son âge et son caractère, avec plus de constance que celui-ci n'en a souvent. Elle préférait Bingley à tout autre homme et ce souvenir lui était si cher qu'il fallait tout son bon sens et toute sa délicatesse à l'égard de ceux qu'elle aimait pour l'empêcher de s'adonner à des regrets qui auraient nui à sa santé et à leur tranquillité.

— Eh bien, Lizzy, dit un jour Mrs Bennet, que penses-tu maintenant de la triste histoire de Jane ? Pour ma part, j'ai décidé de ne plus jamais en parler à quiconque. Je l'ai déclaré l'autre jour à ma sœur Philips. Mais je n'arrive pas à savoir si Jane l'a revu à Londres. Enfin, c'est un jeune homme sans aucun mérite et je suppose qu'il n'y a désormais plus aucune chance qu'elle l'épouse. Il n'est pas question qu'il revienne à Netherfield cet été et j'ai posé la question à tous ceux qui auraient pu être au courant.

— Je ne crois pas qu'il revienne jamais habiter Netherfield.

— Oh, en ce cas ! Il fera comme il voudra. Personne n'a envie qu'il vienne. Ce qui me console, c'est que Jane mourra sûrement d'avoir eu le cœur brisé, et qu'alors il sera bien désolé de ce qu'il a fait.

Mais comme Elizabeth n'était nullement rassérénée par cette espérance, elle ne répondit rien.

— Alors, comme ça, Lizzy, reprit peu après sa mère, les Collins sont très confortablement installés ? Bon, bon, pourvu que ça dure. Et leur table est-elle bien garnie ? Charlotte est une excellente ménagère, j'en suis sûre. Si elle est aussi futée que sa mère, elle doit bien mettre de l'argent de côté. Rien d'extravagant dans leur train de vie, j'imagine.

— Non, rien du tout.

Elizabeth n'avait pas le courage de révéler à sa mère quel sort attendait Charlotte. La pauvre femme avait déjà bien assez de mal à tenir le choc.

— Ils disent souvent qu'ils auront Longbourn quand ton père sera mort, je suppose. Ils considèrent que la maison sera toute à eux, dès que ça sera arrivé.

— C'est un sujet qu'ils ne pouvaient aborder devant moi.

— Non. Le contraire m'aurait étonnée. Mais je ne me fais aucune illusion, ils en parlent souvent entre eux. Eh bien, s'ils acceptent d'avoir une propriété qui ne leur appartient pas légalement, tant mieux pour eux. Moi, j'aurais honte de mettre une vieille femme à la porte de chez elle.

Chapitre 41

La PREMIÈRE SEMAINE suivant leur retour fut bientôt écoulée, et la deuxième commença. Le régiment devait quitter Meryton quelques jours après et toutes les demoiselles du voisinage succombaient déjà à la mélancolie. Le désespoir était presque universel. Seules les aînées des sœurs Bennet avaient encore la force de manger, de boire, de dormir et de vaquer à leurs occupations ordinaires ; cette insensibilité leur était très fréquemment reprochée par Kitty et Lydia qui, plongées dans un désarroi extrême, ne pouvaient comprendre que des membres de la famille eussent le cœur à rire.

— Grands dieux ! Qu'allons-nous devenir ! Que devons-nous faire ? s'exclamaient-elles souvent, dans l'amertume de leur tourment. Comment peux-tu sourire ainsi, Lizzy ?

Leur mère aimante partageait leur chagrin ; elle se rappelait ce qu'elle avait elle-même enduré en pareille occasion, vingt-cinq ans auparavant.

— Je sais bien, dit-elle, que j'ai pleuré pendant deux jours entiers quand le régiment du colonel Miller est parti. Je croyais que mon cœur allait se briser.

— Je suis sûr que le mien va se briser.

— Si seulement l'on pouvait aller à Brighton ! soupira Mrs Bennet.

— Ah oui ! Si seulement l'on pouvait aller à Brighton ! Mais papa est si désagréable.

— Les bains de mer me remettraient d'aplomb pour toujours.

— Et ma tante Philips est sûre que cela me ferait énormément de bien, ajouta Kitty.

Voilà le genre de lamentations perpétuelles qui résonnait dans Longbourn House. Elizabeth tentait de s'en divertir, mais la honte l'emportait de loin sur l'amusement. Elle sentait à nouveau toute la justesse des observations de Mr Darcy, et jamais encore elle n'avait été aussi heureuse de rouvrir les cicatrices de ses sept balafres.

Pourtant, une embellie dissipa bientôt les nuages planant au-dessus de Lydia, car elle reçut de Mrs Forster, l'épouse du colonel du régiment, une invitation à l'accompagner à Brighton. Cette amie inestimable était une très jeune femme récemment mariée. Lydia et elle s'étaient découvert une grande sympathie d'humeur ; elles se connaissaient depuis trois mois mais étaient intimes depuis deux.

On ne saurait décrire le ravissement de Lydia, son adoration pour Mrs Forster, le plaisir de Mrs Bennet et la mortification de Kitty. Sans la moindre considération pour les sentiments de sa sœur, Lydia courait à travers la maison dans une extase turbulente, voulait recevoir les félicitations de tous, pérorant, riant plus que jamais à tort et à travers. L'infortunée Kitty, elle, passait de longues heures à viser à l'arbalète tous les cerfs, lapins ou oiseaux qui avaient le malheur de s'aventurer trop près de la maison.

— Je ne vois vraiment pas pourquoi Mrs Forster ne pouvait pas m'inviter en même temps que Lydia, même si je ne suis pas sa grande amie. J'ai le droit d'être invitée autant qu'elle.

Elizabeth tenta en vain de la ramener à la raison, et Jane à la résignation. L'invitation était loin de susciter la même réaction chez Elizabeth que chez Lydia et sa mère : elle y voyait la fin de tout espoir de voir sa sœur s'assagir un jour et, même si Lydia devait la détester au cas où cette démarche viendrait à être connue, Elizabeth ne put s'empêcher, en secret, de conseiller à son père de ne pas la laisser partir. Elle lui représenta toute l'inconvenance de la conduite de Lydia en général, le peu d'avantage qu'elle pourrait tirer de l'amitié d'une femme comme Mrs Forster, et le risque qu'elle se montrât encore plus imprudente avec une telle compagne à Brighton, où les tentations seraient plus nombreuses. Il l'écouta attentivement, puis dit :

— Lydia ne sera pas tranquille tant qu'elle ne se sera pas déshonorée dans un lieu public, et elle ne pourra jamais le faire à si peu de frais ou avec si peu d'inconvénients pour sa famille que dans les circonstances présentes.

— Si vous mesuriez les désagréments que Lydia pourrait nous causer, et nous cause même déjà, en se faisant remarquer par son imprudence et son impertinence, je suis sûre que vous en jugeriez différemment.

— Qu'elle vous cause même déjà ! répéta Mr Bennet. Comment, a-t-elle fait fuir certains de tes galants ? Pauvre petite Lizzy ! Allons, ne sois pas abattue. Des jeunes gens délicats au point de ne pouvoir tolérer un peu de sottise dans leur belle-famille ne méritent pas un regret. Voyons, énumère-moi donc les misérables qu'a éloignés la folie de Lydia.

— Vous vous trompez. Je n'ai à me plaindre d'aucun tort de ce genre. Ce ne sont pas à des incidents particuliers, mais à des inconvénients plus généraux que je pense. Notre respectabilité, notre position dans le monde ne peuvent qu'être affectées par l'inconstance, l'aplomb et le mépris de toute contrainte qui caractérisent la personnalité de Lydia. Pardonnez-moi, car je dois parler franchement. Si vous, mon cher père, ne vous donnez pas la peine de dompter son exubérance et de lui rappeler que nous avons juré par le serment du sang de défendre la Couronne avant tout, elle sera bientôt irrécupérable. Son tempérament sera fixé et, à seize ans, elle sera la pire coquette qui ait jamais attiré le ridicule sur elle-même et sur sa famille, et une tache pour l'honneur de notre maître bien-aimé. Ce danger menace aussi Kitty, qui suit partout où Lydia mène. Vaniteuses, ignorantes, oisives et échappant à tout contrôle ! Oh, mon cher père, pouvez-vous croire qu'elles ne seront pas blâmées et méprisées partout où elles seront connues, et que cette disgrâce épargnera leurs sœurs ?

Voyant que sa fille s'exprimait du fond de son cœur, Mr Bennet répondit, en lui prenant la main d'un geste affectueux :

— Ne te tourmente pas, ma chérie. Partout où vous paraîtrez, Jane et toi, vous serez appréciées et respectées, et vous n'aurez pas à pâtir d'avoir deux, ou même trois sœurs très sottes. Nous n'aurons pas la paix à Longbourn si Lydia ne va pas à Brighton. Qu'elle y aille donc. Le colonel Forster est un homme de bon sens, il la préservera de tout accident, et elle est par chance trop pauvre pour être une véritable proie. À Brighton, même dans un rôle de vulgaire coquette, elle passera inaperçue. Les officiers trouveront d'autres jeunes filles plus dignes d'eux. Espérons donc que ce séjour lui enseignera sa propre insignifiance. En tout cas, elle ne peut guère empirer sans nous autoriser à la décapiter.

Elizabeth dut se satisfaire de cette réponse, mais elle en fut désolée et déçue car elle n'avait pas changé d'avis.

Si Lydia et sa mère avaient connu la teneur de son entretien avec son père, tout leur bavardage incessant n'aurait pas suffi à traduire leur indignation. Dans l'esprit de Lydia, un séjour à Brighton incluait toutes les possibilités de bonheur terrestre. Sous le regard fantaisiste de son imagination, les rues de cette joyeuse station balnéaire lui apparaissaient grouillantes d'officiers. Elle se voyait attirant leur attention par dizaines, par vingtaines, même si elle ne les connaissait pas encore. Elle se voyait assise sous une tente, flirtant tendrement avec au moins six officiers à la fois, qui insistaient pour qu'elle leur prouvât une fois de plus sa maîtrise des arts meurtriers.

Eût-elle su que sa sœur cherchait à l'arracher à ces perspectives et à ces réalités, qu'aurait-elle ressenti ? Sa mère seule aurait pu le comprendre, puisqu'elle partageait ses dispositions. Le voyage de Lydia à Brighton la consolait de n'avoir encore pu marier aucune de ses cinq filles.

Mais elles ignoraient entièrement ce qui s'était passé et leurs délices se prolongèrent, quasi ininterrompues, jusqu'au jour du départ de Lydia.

La veille de quitter Meryton, Mr Wickham dîna à Longbourn avec d'autres officiers du régiment. Elizabeth avait si peu envie de le quitter en bons termes que, lorsqu'il s'enquit du déroulement de son séjour à Hunsford, elle signala que le colonel Fitzwilliam et Mr Darcy avaient passé trois semaines à Rosings et lui demanda s'il connaissait le colonel.

Il parut surpris mais se ressaisit bien vite, retrouva son sourire et répondit qu'il l'avait beaucoup fréquenté à une époque. Il déclara que c'était un vrai gentleman et voulut savoir ce qu'elle avait pensé de lui. Elizabeth fit un éloge très chaleureux du colonel. L'air indifférent, Wickham demanda peu après :

— Combien de temps dites-vous qu'il est resté à Rosings ?

— Près de trois semaines.

— Et vous l'avez vu souvent ?

— Oui, presque tous les jours.

— Ses manières sont très différentes de celles de son cousin.

— Oui, très, mais je trouve que Mr Darcy gagne à être connu.

— Vraiment ! s'écria Wickham avec une mine qu'elle remarqua. Et me direz-vous, je vous prie..., commença-t-il, avant de se maîtriser et de reprendre d'un ton plus gai : Est-ce sa façon de parler qui vous plaît davantage ? A-t-il daigné ajouter une once de politesse à son style habituel ? Car je n'ose espérer, continua-t-il plus bas et plus sérieusement, qu'il se soit amélioré pour l'essentiel.

— Pas du tout ! dit Elizabeth. Pour l'essentiel, il reste tel qu'il a toujours été, je crois.

Tandis qu'elle parlait, Wickham semblait hésiter : devait-il se réjouir de ses propos ou se méfier de leur signification ? L'expression d'Elizabeth l'obligea à écouter avec une attention craintive et soucieuse lorsqu'elle conclut :

— Quand je dis qu'il gagne à être connu, je ne prétends pas que son esprit ou ses manières se soient améliorées, mais je comprends mieux son caractère maintenant que je le connais mieux. Surtout son attitude envers les garçons d'écurie.

Wickham trahit alors son inquiétude. Il s'empourpra et parut agité, se tut pendant plusieurs minutes, puis, surmontant son embarras, il revint vers elle et dit du ton le plus suave :

— Vous qui connaissez si bien mes sentiments pour Mr Darcy, vous comprendrez sans peine que je dois me réjouir sincèrement en apprenant qu'il est assez sage pour adopter ne serait-ce que l'apparence de la bonté. Je crains néanmoins qu'il n'adopte la prudence à laquelle vous faites allusion, j'imagine, que lors de ses visites à sa tante, dont il est fort soucieux de conserver la bonne opinion. La peur qu'elle lui inspire produit toujours son effet lorsqu'il est devant elle, et cela vient en grande partie de sa volonté de hâter son mariage avec Miss de Bourgh, auquel il doit tenir beaucoup.

À ces mots, Elizabeth ne put réprimer un sourire, mais elle ne répondit qu'en inclinant légèrement la tête. Elle voyait qu'il voulait la lancer sur le sujet de ses vieux griefs, et elle n'était pas d'humeur à lui accorder ce plaisir. Pendant le reste de la soirée, Wickham afficha sa gaieté habituelle, mais ne s'approcha plus d'Elizabeth. Ils se séparèrent poliment, et peut-être avec le désir de ne plus jamais se revoir.

Quand les invités prirent congé, Lydia partit avec Mrs Forster pour Meryton, qu'elles devaient quitter le lendemain de bonne heure. La séparation avec sa famille fut plus bruyante que pathétique. Kitty fut la seule à verser des larmes, mais elle pleurait de contrariété et d'envie. Mrs Bennet formula toutes sortes de vœux pour la félicité de sa fille et lui enjoignit vigoureusement de ne manquer aucune occasion de se distraire autant que possible, conseil dont elle avait toutes les raisons de croire qu'il serait écouté. Toute à sa joie tapageuse, Lydia n'entendit pas les adieux moins sonores de ses sœurs.

Chapitre 42

Si son opinion ne s'était fondée que sur l'exemple de sa famille, Elizabeth n'aurait pu se former une très plaisante image du bonheur conjugal ou du bien-être domestique. Fasciné par la jeunesse et la beauté, et par cette apparence de bonne humeur que celles-ci confèrent en général, son père avait épousé une femme dont l'entendement limité et l'esprit étroit avaient très vite mis fin chez lui à toute véritable affection pour elle. Respect, estime et confiance avaient disparu à jamais, et tous ses espoirs de félicité domestique avaient été anéantis. Cependant, victime de sa propre imprudence, Mr Bennet n'était pas d'un caractère à chercher un réconfort ailleurs. Il veilla plutôt à ce que ses filles ne marchassent pas dans les pas de leur mère stupide et oisive. Sur ce point, il avait essayé cinq fois, et réussi deux fois. Il n'était redevable envers son épouse que pour Jane et Elizabeth. Ce n'est pas là le genre de bonheur qu'un homme souhaite en général devoir à sa femme.

Elizabeth ne s'était jamais méprise sur l'inconvenance du comportement de son père comme mari, et en souffrait depuis toujours. Mais comme elle respectait ses capacités intellectuelles et comme elle lui était reconnaissante de l'affection qu'il lui témoignait, elle tentait d'oublier ce sur quoi elle ne pouvait fermer les yeux, et de bannir de ses pensées cette continuelle infraction aux obligations conjugales et aux bienséances. Cela lui avait été particulièrement difficile lors de leurs voyages en Chine, que Mr Bennet avait organisés sans emmener son épouse, et pendant lesquels il avait accueilli dans sa chambre plus d'une belle Orientale. Maître Liu avait approuvé cette pratique, conforme à la coutume locale, et Elizabeth avait plus d'une fois senti sur son dos la morsure du bambou mouillé pour avoir osé contester le comportement de son père. Néanmoins, jamais elle n'avait senti aussi vivement les désavantages que présentait pour ses enfants un couple aussi mal assorti.

En partant, Lydia s'était engagée à écrire très souvent et très en détail à sa mère et à Kitty, mais ses lettres, à chaque fois très courtes, se faisaient chaque fois longuement attendre. Dans les messages adressés à sa mère, elle racontait que Mrs Forster et elle revenaient de la bibliothèque où les avaient accompagnées tel et tel officier, qu'elle avait une nouvelle robe ou une nouvelle ombrelle, dont elle ne pouvait hélas fournir une description plus exacte car elle était obligée de partir en toute hâte, Mrs Forster l'appelant pour se rendre au camp. Sa correspondance avec sa sœur en révélait moins encore car ses lettres à Kitty, quoiqu'un peu plus longues, contenaient beaucoup trop de phrases soulignées pour qu'on les rendît publiques.

Après les deux ou trois premières semaines de son absence, Longbourn renoua peu à peu avec la santé, la joie et la bonne humeur. Tout semblait plus gai. Les familles qui avaient fui l'épidémie revinrent, les toilettes et les distractions estivales reparurent pour la première fois depuis plusieurs décennies. Mrs Bennet retrouva son habituelle sérénité acariâtre, et à la mi-juin Kitty fut suffisamment remise pour pouvoir aller à Meryton sans pleurer en y arrivant, circonstance si encourageante qu'Elizabeth en vint à espérer que, d'ici au Noël prochain, elle serait peut-être assez raisonnable pour ne pas prononcer le mot « officier » plus d'une fois par jour, sauf si, par une décision cruelle et perfide du ministère de la Guerre, un autre régiment était envoyé en garnison à Meryton.

La date fixée pour le début du voyage d'Elizabeth dans le Nord approchait à grands pas. Une quinzaine de jours avant, une lettre de Mrs Gardiner vint annoncer que leur départ serait retardé et qu'ils voyageraient moins longtemps que prévu. À cause des troubles récents survenus à Birmingham, l'armée avait commandé de nouvelles réserves de poudre et de pierre à fusil ; Mr Gardiner allait être retenu à Londres deux semaines de plus, jusqu'en juillet, et devrait être de retour moins d'un mois après. Comme cela ne leur laissait pas le temps d'aller aussi loin et de visiter autant de lieux qu'ils se l'étaient proposé, ou du moins d'en visiter tout à loisir comme ils le souhaitaient, il fallait renoncer aux Lacs et opter pour un voyage plus resserré. Selon leur nouveau projet, ils n'iraient pas plus loin que le Derbyshire. Cette région offrait assez à voir pour occuper l'essentiel de leurs trois semaines et avait pour Mrs Gardiner un attrait particulièrement fort. La ville où elle avait autrefois vécu quelques années et où ils devaient à présent passer quelques jours suscitait sans doute autant sa curiosité que toutes les beautés tant vantées de Matlock, Chatsworth, Dovedale ou la région des pics.

Elizabeth fut extrêmement déçue car elle rêvait de voir la région des Lacs et persistait à croire qu'ils auraient eu le temps d'y aller. Mais il était de son devoir de se montrer satisfaite – et il était bien dans son tempérament d'être heureuse –, de sorte que cette ombre se dissipa bien vite.

Ne sachant comment occuper son temps, Elizabeth partit un matin voir le bûcher d'Oakham Mount. Elle n'y était pas retournée depuis deux ans. Il ne se trouvait pourtant qu'à quelques miles du sommet, et la montagne en question n'était guère qu'une colline, d'où une colonne de fumée s'élevait désormais presque en permanence. On voyait le même spectacle d'un bout à l'autre de l'Angleterre, en toute saison et par tous les temps. Il y avait toujours des corps à brûler.

Elizabeth arriva au bûcher peu après le petit-déjeuner et fut un peu surprise par l'activité intense qui y régnait. Plusieurs carrioles faisaient la queue devant la guérite du caissier, transportant toutes de vastes cages de fer carrées. Chaque cage contenait de un à quatre zombies (on en voyait parfois cinq ou même six, mais c'était rare). La plupart des véhicules étaient conduits par des fermiers, qui capturaient les innommables pour se faire un peu d'argent, mais quelques-uns appartenaient à des chasseurs de zombies professionnels, appelés « reconquérants », qui parcouraient la campagne pour poser des pièges. Elizabeth savait que certains de ces soi-disant reconquérants étaient en fait des escrocs qui, pour gagner leur vie, enlevaient des innocents, leur inoculaient l'étrange maladie, puis les vendaient aux bûchers. Mais mieux valait brûler quelques innocents que de laisser les coupables en liberté.

Non loin de la guérite du caissier, le maître-brûleur se tenait devant sa fosse, à un mètre de flammes deux fois plus hautes que lui. Sa poitrine nue était couverte de sueur, car il s'agitait constamment, pour enduire les bûches de goudron, ratisser les cendres ou jeter des ballots de paille dans le feu.

Après avoir marchandé avec le caissier puis obtenu leurs pièces d'argent, les hommes menaient leurs carrioles jusqu'à l'abri du maître-crocheteur, où les cages étaient soulevées par un énorme appareil mécanique et jetées dans les flammes. Elizabeth ne put s'empêcher d'éprouver une certaine joie en voyant se consumer cage après cage ; elle entendait les hurlements terribles des zombies lorsque le feu (qu'ils craignaient plus que tout) leur léchait les pieds, puis consumait leur chair putride et les renvoyait bien vite en enfer. Quand les zombies n'étaient plus que cendres et ossements, les cages étaient replacées sur les carrioles et repartaient pour être à nouveau remplies.

En dehors de ces excursions, les quatre semaines suivantes s'écoulèrent bien lentement, mais elles finirent par passer, et Mr et Mrs Gardiner firent leur apparition à Longbourn avec leurs quatre enfants. Ceux-ci, deux filles de six et huit ans, et deux garçons plus jeunes, seraient confiés aux bons soins de leur cousine Jane, leur préférée à tous, que son solide bon sens et sa douceur de caractère qualifiaient le mieux pour veiller sur eux à tous points de vue, pour les instruire, les distraire et les aimer.

Les Gardiner ne restèrent qu'une nuit à Longbourn et partirent le lendemain matin avec Elizabeth en quête de nouveauté et d'amusement. Ce qui les ravissait tous les trois, c'était la perspective de leur bonne entente : leur bonne santé et leur tempérament leur permettraient de supporter les désagréments du voyage, leur gaieté ferait leur miel de chaque plaisir, leur affection et leur intelligence les distrairaient des éventuelles déceptions du monde extérieur.

Le but de cet ouvrage n'est pas d'offrir une description du Derbyshire, ni d'aucun des lieux remarquables que leur périple leur fit traverser ; Oxford, Blenheim, Warwick, Kenilworth, etc., sont suffisamment connus. Il n'entend pas non plus s'appesantir sur les quelques affrontements avec des zombies qui nécessitèrent l'intervention d'Elizabeth, car aucune de ces rencontres ne fit perler sur son front une seule goutte de transpiration. Seule une petite partie du Derbyshire nous concerne ici. Après avoir vu les principales merveilles de la région, ils dirigèrent leurs pas vers la petite ville de Lambton, où Mrs Gardiner avait jadis résidé et où, lui avait-on dit récemment, vivaient encore certaines de ses connaissances. Et à moins de cinq miles de Lambton, Elizabeth l'apprit de sa tante, se situait Pemberley. Le château n'était pas sur leur route, mais ne représentait qu'un détour de un ou deux miles. La veille au soir, en parlant de leur itinéraire, Mrs Gardiner s'était déclarée désireuse de revoir l'endroit. Mr Gardiner y avait consenti et l'approbation d'Elizabeth avait été sollicitée.

— Ma chérie, n'aimerais-tu pas voir un lieu dont tu as tant entendu parler ? lui demanda sa tante. Un lieu auquel sont en outre attachées tant de tes connaissances. Wickham y a passé toute son enfance, tu sais.

Elizabeth fut prise au dépourvu. Elle savait qu'elle n'avait rien à faire à Pemberley, et elle fut contrainte de prétendre qu'elle n'avait aucune envie d'y aller. Elle dut avouer qu'elle avait hâte de rentrer chez ses parents ; après en avoir tant vu, elle ne trouvait plus aucun plaisir à admirer de beaux tapis et des rideaux de satin.

Mrs Gardiner lui reprocha sa sottise :

— S'il ne s'agissait que d'une belle demeure richement meublée, je ne m'y intéresserais pas non plus, mais la propriété est magnifique. S'y trouvent certains des plus beaux arbres du pays.

Elizabeth ne dit rien, mais ne put acquiescer. Elle songea aussitôt à la possibilité de rencontrer Mr Darcy alors qu'ils visiteraient les lieux. Ce serait affreux !

Lorsqu'elle se retira pour la nuit, elle demanda par conséquent à la femme de chambre si Pemberley était vraiment un endroit superbe, comment s'appelait le propriétaire et, non sans inquiétude, si la famille s'y était installée pour l'été. À cette dernière question, il lui fut répondu par un « non » fort bienvenu : Mr Darcy était à Londres, où il assistait à une réunion de la Ligue des gentlemen pour encourager la poursuite des hostilités contre notre très indésirable ennemi. Son anxiété étant désormais levée, Elizabeth eut tout loisir d'éprouver une vive curiosité de voir de ses yeux cette demeure, et lorsque le sujet fut de nouveau abordé le lendemain matin, elle put déclarer, avec l'air indifférent qui convenait, qu'en réalité elle n'avait rien contre ce projet. Ils iraient donc à Pemberley.

Chapitre 43

DE LA VOITURE, Elizabeth guetta l'apparition de Pemberley Woods avec une certaine fébrilité. Lorsqu'ils passèrent enfin devant le pavillon à l'entrée, son agitation était à son comble.

Le parc était très vaste et comportait des paysages fort variés. Ils y entrèrent par un des points les moins élevés, et roulèrent un certain temps à travers une belle forêt très étendue, en tendant l'oreille pour repérer d'éventuels gémissements ou des craquements de brindille car, selon la rumeur, une nombreuse bande de zombies était fraîchement sortie de terre.

Elizabeth avait trop de choses en tête pour se rendre utile sur ce point, mais elle vit et admira chacun des sites et points de vue remarquables. Ils montèrent lentement pendant un demi-mile, puis se trouvèrent sur une hauteur considérable où le bois s'arrêtait : le regard était aussitôt captivé par Pemberley House, situé de l'autre côté d'une vallée où la route se mettait soudainement à serpenter. C'était un grand et élégant bâtiment de pierre, dans le style des plus sublimes palais de Kyoto, et dont l'arrière donnait sur de hautes collines couvertes d'arbres. Devant la façade, un cours d'eau assez important avait été élargi de manière à arrêter d'éventuelles attaques, mais sans que cela parût artificiel. Ses rives n'étaient ni rectilignes, ni faussement incurvées. Elizabeth fut ravie. Elle n'avait jamais vu aucun endroit où la nature eût fait davantage, où la beauté naturelle de l'Orient fût si peu contrariée par le goût anglais. Les trois voyageurs exprimèrent leur enthousiasme ; c'était quelque chose, elle le sentit à cet instant, que d'être maîtresse de Pemberley !

Ils descendirent de la colline, franchirent le pont gardé par des dragons de pierre et roulèrent jusqu'à la porte de jade massif. En examinant le château de plus près, Elizabeth sentit renaître toutes ses craintes d'en rencontrer le propriétaire. Elle redoutait que la femme de chambre ne se fût trompée. Lorsqu'ils demandèrent à visiter l'intérieur, on les fit entrer dans le vestibule et, en attendant l'intendante, Elizabeth eut tout le loisir de s'étonner d'être en ce lieu.

L'intendante apparut ; c'était une Anglaise d'allure respectable, vêtue d'un kimono, qui se déplaçait lentement sur ses pieds bandés. Ils la suivirent dans la salle à manger, une grande pièce de belles proportions, délicieusement ornée de meubles et d'œuvres d'art de ce Japon si cher à Darcy. Après y avoir jeté un coup d'œil, Elizabeth s'approcha d'une fenêtre pour apprécier la beauté de la vue. De loin, la colline couronnée d'arbres d'où ils étaient descendus prenait un caractère plus abrupt encore. La propriété était superbe sous tous ses angles ; elle contempla l'ensemble du panorama, la rivière, les arbres éparpillés sur les berges, et prit plaisir à remonter les méandres de la vallée jusqu'où l'œil pouvait les discerner. À mesure que les visiteurs avançaient d'une pièce à l'autre, le paysage se transformait, mais de chaque fenêtre il offrait des beautés au spectateur. Les salles étaient hautes et de belles proportions, remplies d'un mobilier reflétant l'amour du propriétaire pour l'Orient, mais Elizabeth admira son goût car l'ameublement n'était pas d'une richesse tapageuse ou inutilement raffinée : il y avait là moins de splendeur et bien plus de réelle élégance qu'à Rosings.

« Et de cette demeure, songea-t-elle, j'aurais pu être la maîtresse ! Ces pièces, elles auraient pu m'être familières à présent ! Au lieu de les visiter en étrangère, j'aurais pu me féliciter de les posséder et y accueillir comme invités mon oncle et ma tante. Mais non, se reprit-elle, c'est impossible : mon oncle et ma tante auraient été perdus pour moi, je n'aurais pas été autorisée à les recevoir. »

Ce souvenir vint bien à point, car il lui évita tout ce qui aurait pu ressembler à du regret.

Elle avait grande envie de demander à l'intendante si son maître était véritablement absent, mais elle n'en eut pas le courage. La question finit pourtant par être posée par son oncle et elle se détourna, alarmée, lorsque Mrs Reynolds confirma qu'il n'était pas là, en précisant : « Mais nous l'attendons demain, avec tout un groupe de ses amis. » Elizabeth se réjouit que rien n'eût retardé leur propre voyage d'une journée !

Sa tante l'appela pour lui dire de regarder un tableau. Elle la rejoignit et découvrit le portrait de Mr Wickham suspendu au-dessus de la cheminée, parmi plusieurs autres miniatures. Sa tante lui demanda en souriant ce qu'elle en pensait. L'intendante vint jusqu'à elles et leur raconta qu'il s'agissait du fils du polisseur de mousquets de son défunt maître, un jeune homme élevé à ses frais par feu Mr Darcy.

— Il s'est engagé dans l'armée, mais je crois hélas qu'il a mal tourné.

Mrs Gardiner regarda sa nièce avec un sourire. Elizabeth ne put cependant lui sourire en retour.

— Et celle-ci, dit Mrs Reynolds en désignant une autre miniature, représente mon maître. Elle est très ressemblante. Elle a été peinte à peu près en même temps que l'autre, il y a environ huit ans.

— J'ai tellement entendu vanter les attraits de votre maître, déclara Mrs Gardiner en admirant le portrait. Ce visage est beau, mais toi, Lizzy, peux-tu nous confirmer qu'il est ressemblant ?

Le respect de Mrs Reynolds pour Elizabeth parut augmenter lorsqu'elle comprit que celle-ci connaissait son maître.

— Cette demoiselle connaît-elle Mr Darcy ?

Elizabeth rougit et répondit :

— Un peu.

— Et ne trouvez-vous pas que c'est un très bel homme, mademoiselle ?

— Si, tout à fait.

— Pour moi, je suis sûre de n'en avoir jamais vu de plus beau. Mais dans la galerie de peintures, à l'étage, vous verrez un meilleur portrait, plus grand que celui-là. Cette pièce-ci était jadis la préférée de mon défunt maître, et ces miniatures sont restées telles qu'elles étaient alors. Il les aimait beaucoup.

Cela expliquait à Elizabeth la présence de Wickham parmi elles.

Mrs Reynolds attira ensuite leur attention sur un portrait de Miss Darcy, peint alors qu'elle n'avait que huit ans.

— Et Miss Darcy est-elle aussi jolie que son frère ? demanda Mrs Gardiner.

— Oh oui ! La plus jolie demoiselle qu'on ait jamais vue, et si accomplie ! Elle a décapité son premier innommable moins d'un mois après son onzième anniversaire ! Je vous accorde que Mr Darcy avait enchaîné l'abominable créature à un arbre, mais cela n'en constitue pas moins un exploit impressionnant. Dans la pièce suivante, il y a un Katana tout neuf qui vient d'arriver pour elle, cadeau de mon maître ; elle sera ici demain avec lui.

Avec ses manières naturelles et charmantes, Mr Gardiner l'encourageait par ses questions et ses remarques à se montrer loquace et, par orgueil ou par affection, Mrs Reynolds prenait visiblement un immense plaisir à parler de son maître et de sa sœur.

— Votre maître est-il souvent à Pemberley durant l'année ?

— Pas autant que je le voudrais, monsieur, mais je pense qu'il passe ici la moitié de son temps, et Miss Darcy vient toujours pendant les mois d'été.

« Sauf lorsqu'elle va à Ramsgate », pensa Elizabeth.

— Si votre maître se mariait, vous le verriez peut-être davantage.

— Oui, monsieur, mais j'ignore quand cela se fera. Je ne sais pas quelle femme serait assez bien pour lui.

Mr et Mrs Gardiner sourirent. Elizabeth ne put s'empêcher de dire :

— C'est tout à son honneur, je pense, que vous soyez de cet avis.

— Je ne dis que la vérité, et c'est ce que diraient tous ceux qui le connaissent, répondit Mrs Reynolds.

Elizabeth trouva que c'était aller un peu loin, et elle entendit avec une stupeur plus grande encore l'intendante ajouter :

— De ma vie, jamais il ne m'a adressé un mot désagréable, et je le connais depuis qu'il a quatre ans. Pendant tout ce temps, je ne l'ai vu frapper qu'un seul domestique, qui le méritait amplement. Je pense que c'est l'homme le plus doux de toute la Grande-Bretagne.

Cet éloge était le plus extraordinaire de tous et allait le plus à l'encontre de ses idées. Mr Darcy n'avait pas bon caractère, Elizabeth en était convaincue. Ces paroles éveillèrent chez elle un très vif intérêt ; elle voulait en savoir plus, et fut reconnaissante envers son oncle lorsqu'il déclara :

— Bien rares sont ceux dont on peut en dire autant. Vous avez de la chance d'avoir un tel maître.

— Oui, monsieur, je le sais. Si je parcourais le monde, je ne pourrais en trouver un meilleur. Mais j'ai remarqué que les enfants aimables deviennent des adultes aimables, et il a toujours été le plus doux et le plus généreux des petits garçons.

Elizabeth ouvrit de grands yeux. « Peut-il vraiment s'agir de Mr Darcy ? » se demanda-t-elle.

— Son père était un homme excellent, dit Mrs Gardiner.

— Oui, madame, en effet, et son fils sera tout comme lui, tout aussi bon avec les pauvres. Bon même pour les malheureux accidents de Dieu, les infirmes et les sourds.

« Comme cela le rend admirable ! » songea Elizabeth.

— Ce bel aperçu, murmura sa tante tout en marchant, ne coïncide pas tout à fait avec son comportement envers notre pauvre ami.

— Peut-être avons-nous été trompés.

— C'est fort peu probable, notre source était trop fiable.

Une fois sur le vaste palier, ils furent introduits dans un très joli salon, récemment décoré avec plus d'élégance et de légèreté que les pièces du bas. On venait de procéder à ces aménagements afin de complaire à Miss Darcy, qui s'était prise d'affection pour cette pièce lors de son dernier séjour à Pemberley.

— C'est certainement un bon frère, dit Elizabeth en se dirigeant vers l'une des fenêtres.

Mrs Reynolds prévoyait déjà le ravissement qu'éprouverait Miss Darcy en pénétrant dans cette pièce.

— Et c'est toujours comme ça avec lui : chaque fois qu'il peut faire plaisir à sa sœur, il le fait sans attendre. Pour elle, il ne reculerait devant rien.

Il ne restait à leur montrer que la galerie des batailles, et deux ou trois des principales chambres. La première contenait beaucoup de têtes de zombies et de belles armures de samouraïs mais, ne s'intéressant guère à ces trophées, Elizabeth admira quelques pastels exécutés par Miss Darcy.

Quand ils eurent vu toutes les pièces ouvertes au public, ils redescendirent et, après avoir pris congé de l'intendante, furent confiés aux bons soins du jardinier qui les attendait à la porte.

Tandis qu'ils longeaient la rivière, le jardinier s'arrêtant pour leur montrer tantôt un bassin de carpes Koï, tantôt un jardin zen, Elizabeth se retourna pour un dernier coup d'œil. Le choc qu'elle ressentit alors lui fit mettre la main au sabre qu'elle avait oublié d'apporter : derrière eux, une troupe d'innommables s'avançait à grands pas. Ils n'étaient pas moins de vingt-cinq. Elizabeth se ressaisit bientôt, informa son oncle et sa tante de cette malheureuse circonstance et leur ordonna de courir se cacher, ce qu'ils firent sans tarder.

Quand la troupe fut tout près d'elle, elle se prépara au combat, arrachant une branche à un arbre voisin et plaçant les pieds selon la méthode du Paysan balayé par le vent. La lutte au bâton n'avait jamais été son point fort, mais comme elle ne disposait d'aucune autre arme, cette approche semblait la plus rationnelle, étant donné le grand nombre d'adversaires. Les zombies émirent un rugissement fort déplaisant dès qu'ils furent assez près pour mordre, et Elizabeth répliqua avec la même rage pour amorcer sa contre-attaque. Pourtant, à peine eut-elle pourfendu les cinq ou six premiers qu'une détonation dispersa les quelque vingt autres. Elizabeth resta en position de défense tandis que, d'un pas titubant, les zombies partaient se réfugier dans les bois ; une fois sûre qu'ils avaient fui, elle tourna son regard du côté des coups de feu. Elle éprouva un second choc, mais d'une nature assurément différente car, sur son destrier, muni d'un Brown Bess encore fumant, était soudain apparu le propriétaire en personne du parc où elle se trouvait. La fumée du mousquet de Darcy était suspendue dans l'air tout autour de lui, montant vers les cieux à travers son épaisse chevelure brune. Sa monture poussa un vigoureux hennissement et se dressa sur ses jambes arrière ; un moins bon cavalier eût été projeté à terre. Cependant, de sa main libre, Darcy tenait fermement les rênes et il apaisa l'animal effrayé.

Elizabeth ne pouvait éviter de le voir. Leurs yeux se rencontrèrent aussitôt et leurs joues à tous deux s'empourprèrent. Il sursauta littéralement et, pendant un instant, sembla pétrifié par la surprise. Il recouvra bientôt ses esprits, s'avança vers la visiteuse et s'adressa à elle, sinon avec un calme parfait, du moins avec une politesse parfaite, tandis que Mr et Mrs Gardiner sortaient de leur cachette et les rejoignaient.

Stupéfaite de l'évolution de ses manières depuis leur dernier entretien, elle sentait la gêne monter en elle à chaque phrase qu'il prononçait, et comme elle se rappelait fort bien qu'il n'aurait pas dû la trouver là, ces quelques minutes en tête-à-tête comptèrent parmi les plus inconfortables de son existence. Il ne semblait guère plus à l'aise ; son ton n'avait rien de son calme habituel, et il trahit son agitation en lui redemandant plusieurs fois, de façon précipitée, comment se portaient son oncle et sa tante.

Il parut finalement à court d'idées et, après être resté muet quelques instants, il confia tout à coup son Brown Bess à Elizabeth, remonta à cheval, et lui dit au revoir.

Les autres s'approchèrent alors et exprimèrent leur admiration pour sa belle prestance, mais Elizabeth n'entendit pas un mot. Totalement absorbée par ses sentiments, elle suivit son oncle et sa tante en silence, accablée par la honte et la contrariété. Sa décision de venir ici était la plus malencontreuse et la plus malavisée qui fût au monde ! Comme il devait trouver cela étrange ! Comme cela devait sembler offensant pour un homme aussi orgueilleux ! Il devait avoir l'impression qu'elle s'était délibérément jetée sur son chemin une fois de plus ! Oh, pourquoi était-elle venue ? Pourquoi était-il ainsi arrivé un jour plus tôt que prévu ? À dix minutes près, il n'aurait pu les apercevoir, car il était évident qu'il venait à peine de descendre de sa voiture. Elle rougit et rougit encore à la pensée de cette rencontre horriblement fâcheuse. Et il s'était conduit de manière si étonnamment différente, que pouvait signifier cette transformation ? Il était stupéfiant qu'il fût venu à son aide ! Mais qu'il lui parlât si poliment, pour s'enquérir de la santé de sa famille ! Jamais de sa vie elle ne l'avait vu si peu solennel, jamais il ne lui avait adressé la parole avec autant de douceur que lors de cette rencontre imprévue. Quel contraste avec leur dernière entrevue dans le parc de Rosings, quand il lui avait remis sa lettre ! Elle ne savait que penser, ni comment expliquer tout cela.

Ils pénétrèrent dans la forêt et montèrent vers les hauteurs, là où les zombies aux muscles secs et aux os friables risquaient moins de faire irruption. Mr Gardiner exprima le désir de faire le tour du parc, mais craignit que ce ne fût trop dangereux, étant donné la proximité de cette horde d'innommables. Tout près d'eux, un des soldats de Satan poussa un rugissement ; la question fut donc réglée, et ils poursuivirent en empruntant le circuit habituel qui, après quelque temps, les fit redescendre parmi les bois surplombant la vallée, jusqu'au bord de l'eau, au plus étroit de la rivière. Ils la franchirent par un simple pont, dont on leur apprit qu'il avait été construit à partir de pierres tombales profanées. C'était un endroit moins aménagé qu'aucun de ceux qu'ils venaient de contempler, et la vallée, rétrécie en une gorge, n'était pas plus large que le cours d'eau, bordé par un sentier au milieu des halliers. Elizabeth aurait aimé en explorer les méandres mais quand ils virent, après avoir passé le pont, combien ils s'étaient éloignés du château, Mrs Gardiner déclara forfait : elle était encore épouvantée par ce qui s'était produit et souhaitait seulement regagner leur voiture au plus vite. Sa nièce fut donc obligée de s'incliner et ils prirent le chemin le plus court, de l'autre côté de la rivière ;

leur progression fut pourtant lente car Mr Gardiner était grand amateur de pêche, bien qu'il eût rarement l'occasion de s'y adonner, et il consacra tant de temps à guetter l'apparition des truites et à en discuter avec le jardinier qu'il n'avança guère.

Alors qu'ils cheminaient ainsi, ils eurent de nouveau la surprise de voir apparaître Mr Darcy à faible distance. Comme la promenade était moins ombragée que sur l'autre rive, ils eurent le temps de l'apercevoir avant de se trouver face à lui. Bien qu'abasourdie, du moins Elizabeth était-elle plus préparée que la première fois, et elle résolut de présenter un visage calme et de s'exprimer sans émoi, s'il venait réellement à leur rencontre. Pendant quelques instants, elle eut l'impression qu'il allait sans doute bifurquer vers une autre allée. Cette idée dura tant qu'il resta dissimulé par un virage du chemin, mais aussitôt après, il se retrouva juste devant eux. D'un regard, elle constata qu'il n'avait rien perdu de la politesse dont il venait de faire preuve et, pour imiter sa courtoisie, elle commença à le complimenter sur la beauté de l'endroit, mais à peine avait-elle eu le temps de prononcer le mot « ravissant » qu'un souvenir malheureux s'interposa et elle craignit que, venant d'elle, cet éloge de Pemberley ne fût mal interprété. Elle changea de couleur et se tut.

Mrs Gardiner se tenait un peu en arrière. Lorsque Elizabeth s'interrompit, Darcy lui demanda si elle lui ferait l'honneur de lui présenter ses amis. C'était une marque de civilité à laquelle elle ne s'attendait pas du tout et elle put difficilement réprimer un sourire à l'idée qu'il cherchât maintenant à connaître ces mêmes gens contre lesquels son orgueil s'était révolté alors qu'il la demandait en mariage. « Quelle ne sera pas sa surprise lorsqu'il saura qui ils sont ! pensa-t-elle. Voilà qu'il les prend pour des personnes du beau monde. »

Cependant, on procéda immédiatement aux présentations et, tandis qu'elle expliquait le degré de parenté existant entre les Gardiner et elle, Elizabeth jeta un regard furtif en direction de Darcy pour voir comment il accueillait cette information ; elle s'attendait presque à le voir fuir aussi vite que possible une compagnie aussi infamante. Il fut surpris par leur parenté, c'était évident, mais résista avec courage et, loin de s'enfuir, il repartit vers le château avec eux et se mit à bavarder avec Mr Gardiner. Elizabeth était bien sûr ravie, mais ne put triompher. Il savait désormais qu'elle comptait dans sa famille des personnes dont il n'y avait pas à rougir, et c'était une consolation. Elle écouta très attentivement toute leur conversation et se réjouit de chaque phrase, de chaque expression qui révélait l'intelligence, le goût et les bonnes manières de son oncle.

Il fut bientôt question de pêche au mousquet et elle entendit Mr Darcy inviter Mr Gardiner, avec la plus grande politesse, à venir tirer sur les poissons aussi souvent qu'il le voudrait, tant qu'il serait dans le voisinage ; il proposa en même temps de lui fournir un mousquet de pêche et indiqua toutes les parties du cours d'eau où l'on trouvait en général le plus de poisson. Mrs Gardiner, qui marchait bras dessus bras dessous avec Elizabeth, adressa à sa nièce un regard plein d'étonnement. Celle-ci ne dit rien, mais en fut extrêmement satisfaite, car tout le compliment était pour elle. Sa stupeur était pourtant extrême, et elle se répétait sans cesse : « Pourquoi est-il aussi transformé ? Quelle peut en être la raison ? Ce ne peut être pour moi, ce ne peut être pour me faire plaisir que ses manières sont ainsi radoucies. Il est impossible qu'il m'aime encore, à moins qu'à Hunsford, lors de notre affrontement, je n'aie provoqué cette grave transformation en le projetant d'un coup de pied contre la cheminée. »

Après avoir ainsi marché un moment, les deux dames à l'avant, les deux messieurs à l'arrière, ils descendirent vers la rive pour mieux examiner certains étrons de zombie, et changèrent alors de disposition. Fatiguée par l'exercice de la matinée, Mrs Gardiner trouvait que le bras d'Elizabeth ne la soutenait pas assez et préféra donc celui de son mari. Mr Darcy la remplaça au côté de sa nièce et ils poursuivirent leur chemin ensemble. Après un bref silence, la demoiselle fut la première à parler. Elle voulait lui faire savoir qu'avant de venir ici, on lui avait assuré qu'il n'y serait pas, et commença donc par déclarer qu'il les avait fort surpris en arrivant, « car votre intendante nous a dit que vous ne seriez certainement pas là avant demain, et avant de quitter Bakewell, on nous avait laissé entendre que vous n'étiez pas attendu tout de suite dans la région ». Il admit la vérité de tout cela et expliqua que, pour régler une affaire avec son régisseur, il était venu quelques heures avant le reste du groupe avec lequel il voyageait. « Ils me rejoindront demain matin et il y a parmi eux certaines personnes qui se rappelleront à votre bon souvenir, Mr Bingley et ses sœurs. »

Elizabeth ne répondit que par un léger signe de tête. Elle se rappela aussitôt la dernière fois où le nom de Mr Bingley avait été évoqué entre eux et, à en juger d'après la rougeur de Darcy, il se rappelait exactement la même chose.

— Il y a aussi parmi eux une autre personne, reprit-il après une pause, qui souhaite plus particulièrement être connue de vous. Me permettrez-vous, à moins que je n'abuse, de vous présenter ma sœur pendant que vous séjournerez à Lambton ?

Cette requête suscita un bien grand étonnement, si grand qu'Elizabeth ne sut comment elle y consentit. Elle le devina aussitôt, le vif désir qu'avait Miss Darcy de faire sa connaissance ne pouvait qu'être l'œuvre de son frère et, sans aller chercher plus loin, elle en fut contente ; il était satisfaisant de savoir qu'il ne la méprisait pas malgré le ressentiment qu'elle pouvait lui inspirer.

Ils cheminaient à présent en silence, tous deux plongés dans leurs pensées. Elizabeth n'était pas à l'aise, c'eût été impossible, mais elle était flattée et ravie. Mr Darcy voulait lui présenter sa sœur, et c'était là un des plus beaux compliments qui se pussent faire. Ils eurent bientôt distancé les autres et, lorsqu'ils parvinrent à la voiture, Mr et Mrs Gardiner se trouvaient un quart de mile en arrière.

Il lui proposa alors d'entrer dans la maison, mais elle déclara qu'elle n'était pas fatiguée et ils restèrent sur la pelouse. Il y aurait eu beaucoup à dire en un tel moment, et le silence était fort embarrassant. Elle avait envie de parler, mais tous les sujets semblaient interdits. Elle se rappela enfin qu'elle venait d'accomplir un périple et ils discutèrent de Matlock et de Dove Dale avec une grande persévérance. Cependant, le temps et sa tante avançaient lentement, et Elizabeth faillit se trouver à bout de patience et d'idées avant la fin de leur tête-à-tête. Quand Mr et Mrs Gardiner apparurent, il insista pour que tout le monde prît quelques rafraîchissements à l'intérieur, mais cette offre fut déclinée et ils se séparèrent avec la plus grande courtoisie. Mr Darcy aida les dames à monter en voiture et, lorsqu'ils partirent, Elizabeth le vit se diriger lentement vers le château.

Son oncle et sa tante entreprirent alors de commenter la visite, et tous deux jugèrent Darcy infiniment supérieur à tout ce qu'ils attendaient.

— Il est parfaitement honnête, poli et modeste, dit son oncle.

— Il a quelque chose d'un peu guindé, c'est certain, répliqua sa tante, mais cela se borne à son attitude, et n'a rien de déplacé. Je suis maintenant d'accord avec l'intendante : certains le jugent peut-être orgueilleux, mais je n'ai rien vu de tel. Il monte si bien à cheval, et manie si bien le mousquet !

— Rien ne m'a jamais surpris autant que son comportement envers nous. Plus que civil, il s'est réellement montré prévenant, alors que rien ne l'y obligeait. Il connaît à peine Elizabeth.

— Bien sûr, Lizzy, dit sa tante, il n'est pas aussi bel homme que Wickham, ou plutôt il n'a pas l'allure de Wickham, car son physique est irréprochable. Mais pourquoi nous avais-tu raconté qu'il était si déplaisant ?

Elizabeth se disculpa de son mieux, avouant que, dans le Kent, il lui avait plu davantage qu'auparavant, et que jamais elle ne l'avait vu aussi charmant que ce matin-là.

— Mais peut-être est-il un peu capricieux dans ses politesses, répondit son oncle. C'est souvent le cas, avec ces nobles personnages, et je ne le prendrai donc pas au mot pour la pêche, puisqu'il pourrait changer d'avis du jour au lendemain et m'assommer avec son mousquet pour avoir abattu ses truites.

Elizabeth pensa qu'ils se méprenaient entièrement sur son caractère, mais ne broncha pas.

— D'après ce que j'ai vu, continua Mrs Gardiner, je ne l'aurais vraiment pas cru capable d'être aussi cruel qu'il l'a été envers le pauvre Wickham. Il n'a pas l'air méchant. Au contraire, sa bouche a une expression agréable lorsqu'il parle. Mais cette brave dame qui nous a fait visiter le château nous l'a dépeint comme un véritable héros ! J'ai failli plusieurs fois éclater de rire. Enfin, c'est un maître généreux, je suppose, et les domestiques sont souvent dithyrambiques par peur d'être décapités.

Elizabeth se sentit obligée de prendre la défense de Darcy dans ses relations avec Wickham, et, de manière aussi prudente que possible, leur laissa donc entendre qu'on pouvait interpréter ses actions bien différemment, selon ce que lui avait révélé un de ses cousins dans le Kent. Son caractère n'était pas aussi critiquable, et celui de Wickham pas aussi charmant qu'on l'avait estimé dans le Hertfordshire. Pour confirmer ses dires, elle relata en détail toute l'histoire du garçon d'écurie, sans nommer sa source, mais en affirmant qu'elle était digne de confiance.

Mrs Gardiner fut surprise et alarmée, mais comme ils s'approchaient alors de la ville où elle avait passé une jeunesse heureuse, tout céda devant le charme du souvenir, et elle était désormais trop occupée à montrer à son mari chacun des lieux intéressants des environs pour penser à autre chose. Alors que la promenade du matin l'avait harassée, elle partit à la recherche de ses vieilles connaissances dès qu'ils eurent dîné, et consacra la soirée au plaisir de renouer des relations interrompues pendant de nombreuses années.

Les événements de la journée étaient trop riches d'intérêt pour qu'Elizabeth pût accorder beaucoup d'attention au badinage de sa tante. Elle ne pouvait que songer à la politesse de Mr Darcy, et s'émerveiller surtout de ce qu'il voulût lui présenter sa sœur.

Chapitre 44

ELIZABETH s'était persuadée que Mr Darcy viendrait en visite avec sa sœur le lendemain de son arrivée à Pemberley, et elle avait donc décidé de ne pas s'éloigner de l'auberge ce jour-là. Mais cette conclusion était erronée car, le jour même de leur installation à Lambton, les visiteurs se présentèrent. Accompagnés de leur nièce, les Gardiner s'étaient promenés à pied dans les environs, et ils revenaient s'habiller pour dîner lorsque le bruit d'une voiture les attira à la fenêtre : c'étaient un monsieur et une dame qui remontaient la rue en cabriolet. Elizabeth reconnut aussitôt la livrée des domestiques, devina ce que cela signifiait et fit part de sa surprise, qui était grande, à son oncle et à sa tante en leur apprenant l'honneur qui leur était fait. Ceux-ci en restèrent abasourdis ; l'embarras de leur nièce, la visite elle-même, et beaucoup des circonstances de la veille, tout cela éclairait l'affaire d'un jour nouveau. Ils n'avaient rien soupçonné de tel jusque-là, mais il leur semblait maintenant que le seul moyen d'expliquer semblables prévenances était de croire ce monsieur épris de leur nièce. Tandis que ces idées toutes nouvelles leur venaient à l'esprit, le trouble d'Elizabeth augmentait à chaque instant. Étant donné la formation qui l'avait aguerrie, son émoi la stupéfiait mais, entre autres causes d'inquiétude, elle craignait que l'inclination n'eût poussé le frère à dire trop de bien d'elle à la sœur ; plus que jamais soucieuse de faire bonne impression, elle imaginait naturellement que tout pouvoir de plaire allait l'abandonner.

Elle s'écarta de la fenêtre, de peur d'être vue, et alors qu'elle arpentait la chambre, en tâchant de se maîtriser, elle surprit les regards curieux et interrogatifs de son oncle et de sa tante, qui aggravèrent encore les choses.

Miss Darcy et son frère parurent et les présentations tant redoutées eurent lieu. Elizabeth fut déconcertée de constater que sa nouvelle connaissance éprouvait au moins autant d'embarras qu'elle. Depuis qu'elle était à Lambton, elle entendait dire de Miss Darcy qu'elle était excessivement orgueilleuse, mais il lui suffit de quelques minutes pour se convaincre qu'elle était, en réalité, excessivement timide. Elizabeth eut du mal à tirer d'elle davantage que des monosyllabes.

Miss Darcy était grande, et plus robuste qu'Elizabeth ; malgré ses seize ans à peine, ses formes étaient déjà pleines, avec une douceur toute féminine. Ses mouvements avaient une grâce naturelle et, même s'il lui restait visiblement beaucoup à apprendre dans l'art de porter la mort, elle n'avait rien de la gaucherie déplaisante de la plupart des jeunes filles de son âge. Ses jambes et ses doigts étaient d'une longueur hors du commun, et Elizabeth songea aussitôt qu'elle ferait une excellente apprentie, si seulement elle voulait bien suivre l'exemple fraternel avec plus de zèle. Elle avait moins de beauté que son frère, mais son visage reflétait le bon sens et la gentillesse, et ses manières étaient douces et dépourvues de prétention.

Ils n'étaient pas ensemble depuis longtemps lorsque Mr Darcy lui annonça que Bingley venait aussi lui rendre visite. À peine eut-elle le temps d'exprimer sa satisfaction et de se préparer à l'accueillir que le pas maladroit de ce jeune homme inexpert au maniement des armes se fit entendre dans l'escalier ; un instant après, il entra dans la pièce. Toute la colère d'Elizabeth contre lui s'était dissipée de longue date mais, si elle en avait encore ressenti, elle n'aurait guère pu résister à la cordialité sincère avec laquelle il s'exprima en la revoyant. Il prit des nouvelles de sa famille de façon très amicale, sans entrer dans les détails néanmoins. Il avait conservé la même aisance et le même entrain qu'autrefois.

À la vue de Bingley, Elizabeth ne put s'empêcher de penser à sa sœur. Avec quelle ardeur eût-elle voulu savoir s'il en allait de même pour lui à cet instant ! Elle eut l'impression qu'il parlait moins qu'auparavant et, une ou deux fois, elle eut la joie de supposer qu'en la regardant il cherchait chez elle une ressemblance avec son aînée. Ce n'était peut-être là que le fruit de son imagination, mais elle ne pouvait être trompée quant à son attitude envers Miss Darcy, qui avait été érigée en rivale de Jane. Ni l'un ni l'autre ne trahissait par leurs regards une affection particulière. Rien entre eux ne justifiait les espoirs de Miss Bingley. Sur ce point, Elizabeth fut bientôt rassurée et, avant le départ des visiteurs, deux ou trois petites circonstances, qu'elle se hâta d'interpréter, révélèrent chez Bingley un souvenir non dénué de tendresse et un désir de dire ce qui, s'il l'avait osé, aurait permis de parler de Jane. Il lui fit remarquer, à un moment où les autres conversaient ensemble, et d'un ton empreint d'authentiques regrets, que « bien des jours s'étaient écoulés depuis qu'il avait eu le plaisir de la voir » ; avant qu'elle ne pût répondre, il ajouta : « Cela fait plus de huit mois. Nous ne nous sommes pas revus depuis le 26 novembre, lorsque mes domestiques furent si lamentablement assaillis à Netherfield. »

Elizabeth fut ravie de lui trouver la mémoire aussi précise, et il profita d'une autre occasion pour lui demander, à l'insu des autres, si ses sœurs étaient bien toutes à Longbourn. Comme les remarques précédentes, cette question semblait anodine, mais la contenance du jeune homme semblait leur donner un sens bien particulier.

Elle ne pouvait que rarement tourner les yeux vers Mr Darcy mais, chaque fois qu'elle l'apercevait, elle ressentait un frisson plus vif encore que le plaisir d'affronter les légions du Diable, et dans tout ce qu'il disait, elle entendait un accent si éloigné de la hauteur ou du dédain qu'elle finit par être convaincue : l'amélioration de ses manières dont elle avait été témoin la veille se prolongeait d'une journée au moins. En le voyant ainsi désirer la bonne opinion de gens qu'il aurait jugé infamant de côtoyer quelques mois auparavant, en le voyant aussi courtois, non seulement avec elle mais avec ces parents mêmes qu'il avait ouvertement méprisés, Elizabeth fut si frappée par une telle différence, par une telle transformation, qu'elle ne parvint à dissimuler son étonnement qu'en procédant aux trois inspirations du Lézard. Même en compagnie de ses chers amis à Netherfield, ou de ses majestueuses parentes à Rosings, jamais elle ne l'avait vu aussi désireux de plaire, alors que le succès de sa démarche n'avait aucune importance, alors que la fréquentation de ceux auxquels étaient destinées ses attentions lui vaudrait les moqueries et le blâme des dames de Netherfield et de Rosings.

Les visiteurs demeurèrent avec eux plus d'une demi-heure et, lorsqu'ils se levèrent, Mr Darcy pria sa sœur de se joindre à lui pour exprimer le souhait que Mr et Mrs Gardiner, ainsi que Miss Bennet, vinssent dîner à Pemberley avant de quitter la région. Miss Darcy s'exécuta volontiers, mais son manque d'assurance prouvait qu'elle n'était guère habituée à lancer des invitations. Mrs Gardiner observa sa nièce pour savoir comment la principale intéressée accueillait cette proposition, mais Elizabeth avait détourné la tête. Elle supposa néanmoins que cet évitement délibéré trahissait un embarras momentané plutôt qu'une hostilité à cette proposition et, comme son mari, friand de compagnie, semblait tout à fait désireux d'accepter, Mrs Gardiner promit qu'ils honoreraient cette invitation et la date fut fixée au surlendemain.

Bingley se déclara enchanté à la perspective de revoir Elizabeth, car il avait encore beaucoup à lui dire, et beaucoup de questions à lui poser sur tous leurs amis du Hertfordshire. Voyant là le désir de l'entendre parler de Jane, Elizabeth fut ravie. Pour cette raison, entre autres, elle put, une fois leurs visiteurs partis, repenser à cette demi-heure comme à l'une des plus heureuses qu'elle eût connues sans verser une goutte de sang. Désireuse d'être seule et craignant les questions ou les allusions de son oncle et de sa tante, elle courut s'habiller aussitôt après avoir écouté leur opinion favorable sur Bingley.

Elle n'avait pourtant aucune raison de craindre la curiosité de Mr et Mrs Gardiner ; ils n'avaient nulle envie de la forcer à parler. De toute évidence, elle connaissait Mr Darcy bien mieux qu'ils ne l'avaient soupçonné ; de toute évidence, il était très amoureux d'elle. Il y avait bien là de quoi les intéresser, mais rien qui justifiât un interrogatoire.

Il fallait désormais penser du bien de Mr Darcy ; autant qu'ils le connaissaient, ils n'avaient rien à lui reprocher. Ils ne pouvaient être indifférents à sa vaillance lorsqu'il était venu à leur secours à Pemberley, ni à sa politesse par la suite, et s'ils s'étaient appuyés sur leurs impressions et sur les sentiments de son intendante pour esquisser son caractère, ceux qui l'avaient rencontré dans le Hertfordshire ne l'auraient jamais reconnu.

Quant à Wickham, les voyageurs apprirent bientôt qu'on ne le tenait pas en grande estime ; même si l'on ignorait la nature exacte de ses démêlés avec le fils de son protecteur, on savait fort bien qu'en quittant le Derbyshire il avait laissé derrière lui beaucoup de dettes que Mr Darcy avait ensuite acquittées. La rumeur prétendait également qu'il avait commis diverses inconvenances avec deux jeunes filles du village ; toutes deux avaient hélas succombé à l'épidémie et avaient dû être brûlées avant qu'on ne pût le poursuivre en justice.

Ce soir-là plus encore que le précédent, les pensées d'Elizabeth la ramenèrent à Pemberley ; la soirée lui parut longue, mais pas assez pour qu'elle pût déterminer les sentiments qu'elle éprouvait envers un habitant bien précis de cette demeure. Incapable de s'endormir, elle passa deux heures à tenter d'y voir plus clair. Elle ne le détestait pas, certes non. La haine avait disparu depuis bien longtemps, remplacée par la honte d'avoir eu envie de lui trancher la tête pour boire son sang. Les authentiques qualités de Darcy, d'abord admises à contrecœur, lui inspiraient un respect qui n'allait plus à l'encontre de ses sentiments et qui prenait désormais un tour plus amical grâce au témoignage recueilli la veille, si positif et bien propre à placer son caractère sous un jour si flatteur. Mais surtout, au-dessus du respect et de l'estime, un motif disposait favorablement Elizabeth envers lui : c'était de la gratitude. Oui, de la gratitude, non seulement parce qu'il l'avait aimée, mais parce qu'il l'aimait encore assez pour lui pardonner toute l'irritabilité et l'aigreur avec lesquelles elle l'avait éconduit en lui lançant un coup de pied au visage, et toutes les accusations injustes dont elle avait accompagné ce rejet. Alors que, selon elle, il aurait désormais dû la fuir comme sa pire ennemie, il s'était montré, lors de ces retrouvailles imprévues, très désireux de préserver leurs relations ; sans manifester indûment son affection, sans que son comportement dévoilât rien d'une circonstance qui ne concernait qu'eux deux, il sollicitait maintenant la bonne opinion des amis d'Elizabeth et il avait résolu de lui présenter sa sœur. Un tel changement chez un homme d'un tel orgueil suscitait non seulement de l'étonnement mais de la gratitude, car il fallait l'attribuer à l'amour, à un ardent amour ; en tant que tel, il produisait sur elle un effet qui n'avait rien de déplaisant même s'il ne pouvait être précisément défini. Elle avait pour lui du respect, de l'estime, de la gratitude, elle éprouvait un réel intérêt pour son bien-être ; alors qu'elle avait été formée pour ignorer tout sentiment, toute exaltation, elle souffrait maintenant d'un excès de ces deux sensations. Voilà qui était bien étrange ! Car plus elle y songeait, plus elle se sentait puissante, non par son expérience dans les arts meurtriers, mais par l'empire qu'elle exerçait sur le cœur d'un autre. Quelle force que celle-là ! Mais comment l'employer ? De toutes les armes qu'elle pratiquait, l'amour était celle qu'Elizabeth maîtrisait le moins ; et de toutes les armes au monde, l'amour était la plus dangereuse.

La nièce et la tante étaient tombées d'accord ce soir-là : elles devaient, par un geste de courtoisie, imiter, à défaut de pouvoir l'égaler, l'incroyable civilité dont avait fait preuve Miss Darcy en venant les voir le jour même de son arrivée à Pemberley. Il serait fort opportun d'aller lui rendre visite le lendemain matin. Elles iraient donc à Pemberley. Elizabeth était aux anges, mais lorsqu'elle se demanda pourquoi, elle n'eut pas grand-chose à répondre.

Mr Gardiner les quitta peu après le petit-déjeuner. Le projet de partie de pêche avait été renouvelé la veille et un rendez-vous ferme avait été pris : il devait retrouver à midi quelques-uns des messieurs réunis à Pemberley.

Chapitre 45

DÉSORMAIS CONVAINCUE que l'hostilité de Miss Bingley envers elle avait la jalousie pour origine, Elizabeth ne pouvait s'empêcher d'imaginer le déplaisir qu'elle lui causerait en allant à Pemberley, et elle était curieuse de savoir de quel degré de politesse cette demoiselle se montrerait capable lorsqu'elles se reverraient.

Une fois au château, on leur fit traverser le vestibule pour gagner le sanctuaire Shinto, que son exposition au nord rendait très agréable en été. Ses fenêtres donnant sur les jardins offraient une vue très reposante des hautes collines couronnées d'arbres situées à l'arrière de la propriété, et ses nombreux miroirs sacrés honoraient les dieux tout en conférant à la pièce un caractère lumineux des plus plaisants.

Dans ce sanctuaire, elles furent accueillies par Miss Darcy, qui y était installée avec Mrs Hurst, Miss Bingley et la dame avec qui elle résidait à Londres. Georgiana les reçut de façon fort civile, mais en laissant transparaître cette gêne, fruit de sa timidité et de sa crainte de mal faire, en laquelle ceux qui se sentaient socialement inférieurs s'imaginaient voir de la fierté et de la réserve. Mrs Gardiner et sa nièce lui rendirent néanmoins justice et la prirent en pitié.

Mrs Hurst et Miss Bingley ne leur accordèrent qu'une révérence. Lorsque ces dames furent assises, il s'ensuivit un silence de quelques instants, embarrassant comme le sont toujours ces silences. La première à prendre la parole fut Mrs Annesley, femme distinguée et aimable, qui témoigna d'une bien meilleure éducation que les autres en s'efforçant de nouer une sorte de dialogue. Une conversation se forma donc entre elle et Mrs Gardiner, avec l'aide ponctuelle d'Elizabeth. Apparemment, Miss Darcy aurait voulu avoir le courage d'y participer ;

elle risquait parfois une courte phrase, lorsqu'elle courait le moins de risques d'être entendue.

Elizabeth s'aperçut bientôt que Miss Bingley l'observait avec attention et ne manquait aucun de ses propos, surtout quand elle s'adressait à Miss Darcy. « Oh, comme elle doit avoir envie de me frapper de ses poings maladroits ! songea Elizabeth. Qu'il serait amusant de la voir perdre son calme ! »

Les domestiques apportèrent ensuite de la viande froide, des gâteaux et un choix de gourmandises japonaises. Ces dames trouvèrent alors à s'occuper car, si elles ne pouvaient pas toutes parler, elles pouvaient toutes manger, et les superbes pyramides de tartelettes et de sushis les réunirent bientôt autour de la table.

Pendant cette collation, Elizabeth eut l'occasion de décider si elle souhaitait ou craignait l'apparition de Mr Darcy, d'après les sentiments qui l'emportèrent lorsqu'il pénétra dans la pièce. Un instant auparavant, elle croyait que le désir dominait, mais elle commença alors à regretter qu'il fût venu, car elle se rendit compte que son haleine devait sentir le sucre et l'anguille crue.

Il avait passé quelque temps en compagnie de Mr Gardiner qui, avec deux ou trois autres invités, pêchait au mousquet au bord de la rivière, et ne l'avait quitté qu'en apprenant que Georgiana attendait ce matin-là des visiteuses. À peine fut-il apparu qu'Elizabeth résolut sagement de n'éprouver aucune gêne, aucune contrainte, car elle voyait fort bien quels soupçons leurs relations suscitaient chez ces dames : pas un œil qui n'observât l'attitude de Mr Darcy lorsqu'il fit son entrée. Aucun visage ne reflétait une plus vive curiosité que celui de Miss Bingley, malgré les sourires qu'elle arborait chaque fois qu'elle parlait à l'un ou à l'autre ; la jalousie ne l'avait pas encore poussée au désespoir et elle n'avait nullement renoncé à ses attentions à l'endroit de ce monsieur. En présence de son frère, Miss Darcy s'efforça de parler davantage. Elizabeth remarqua qu'il souhaitait voir sa sœur se lier d'amitié avec elle et qu'il encourageait chaque amorce de conversation entre elles. Rien de cela n'échappait à Miss Bingley et, dans l'imprudence de la colère, elle saisit la première occasion de dire, avec une politesse narquoise :

— Pardonnez-moi, Miss Eliza, la milice n'a-t-elle pas quitté Meryton ? Ce doit être une grande perte pour votre famille.

Devant Darcy, il n'était pas question de prononcer le nom de Wickham, mais Elizabeth comprit aussitôt qu'elle faisait allusion à lui, et elle dut réprimer un violent désir de crever les yeux de Miss Bingley afin de la châtier de son insolence. Exerçant sa langue plutôt que ses poings pour repousser cette attaque malveillante, elle put répondre à la question avec une désinvolture assez bien feinte. Tout en parlant, un coup d'œil involontaire vers Darcy lui montra qu'il avait rougi, que sa main droite tremblait imperceptiblement sur son sabre et que sa sœur, accablée, n'osait plus lever les yeux. Si Miss Bingley avait été consciente de la souffrance qu'elle causait à sa chère amie, elle se serait indubitablement abstenue de cette allusion, mais elle ne cherchait qu'à troubler Elizabeth en évoquant un homme dont elle la croyait éprise, à lui faire trahir une inclination qui pourrait lui nuire aux yeux de Darcy, et peut-être à rappeler à celui-ci quelles folies et quelles absurdités attachaient aux officiers certaines des sœurs Bennet. Elle ignorait tout du projet d'enlèvement de Miss Darcy.

Le calme d'Elizabeth eut cependant tôt fait d'apaiser l'émoi de Darcy, et comme Miss Bingley, contrariée et déçue, n'osait pas mentionner Wickham de manière plus explicite, Georgiana finit elle aussi par se ressaisir, mais pas assez pour se montrer plus loquace. Son frère, dont elle craignait de croiser le regard, avait apparemment oublié le rôle qu'elle avait joué dans cette affaire, et la pique imaginée pour détourner Darcy d'Elizabeth semblait l'avoir fixé sur elle davantage, et plus gaiement. Depuis la bataille de la forteresse de Tomu, aucun assaut n'avait été aussi lamentablement préparé.

Les visiteuses prirent congé peu après la question et la réponse rapportées plus haut ; tandis que Mr Darcy les raccompagnait jusqu'à leur voiture, Miss Bingley se soulagea en critiquant la personne, le comportement et la toilette d'Elizabeth.

Georgiana refusa de se joindre à elle. La recommandation de son frère suffisait pour garantir sa bonne opinion : il ne pouvait se tromper et il avait parlé d'Elizabeth en des termes si élogieux que Georgiana ne pouvait que la trouver charmante et aimable. Quand Darcy revint dans le salon, Miss Bingley ne put résister à l'envie de lui répéter une partie de ce qu'elle avait dit à sa sœur.

— Comme Eliza Bennet avait piètre allure ce matin, Mr Darcy ! s'écria-t-elle. De ma vie, je n'ai vu personne d'aussi changé qu'elle depuis cet hiver. Elle est devenue si brune, si vulgaire ! Nous sommes d'accord là-dessus, Louisa et moi, nous ne l'aurions pas reconnue.

Si désagréables que ces propos fussent pour Mr Darcy, il se contenta de répliquer froidement qu'il ne percevait chez Elizabeth aucun changement en dehors du hâle que le soleil lui avait donné, conséquence bien naturelle d'un voyage estival.

— Pour ma part, reprit Miss Bingley, j'avoue que je ne lui ai jamais trouvé aucune beauté. Son ventre est trop plat, ses bras dénués de chair molle, et ses jambes longues et maigres. Quant à ses yeux, que j'ai entendu qualifier de magnifiques, je n'ai jamais rien pu y discerner d'extraordinaire. Ils ont une expression perçante, avisée, que je n'aime pas du tout, et dans son allure en général, il y a une assurance et un aplomb qui sont insupportables.

Persuadée que Darcy admirait Elizabeth, Miss Bingley n'avait pas choisi la meilleure méthode pour lui plaire ; mais les gens en colère ne sont pas toujours sages et, voyant qu'elle l'avait enfin un peu piqué, elle remporta tout le succès attendu. Il garda cependant un silence obstiné et, comme elle tenait à le faire parler, elle continua :

— Je me rappelle, quand nous avons fait sa connaissance dans le Hertfordshire, nous avons tous été surpris d'apprendre qu'elle avait la réputation d'être une beauté, et je me souviens en particulier qu'un soir où ils étaient venus dîner à Netherfield, vous avez dit : « Elle, une beauté ! Je qualifierais d'abord sa mère de bel esprit ! » Mais par la suite, elle vous a plu davantage, et je pense qu'à une époque vous la trouviez à votre goût.

— Oui, répondit Darcy, incapable de se contenir plus longtemps, mais c'était seulement au début de nos relations, car depuis de nombreux mois, je la considère comme l'une des plus belles femmes que je connaisse.

Il partit alors, laissant Miss Bingley en proie à la satisfaction d'avoir provoqué cette déclaration qui ne causait de peine qu'à elle-même.

Sur le chemin du retour, Mrs Gardiner et Elizabeth discutèrent de tout ce qui s'était passé pendant leur visite, à l'exception de ce qui les avait particulièrement intéressées toutes les deux. Elles passèrent en revue la physionomie et le comportement de chacun, sans dire mot de la personne qui avait le plus attiré leur attention. Elles parlèrent de sa sœur, de ses amis, de son sanctuaire, de ses sushis, de tout sauf de lui. Pourtant Elizabeth avait grande envie de savoir ce que Mrs Gardiner pensait de lui, et Mrs Gardiner aurait été fort satisfaite si sa nièce avait abordé le sujet.

Chapitre 46

LORSQU'ILS s'étaient installés à Lambton, Elizabeth avait été bien déçue de ne pas trouver de lettre de Jane, et cette déception s'était renouvelée chaque matin, mais le troisième jour, son inquiétude se dissipa en même temps que tout grief envers sa sœur puisqu'elle reçut deux lettres d'elle à la fois, une mention de la poste précisant que la première s'était trouvée dans une charrette attaquée par des zombies, d'où le retard dans sa livraison.

Les voyageurs s'apprêtaient à partir en promenade quand les lettres arrivèrent ; son oncle et sa tante partirent seuls pour la laisser en prendre connaissance tranquillement. Elle devait commencer par la missive égarée, car elle avait été rédigée cinq jours auparavant. Elle relatait d'abord toutes leurs petites fêtes et sorties, ainsi que le peu de nouvelles qu'offrait la région, mais la deuxième moitié, datée d'un jour plus tard, écrite dans une agitation visible, comportait des informations plus importantes, comme on va le voir :

Depuis que je t'ai écrit le paragraphe ci-dessus, très chère Lizzy, il s'est produit un événement tout à fait imprévu et grave. Ce que j'ai à dire concerne la pauvre Lydia. Hier à minuit, alors que nous étions tous couchés, un messager envoyé par le colonel Forster est venu nous apprendre qu'elle était partie pour l'Écosse avec un de ses officiers ; pour tout dire, avec Wickham ! Imagine notre surprise. Je suis tellement, tellement inquiète. C'est une union si imprudente, pour l'un comme pour l'autre ! Mais je veux garder espoir, et penser qu'on a calomnié ce pauvre Wickham. Qu'il soit irréfléchi et imprudent, je suis prête à le croire ; mais ce qui s'est passé montre qu'il n'est pas vraiment méchant, et il faut nous en réjouir. Au moins son choix est-il désintéressé, car il doit savoir que mon père ne pourra rien lui donner. Notre pauvre mère est bien affligée. Mon père supporte mieux la nouvelle. Je suis bien aise que nous ne leur ayons jamais raconté sa dispute avec Mr Darcy, ni comment il avait traité le valet sourd ; il nous appartient d'oublier tout cela.

Elizabeth prit l'autre lettre dès qu'elle eut terminé cette lecture, et l'ouvrit avec une impatience extrême. Cette seconde missive avait été rédigée un jour après la fin de la première.

Très chère Lizzy, je ne sais trop que t'écrire, mais j'ai de mauvaises nouvelles à te transmettre, et je ne puis les différer. Si malavisée que soit une alliance entre Mr Wickham et notre pauvre Lydia, nous sommes à présent très désireux d'apprendre que ce mariage a été célébré, car il n'y a que trop de raisons de craindre que Lydia n'ait été enlevée contre sa volonté ! Le colonel Forster est arrivé hier ; il avait quitté Brighton la veille, quelques heures après le messager. Bien que la courte lettre de Lydia pour Mrs Forster eût permis de déduire qu'ils voulaient s'enfuir tous les deux, un autre officier a laissé échapper qu'il ne croyait pas que Wickham eût aucune intention de ce genre ; ces propos, répétés au colonel, l'ont aussitôt alarmé et il s'est lancé à leur poursuite. Il a facilement suivi leurs traces jusqu'à Clapham, mais pas plus loin car, en atteignant cette ville, il s'est heurté à un grêle de balles de mousquet, et il a dû se mettre à couvert tandis que Wickham et Lydia louaient une voiture et lui faussaient compagnie. Ensuite, on sait seulement qu'ils ont été vus sur la route de Londres. J'ignore que penser. Après une enquête aussi approfondie que possible au sud de la capitale, le colonel Forster est venu jusqu'à Longbourn et nous a fait part de ses appréhensions d'une manière qui prouve son bon cœur. Je suis sincèrement désolée pour lui et pour Mrs Forster, mais personne ne peut les blâmer de quoi que ce soit. Notre désarroi est bien grand, ma chère Lizzy. Mon père et ma mère se préparent au pire, ils pensent qu'il ôtera à Lydia ses vêtements, son honneur et sa tête, successivement, mais je ne puis avoir une aussi mauvaise opinion de lui. Bien des circonstances rendent peut-être préférable pour eux de se marier à Londres, en privé, au lieu de suivre leur projet initial ; et même s'il a pu former un tel dessein contre une jeune fille dans la situation de Lydia, ce qui est peu vraisemblable, puis-je la supposer entièrement perdue ? Impossible ! Mon père part à l'instant pour Londres avec le colonel Forster, pour retrouver Lydia. Que prévoit-il de faire ? Je l'ignore, c'est certain, mais son excessive affliction ne lui permet pas d'agir de la façon la meilleure et la plus sûre, et le colonel Forster est obligé d'être rentré à Brighton demain soir. En pareille extrémité, les conseils et l'assistance de mon oncle seraient donc indispensables ; il comprendra aussitôt ce que j'éprouve et je me fie à sa bonté.

— Oh ! Mais où est donc mon oncle ? s'écria Elizabeth en bondissant de son siège dès qu'elle eut fini la lettre, sans perdre une minute d'un temps aussi précieux.

Alors qu'elle atteignait la porte, celle-ci fut ouverte par un domestique et Mr Darcy apparut. La pâleur et l'agitation d'Elizabeth le firent sursauter et, avant qu'il eût assez recouvré ses esprits pour parler, elle s'exclama en hâte :

— Je vous demande pardon, mais je dois vous quitter. Il faut que je trouve tout de suite Mr Gardiner, pour une affaire qui ne saurait tolérer aucun retard. Je n'ai pas un instant à perdre.

— Par l'Enfer ! Que se passe-t-il ? demanda-t-il. Je ne vous retiendrai pas, mais laissez-moi partir à la recherche de Mr et Mrs Gardiner, ou envoyez un domestique. Vous n'êtes pas en état d'y aller vous-même.

Elizabeth hésita, mais ses genoux tremblaient et elle sentit qu'il ne serait guère judicieux qu'elle se mît elle-même en quête de son oncle et de sa tante. Elle rappela donc le domestique et lui ordonna – d'une voix si haletante qu'elle en était presque incompréhensible – de ramener aussitôt son maître et sa maîtresse.

Dès qu'il fut sorti, elle s'assit, incapable de se soutenir, l'air si pitoyable que Darcy ne put la quitter, ni se retenir de dire, avec compassion et gentillesse :

— Permettez-moi d'appeler votre femme de chambre. N'y a-t-il rien que vous puissiez boire pour vous réconforter ? La médecine kampo fait des miracles. Irai-je vous chercher un remède ? Vous êtes bien mal en point.

— Non, merci, répondit-elle en tâchant de s'apaiser. Je n'ai rien du tout. Je vais très bien. Je suis simplement éprouvée par une affreuse nouvelle que je viens de recevoir de Longbourn.

Sur ces mots, elle éclata en sanglots et, pendant quelques minutes, fut incapable d'articuler un autre mot. Dans l'expectative, Darcy, bouleversé, ne put qu'exprimer vaguement son inquiétude et l'observer, dans un silence plein de compassion. Elle finit par reprendre la parole.

— Je viens d'avoir une lettre de Jane. Elle m'annonce une nouvelle épouvantable, qui ne pourra être dissimulée à personne. La plus jeune de mes sœurs est entre les mains de… de Mr Wickham. Ils sont partis ensemble de Brighton. Vous le connaissez trop bien pour ne pas imaginer la suite. Elle n'a ni argent, ni relations, rien qui puisse le tenter de l'épouser. Elle est perdue à tout jamais.

Darcy était pétrifié de stupeur.

— Quand je pense, ajouta-t-elle d'une voix plus agitée encore, que j'aurais pu empêcher cela, moi qui savais quel homme il était ! Si seulement j'avais expliqué à ma famille ne serait-ce qu'une partie de la vérité, une partie de ce que j'avais appris ! Si son caractère avait été connu, cela n'aurait pu arriver. Mais à présent, il est bien trop tard.

— J'en suis navré, vraiment, s'écria Darcy. Navré, choqué. Mais est-ce certain, absolument certain ?

— Oh, oui ! Ils ont quitté Brighton ensemble dimanche soir, on a suivi leur trace presque jusqu'à Londres, mais on la perd ensuite. Le colonel Forster a de bonnes raisons de penser que Lydia a été enlevée contre sa volonté.

— Et qu'a-t-on fait, qu'a-t-on tenté afin de la retrouver ?

— Mon père est parti pour Londres et Jane a écrit pour implorer l'assistance immédiate de mon oncle. Nous partirons d'ici une demi-heure, je l'espère. Mais il n'y a rien à faire. Comment pourra-t-on même découvrir où ils sont ? Je n'ai pas le moindre espoir.

D'un hochement de tête, Darcy acquiesça en silence.

— Et dire que mes yeux avaient été ouverts sur sa vraie nature ! Ah, si j'avais su ce qu'il me fallait faire, ce que je devais oser faire ! Mais je l'ignorais, je craignais d'aller trop loin. Quelle erreur, quelle erreur lamentable !

Darcy ne répondit rien. Il ne semblait pas même l'entendre et arpentait la pièce, plongé dans ses réflexions, le front plissé, l'air lugubre. Elizabeth le remarqua vite et comprit à l'instant. Elle était en train de sombrer dans son estime, comme tout allait sombrer face à cette preuve de la faiblesse de sa famille, cette certitude de la plus profonde infamie. Jamais elle ne s'était sentie aussi sincèrement éprise de lui, en cet instant où tout amour était vain.

Le visage caché derrière son mouchoir, Elizabeth perdit bientôt de vue tout le reste. Elle fut rappelée à la réalité par la voix de son compagnon :

— Plût au Ciel que je pusse dire ou faire quelque chose qui vous offrît un réconfort ! Mais je ne pourrais que vous tourmenter par de vains souhaits, et j'aurais l'air de quémander des remerciements. Hélas, cette malheureuse affaire privera ma sœur du plaisir de vous voir à Pemberley aujourd'hui.

— En effet. Ayez la bonté de présenter nos excuses à Miss Darcy. Dites-lui qu'une affaire urgente nous oblige à rentrer immédiatement. Dissimulez l'affreuse vérité tant que vous le pourrez. Je sais que ce ne sera pas longtemps possible.

Il l'assura bien volontiers de sa discrétion, exprima de nouveau la tristesse que lui inspirait son désarroi, et formula le désir que tout se terminât de façon plus heureuse qu'il ne semblait permis de l'espérer pour le moment. En la chargeant de ses compliments pour sa famille, il partit, avec un dernier regard plein de gravité.

Alors qu'il sortait, Elizabeth pressentit qu'ils n'avaient désormais plus guère de chances de se revoir avec la même cordialité. Tandis qu'elle portait un regard rétrospectif sur leurs relations qui avaient connu tant de hauts et de bas, elle soupira en songeant qu'elle déplorait maintenant de voir se dissoudre un lien dont elle aurait jadis accueilli la fin avec joie.

C'est à regret qu'elle vit partir Darcy ; ce premier exemple des conséquences inévitables du déshonneur de Lydia lui procura une angoisse supplémentaire lorsqu'elle médita sur cette déplorable affaire. Depuis qu'elle avait lu la deuxième lettre de Jane, elle n'imaginait plus que Wickham épouserait sa sœur. Seule Jane pouvait se flatter d'une telle espérance. La surprise n'était que la moins violente des sensations que lui causait la tournure des événements. Lorsqu'elle avait pris connaissance de la première lettre, Elizabeth n'avait éprouvé que de la surprise, de la stupeur à l'idée que Wickham eût capturé une disciple de Shaolin, même une écervelée comme Lydia. Mais à présent, tout ne lui semblait que trop naturel. La plus jeune des sœurs Bennet aimait tant la compagnie des beaux officiers qu'elle avait dû suffisamment baisser la garde pour rendre possible cette infamie.

Elizabeth n'avait plus qu'une hâte, être chez elle. Entendre, voir, être sur place, partager avec Jane les soucis pesant jusque-là sur ses seules épaules, dans une famille aussi perturbée : un père absent, une mère requérant des soins constants. Même si elle était presque persuadée qu'il n'y avait plus rien à faire pour Lydia, l'intervention de son oncle lui semblait de la plus haute importance, et son impatience lui ferait souffrir le martyre tant qu'il ne serait pas dans la pièce. Mr et Mrs Gardiner s'empressèrent de revenir, fort inquiets, supposant, d'après ce que leur avait dit leur domestique, que leur nièce avait été massacrée par l'ennemi. Après les avoir aussitôt rassurés sur ce point, Elizabeth leur communiqua vivement la raison de ce message, en leur lisant les deux lettres à haute voix. Mr et Mrs Gardiner ne purent qu'être profondément affligés. La nouvelle n'affectait pas seulement Lydia, elle les affectait tous. Après les premières exclamations de surprise et d'horreur, Mr Gardiner promit de les aider autant qu'il en serait capable. Elizabeth n'en attendait pas moins, mais le remercia avec des larmes de reconnaissance, et comme tous trois étaient animés de la même énergie, tous les détails de leur voyage furent bientôt arrêtés. Ils partiraient dès que possible.

— Mais que ferons-nous pour Pemberley ? s'écria Mrs Gardiner. John nous a dit que Mr Darcy était ici quand tu l'as envoyé nous chercher, est-ce vrai ?

— Oui, et je lui ai expliqué que nous ne pourrions pas honorer son invitation. Cette question-là est réglée.

Si Elizabeth avait eu le loisir d'être oisive, elle aurait eu la certitude que son trouble la rendait incapable de s'activer, mais elle avait sa part de travail aussi bien que sa tante et devait, entre autres, écrire à tous leurs amis de Lambton pour excuser leur départ en invoquant un faux prétexte. Tout fut néanmoins fini en une heure ; pendant ce temps, Mr Gardiner avait payé la note à l'auberge, et il n'y avait plus qu'à s'en aller. Après toutes les souffrances de cette matinée, Elizabeth se trouva donc, en moins de temps qu'elle ne l'aurait supposé, installée dans la voiture et sur la route de Longbourn.

Chapitre 47

— J'Y AI BIEN RÉFLÉCHI, Elizabeth, lui dit son oncle alors qu'ils quittaient Lambton, et vraiment, tout bien considéré, je suis beaucoup plus enclin qu'auparavant à partager l'opinion de ta sœur aînée. Je garde espoir car il me semble invraisemblable qu'un jeune homme forme un tel dessein contre une jeune fille qui n'est ni sans protections ni sans amis, et qui séjournait en fait chez son colonel. Pensait-il que ses amis n'auraient aucune réaction ? Pensait-il que ses sœurs ne le pourchasseraient pas jusqu'au bout du monde, le sabre à la main ? Pensait-il qu'il serait bien vu dans son régiment après un tel affront au colonel Forster ? Le risque dépasse de loin la tentation.

— Le croyez-vous, en vérité ? s'écria Elizabeth.

— Ma parole, dit Mrs Gardiner, je commence à être du même avis que ton oncle. C'est une trop grande atteinte aux convenances, à l'honneur et à l'intérêt pour qu'il en soit coupable. Je n'arrive pas à avoir une aussi mauvaise opinion de Wickham. Toi-même, Lizzy, peux-tu renoncer si entièrement à lui, au point de l'en croire capable ?

— Je m'étonne qu'il ait perdu de vue son propre intérêt, mais je le crois capable d'avoir négligé tout le reste. Ah, si seulement il en était ainsi ! Mais je n'ose l'espérer. Autrement, pourquoi aurait-il tiré sur le colonel ?

— Premièrement, répliqua Mrs Gardiner, nous n'avons pas de preuve absolue qu'ils n'aient pas le projet de se marier.

— Mais pourquoi tout ce secret ? Pourquoi craindre d'être découverts ? Pourquoi doivent-ils se marier en secret ? Ah, non, non, cela n'est pas vraisemblable. À ce que dit Jane, son ami officier était persuadé qu'il n'avait aucune intention d'épouser Lydia. Wickham n'a pas les moyens de conclure autre chose qu'un mariage d'argent. Et que peut offrir Lydia, quels charmes a-t-elle en dehors de sa jeunesse et de son palmarès de tueuse pour qu'il renonce à tout espoir de tirer profit d'une riche alliance ? Mais pour revenir à votre première objection, je ne pense pas qu'elle tienne. Nous ne pouvons, mes sœurs et moi, passer beaucoup de temps à traquer Wickham, car nous avons toutes reçu de Sa Majesté l'ordre de protéger le Hertfordshire contre les innommables jusqu'à ce nous soyons mortes, estropiées ou mariées.

— Mais peux-tu croire Lydia impuissante au point de se laisser déshonorer, elle et toute sa famille ?

— Il paraît choquant, et ce l'est bel et bien, répondit Elizabeth, les larmes aux yeux, de mettre à ce point en doute la maîtrise des arts meurtriers chez une demoiselle Bennet. Mais, réellement, je ne sais que dire. Je ne lui rends peut-être pas justice. Néanmoins, elle est très jeune, on ne lui a jamais appris à réfléchir aux choses sérieuses ; depuis six mois, et même depuis un an, sa vie n'est qu'amusement et vanité. On la laisse employer son temps de la façon la plus oiseuse et la plus frivole, on la laisse négliger l'entraînement quotidien, la méditation, et jusqu'aux exercices respiratoires. Depuis que la milice est arrivée à Meryton, Lydia n'a plus en tête qu'amour, flirt et officiers. Et nous savons que, dans sa personne comme dans ses discours, Wickham a tous les charmes qui peuvent captiver une femme.

— Mais tu vois bien, remarqua sa tante, que Jane n'a pas assez mauvaise opinion de lui pour le croire capable d'une telle entreprise.

— Jane pense-t-elle du mal de quiconque ? Je l'ai vue bercer des innommables dans ses bras, s'excuser avant de leur arracher les membres, alors même qu'ils essayaient de la mordre. Mais Jane connaît aussi bien que moi la vraie nature de Wickham. Nous savons toutes deux que c'est un débauché dans tous les sens du terme. Qu'il n'a ni intégrité ni honneur.

— Sais-tu vraiment tout cela ? s'exclama Mrs Gardiner.

— Oui, je vous assure, répondit Elizabeth, le rouge aux joues. Je vous ai raconté l'autre jour son comportement infâme avec Mr Darcy et, lors de votre dernier séjour à Longbourn, vous avez vous-même entendu comment il parle de celui qui s'est conduit envers lui avec tant de générosité et de tolérance. Et il y a d'autres circonstances qu'il ne m'est pas permis, qu'il ne vaut pas la peine de relater, mais ses mensonges sont sans fin au sujet de toute la famille de Pemberley.

— Lydia ne sait-elle rien de cela ? Peut-elle ignorer ce que Jane et toi vous semblez si bien comprendre ?

— Oui, hélas ! Et c'est bien le pire. Moi-même, j'ignorais cette vérité avant mon séjour dans le Kent, pendant lequel j'ai beaucoup vu Mr Darcy et son cousin, le colonel Fitzwilliam. J'étais si ignorante que mon honneur m'a imposé de m'infliger les sept balafres. Et quand je suis rentrée à la maison, la milice devait quitter Meryton une semaine ou quinze jours après. J'ai tout raconté à Jane et nous n'avons pas cru nécessaire, ni elle ni moi, de diffuser ces informations, car dans ces conditions, à quoi aurait-il bien pu servir alors de renverser la bonne opinion que tout le voisinage avait de lui ? Et même lorsqu'il fut décidé que Lydia partirait avec Mrs Forster, il ne m'est jamais apparu indispensable de lui ouvrir les yeux sur le caractère de Wickham.

— Quand ils sont allés à Brighton, tu n'avais donc aucune raison de les croire épris l'un de l'autre ?

— Pas la moindre. Je ne me rappelle aucun symptôme d'affection chez elle ou chez lui, hormis qu'elle s'était tatoué son nom sur le ventre avec un poignard, mais elle était coutumière du fait. Quand il est arrivé dans le régiment, Lydia était assez disposée à l'admirer, mais nous l'étions toutes. Pendant les deux premiers mois, toutes les filles de Meryton et des environs ont perdu la tête à cause de lui, mais comme il ne lui a jamais accordé aucune attention particulière, elle l'a oublié après une courte période d'admiration extravagante et folle, et d'autres officiers qui la traitaient avec plus d'égards ont eu sa préférence.

Aucune autre question ne les occupa longtemps pendant tout le trajet, même si la réitération de leurs craintes, de leurs espoirs et de leurs conjectures ne pouvait rien y apporter de nouveau.

Le sujet n'était jamais absent des pensées d'Elizabeth, où il était ancré par la plus vive des angoisses : le reproche qui la torturait. Elle ne pouvait trouver aucun répit.

Ils voyagèrent aussi vite que possible jusqu'au village de Lowe, où venait de se produire une escarmouche entre l'armée du roi et une horde venue du sud. La route y était si jonchée de corps (humains et zombies) qu'elle devenait presque infranchissable. Comme il était dangereux de toucher les cadavres, le cocher fut forcé d'attacher au cou des chevaux, à l'aide de lanières de cuir, un triangle de fer qui formait devant eux comme une charrue, afin d'écarter les corps du passage.

Résolue à ne pas se laisser retarder, Elizabeth s'assit à côté du cocher avec son Brown Bess, prête à répondre par des coups de feu au moindre signe de péril. Elle lui ordonna de ne s'arrêter sous aucun prétexte : même les besoins les plus naturels devraient être assouvis sans bouger de leur place. Ils roulèrent toute la nuit et atteignirent Longbourn le lendemain à l'heure du dîner. Ce fut pour Elizabeth un grand réconfort de songer que Jane ne pouvait avoir souffert d'une longue attente.

Attirés par le spectacle, les petits Gardiner se tenaient sur le seuil de la maison lorsque la voiture traversa le champ et, quand elle s'arrêta devant la porte, une heureuse surprise éclaira leur visage, première manifestation de joie marquant le retour des voyageurs.

Elizabeth sauta à bas de la voiture et, après avoir bien vite accordé un baiser à chacun des enfants, elle courut dans le vestibule où Jane vint aussitôt à sa rencontre.

Tandis que les larmes emplissaient leurs yeux, pendant leur embrassade affectueuse, Elizabeth ne perdit pas un instant pour demander si l'on avait des nouvelles des fugitifs.

— Pas encore, répondit Jane. Mais maintenant que mon cher oncle est ici, j'espère que tout ira bien. Oh, Lizzy ! Notre sœur enlevée et déshonorée à plusieurs reprises, alors que nous sommes ici, impuissantes !

— Notre père est-il à Londres ?

— Oui, il y est allé mardi comme je t'en ai prévenue.

— Et t'a-t-il écrit régulièrement ?

— Deux fois seulement. Il m'a adressé quelques mots mercredi, pour dire qu'il était arrivé sain et sauf, et pour me faire part de ses instructions, comme je l'en avais prié. Il ajoutait seulement qu'il n'écrirait plus tant qu'il n'aurait rien d'important à communiquer.

— Et notre mère, comment va-t-elle ? Comment allez-vous toutes ?

— Notre mère se porte assez bien, je crois, elle boit du jus de bambou noir en quantité et prend lavement sur lavement. Elle est à l'étage et sera bien contente de vous voir tous les trois. Elle ne quitte toujours pas son boudoir. Mary et Kitty vont fort bien, Dieu merci, elles ont prêté le serment du sang contre Mr Wickham, les chères petites.

— Mais toi, comment vas-tu ? s'écria Elizabeth. Tu as l'air pâle. Tu dois avoir tant souffert !

Sa sœur lui assura néanmoins qu'elle allait parfaitement bien, et leur conversation, commencée alors que Mr et Mrs Gardiner étaient accaparés par leurs enfants, prit fin lorsque ceux-ci les rejoignirent. Jane courut vers son oncle et sa tante et les remercia tous deux, en alternant sourires et larmes.

Quand ils se retrouvèrent tous dans le salon, les questions déjà posées par Elizabeth furent bien sûr répétées par les Gardiner, qui comprirent vite qu'ils n'avaient rien de nouveau à apprendre. Avec son optimisme viscéral, Jane espérait encore que tout finirait bien et que chaque matin apporterait une lettre, de Lydia ou de son père, expliquant leurs actes et peut-être annonçant le mariage.

Mrs Bennet, qu'ils montèrent tous voir au bout de quelques minutes de conversation, les accueillit exactement comme on pouvait s'y attendre : avec des lamentations et des larmes amères, des invectives contre la conduite abjecte de Wickham, accusant tout le monde sauf la personne dont l'indulgence malavisée était la principale responsable des erreurs de sa fille.

— Si j'avais pu aller à Brighton avec toute ma famille, comme je le voulais, cette horrible chose ne serait pas arrivée, mais voilà, la pauvre chère Lydia n'avait personne pour s'occuper d'elle. Pourquoi les Forster l'ont-ils laissée échapper un instant à leur vigilance ? Je suis sûre qu'il y a eu une grande négligence de leur part, car elle n'est pas fille à faire ce genre de chose, si elle avait été bien surveillée. Je les ai toujours jugés indignes qu'on la leur confiât, mais on a passé outre, car on ne m'écoute jamais. Pauvre chère enfant ! Et voilà maintenant Mr Bennet parti, et je sais qu'il se battra en duel avec Wickham dès qu'il l'aura rencontré, qu'il sera tué, car même s'il a la tête farcie de ruses orientales, son vieux corps fragile n'a plus son agilité d'autrefois. Et alors, que deviendrons-nous toutes ? Les Collins nous mettront dehors avant qu'il ait refroidi dans sa tombe, et si vous n'êtes pas bon avec nous, mon frère, je ne sais pas ce que nous ferons.

Tous se récrièrent contre des idées aussi affreuses et, après l'avoir assurée de son affection pour elle et pour sa famille, Mr Gardiner lui dit qu'il comptait bien être à Londres dès le lendemain, afin d'aider Mr Bennet dans toutes ses démarches visant à retrouver Lydia.

— Ne vous tourmentez pas inutilement, ajouta-t-il. Même s'il vaut mieux se préparer au pire, il n'y a aucune raison de le juger inévitable. Cela fait moins d'une semaine qu'ils ont quitté Brighton. Dans quelques jours, nous aurons peut-être des nouvelles d'eux. Si nous apprenons qu'ils ne sont pas mariés et qu'ils n'ont nulle intention de l'être, il sera bien temps de considérer que son honneur est perdu. Dès que je serai à Londres, j'irai voir mon beau-frère, je le ramènerai avec moi dans la sixième section est, et nous réfléchirons ensemble à la marche à suivre.

— Oh, mon cher frère ! répondit Mrs Bennet, c'est exactement ce que je souhaite le plus. Quand vous serez là-bas, retrouvez-les donc, où qu'ils soient, et s'ils ne sont pas encore mariés, obligez-les à le faire. Qu'ils n'attendent pas d'avoir un trousseau, mais dites à Lydia qu'elle aura tout l'argent qu'elle voudra pour l'acheter après le mariage. Et surtout, empêchez Mr Bennet de se battre. Dites-lui dans quel état épouvantable je suis, que la peur me fait perdre la tête, que je suis tout accablée de frissons et de tremblements, de spasmes au côté, de maux de tête, et dites-lui aussi que nos réserves de jus de bambou s'épuisent, qu'il m'en rapporte du noir, pas du vert, le vert me donne des gaz.

Mr Gardiner lui répéta qu'il se mettrait entièrement au service de la cause. Après lui avoir ainsi parlé jusqu'à ce que le dîner fût servi, ils la laissèrent s'épancher auprès de la femme de charge, qui vint remplacer ses filles à son chevet.

Bien que son frère et sa belle-sœur l'eussent persuadée qu'elle n'avait aucune raison réelle de s'isoler ainsi de la famille, ils ne tentèrent pas de s'y opposer. Dans la salle à manger, ils furent bientôt rejoints par Mary et Kitty, jusque-là trop occupées à s'entraîner au combat pour faire une apparition. Elles ne s'occupaient plus à grand-chose d'autre depuis qu'elles avaient prêté le serment du sang. Mary murmura à Elizabeth, peu après s'être attablée :

— C'est une affaire bien regrettable, qui fera probablement jaser. Mais nous devons endiguer le flot des bavardages inutiles et verser le baume de la vengeance sur les plaies de nos cœurs.

S'apercevant qu'Elizabeth n'avait pas l'intention de répliquer, elle ajouta :

— Si lamentable que soit cet événement pour Lydia, nous pouvons en tirer cette leçon utile, qu'une femme perd sa vertu aussi facilement qu'un de ses habits, qu'un faux pas est source de malheurs infinis, que le seul remède à une blessure d'honneur est de faire couler le sang de celui qui a causé son infamie.

Elizabeth leva les yeux, stupéfaite, mais elle était trop oppressée pour répondre. Mary n'en continua pas moins à se consoler en déduisant des maximes morales des maux auxquels elles étaient confrontées.

Dans l'après-midi, les deux aînées purent rester seules une demi-heure. Après s'être jointe au concert des lamentations sur le déplorable déshonneur de leur sœur, qu'Elizabeth considérait comme presque avéré et dont Jane ne pouvait affirmer qu'il fût totalement impossible, la cadette poursuivit ainsi :

— Mais dis-moi absolument tout, tout ce que je ne sais pas encore. Donne-moi plus de détails. Qu'a dit le colonel Forster ? Ne s'étaient-ils doutés de rien jusqu'au jour de l'enlèvement ?

— Le colonel Forster a admis qu'il avait souvent soupçonné une inclination, surtout de la part de Lydia, mais rien qui dût l'inquiéter. Je suis bien désolée pour lui ! Il s'est montré on ne peut plus aimable et prévenant. Il venait nous assurer de sa sympathie avant même de savoir que Wickham n'envisageait pas le mariage ; lorsqu'il l'a appris, cela n'a fait que précipiter son voyage.

— Et l'autre officier était-il convaincu que Wickham ne se marierait pas ? Était-il au courant de leur projet de fuite ?

— Oui, mais lorsqu'on l'a interrogé, cet officier a prétendu tout ignorer de leurs projets et a refusé de dire ce qu'il en pensait vraiment, même quand le colonel l'a menacé de donner ses organes les plus précieux en pâture aux innommables. Il n'a pas répété qu'il ne croyait pas à ce mariage, ce qui me laisse espérer qu'il avait auparavant été victime d'un malentendu.

— Et avant la visite du colonel Forster, personne ici n'imaginait qu'ils n'étaient pas mariés, je suppose ?

— Comment une telle idée aurait-elle pu nous venir à l'esprit ? J'étais un peu mal à l'aise, je doutais un peu que ma sœur pût être heureuse en ménage avec lui, parce que je savais qu'il ne s'était pas toujours bien conduit. Notre père et notre mère n'en savaient rien, ils sentaient seulement que c'était une union imprudente. Kitty, naturellement très fière d'en savoir plus que nous, a alors avoué que, dans sa dernière lettre, Lydia l'avait avertie de ce qui se tramait. Elle savait depuis de nombreuses semaines, semble-t-il, qu'ils étaient épris l'un de l'autre.

— Mais pas avant qu'ils partissent pour Brighton ?

— Non, je ne crois pas.

— Et le colonel Forster avait-il lui aussi mauvaise opinion de Wickham ? Connaît-il son véritable caractère ?

— Je dois admettre qu'il ne nous a pas dit autant de bien de Wickham que par le passé. Il l'a qualifié d'imprudent et d'extravagant. Et depuis que cette triste affaire a eu lieu, on prétend que Wickham a laissé de nombreuses dettes derrière lui, à Meryton, et qu'il a abandonné une pauvre laitière en bien mauvaise posture, mais j'espère que ce n'est pas vrai.

— Ah, Jane, si nous avions raconté ce que nous savions de lui, cela n'aurait pas pu arriver !

— Peut-être aurions-nous dû le faire, répondit sa sœur. Mais il ne nous paraissait pas défendable de dévoiler les erreurs passées d'une personne sans connaître ses sentiments présents. Nous avons agi avec les meilleures intentions.

— Le colonel Forster a-t-il communiqué le contenu de la lettre que Lydia a écrite à son épouse ?

— Il l'a apportée pour nous la montrer.

Jane la sortit de son carnet et la tendit à Elizabeth.

Ma chère Harriet,

Tu riras quand tu sauras que je suis partie, et je ne peux moi-même m'empêcher de rire en songeant à ta surprise demain matin, dès qu'on s'apercevra de ma disparition. Je vais à Gretna Green, et si tu ne peux deviner avec qui, je croirai qu'un zombie t'a grignoté la cervelle, car il n'y a qu'un homme que j'aime au monde, et c'est un ange. Comme je ne saurais être heureuse sans lui, je ne vois rien de mal à m'enfuir. Tu n'es pas obligée d'écrire à Longbourn pour les informer de mon départ si tu n'en as pas envie, car cela rendra la surprise d'autant plus grande quand je leur écrirai en signant « Lydia Wickham ». Quelle bonne plaisanterie ! Je ris tellement que je ne peux presque plus écrire.

J'enverrai chercher mes vêtements quand je serai à Longbourn, mais je voudrais que tu demandes à Sally de réparer une grande déchirure causée par une griffe de zombie dans ma robe de mousseline brodée avant que tout soit emballé. Au revoir. Toute mon affection au colonel Forster, j'espère que vous boirez à notre bon voyage.

Ta tendre amie,

Lydia Bennet

— Ah, quelle écervelée que Lydia ! s'écria Elizabeth lorsqu'elle eut fini de lire. Écrire cette lettre en pareil moment !

Mais cela montre au moins qu'elle était sérieuse quant au but de leur voyage. Quoi qu'il ait pu la convaincre de faire ensuite, elle n'avait conçu, elle, aucun projet indigne. Mon pauvre père, comme il a dû en souffrir !

— Je n'ai jamais vu personne d'aussi choqué. Il est resté dix minutes incapable de prononcer un mot. Ma mère est aussitôt tombée malade et ce fut la panique dans toute la maison !

— Oh, Jane ! fit Elizabeth. Tu n'as pas l'air bien. Ah, si j'avais été avec toi ! Tu as eu à supporter seule tous ces soucis et toute cette angoisse.

— Mary et Kitty ont été très gentilles et auraient partagé toutes mes fatigues, j'en suis sûre, si elles n'avaient pas été occupées à comploter la mort de Mr Wickham. Notre tante Philips est venue mardi à Longbourn, une fois notre père parti, et elle a eu la bonté de rester avec moi jusqu'au jeudi. Elle sait parfaitement doser les tisanes de bambou. Lady Lucas s'est montrée très aimable, elle aussi ; elle est venue ici mercredi matin nous proposer ses services, ainsi que l'aide de n'importe laquelle de ses filles, si nous en avions besoin.

Au nom de Lady Lucas, les pensées d'Elizabeth se tournèrent vers Hunsford. Elle se demanda s'il restait quoi que ce soit de la Charlotte d'autrefois, et si Mr Collins avait enfin pris conscience de son état. Un certain temps s'était écoulé depuis la dernière lettre qu'elle avait reçue du presbytère. Son amie vivait-elle encore ? Le sujet était trop affreux pour qu'on s'y attardât. Elle s'enquit alors des mesures que son père comptait prendre, à Londres, pour retrouver sa fille.

— Il pensait aller à Epsom, je crois, là où ils ont changé de chevaux pour la dernière fois. Son principal objectif est de découvrir le numéro de la voiture qu'ils ont prise à Clapham après que Mr Wickham avait essayé de tuer le colonel. Elle arrivait de Londres et, comme il pense qu'on a dû remarquer ce couple qui changeait de véhicule tout en tirant une pluie de coups de mousquet, c'est là qu'il voulait commencer son enquête.

Chapitre 48

LE LENDEMAIN, tout le monde comptait sur une lettre de Mr Bennet, mais le courrier vint sans apporter le moindre mot de lui. Sa famille savait que c'était, en temps ordinaire, un correspondant fort négligent et toujours en retard, mais vu la circonstance, on espérait qu'il ferait un effort. On dut conclure qu'il n'avait aucune bonne nouvelle à leur envoyer, mais même de cela, tous auraient aimé être sûrs. Mr Gardiner ne s'était pas mis en route avant que le courrier arrivât, s'étant assuré la protection de trois mercenaires armés pour lui garantir un voyage rapide.

Mrs Gardiner devait rester quelques jours encore avec ses enfants dans le Hertfordshire, car elle pensait pouvoir ainsi rendre service à ses nièces. Elle les relayait au chevet de Mrs Bennet et était d'un grand réconfort pour elles dans leurs heures de liberté. Leur autre tante venait souvent les voir, elle aussi, et toujours dans le but de les ragaillardir et de leur donner du cœur, selon ses propres termes, mais comme elle leur relatait chaque fois un nouveau ragot sur Wickham qui avait abandonné telle note impayée ou tel enfant bâtard, elle les quittait toujours plus abattues qu'avant sa visite.

Tout Meryton semblait chercher à noircir cet homme qui, à peine trois mois auparavant, était encensé. On proclamait qu'il avait des dettes dans chaque boutique de la ville et l'on étendait ses intrigues, uniformément honorées du titre de « séductions », aux familles de tous les commerçants. Chacun affirmait qu'il était le pire des mauvais sujets, et commençait à prétendre s'être depuis toujours méfié de sa bonté apparente. Bien qu'elle n'ajoutât pas foi à la moitié de ce qui se disait, Elizabeth en croyait assez pour confirmer sa conviction première : la perte de sa sœur était certaine. Même Jane, qui prêtait encore moins de substance aux rumeurs, en vint presque à désespérer, d'autant plus que, s'ils s'étaient mariés, on aurait selon toute vraisemblance déjà dû recevoir des nouvelles d'eux.

Mr Gardiner avait quitté Longbourn un dimanche ; le mardi, sa femme reçut de lui une lettre leur apprenant qu'à son arrivée il était aussitôt allé voir son beau-frère et l'avait persuadé de s'installer dans la sixième section est. Mr Bennet était déjà allé à Epsom et à Clapham, mais sans y recueillir aucune information satisfaisante, et il avait à présent décidé d'enquêter auprès des principaux hôtels de la capitale. La lettre comportait en outre ce post-scriptum :

J'ai demandé au colonel Forster d'interroger les intimes de Wickham au régiment, pour tâcher de déterminer si ce jeune homme a des relations ou des connaissances susceptibles de savoir dans quel quartier de Londres il se dissimule à présent. S'il existait quelqu'un à qui poser la question avec une chance d'obtenir ce genre d'indice, cela serait d'une importance extrême. En ce moment, nous n'avons rien pour nous guider. J'imagine que le colonel Forster fera son possible afin de nous renseigner mais, à y bien réfléchir, peut-être Lizzy pourrait-elle, mieux que quiconque, nous dire s'il a des parents en vie.

Elizabeth n'avait jamais entendu dire que Wickham eût de la famille, à part son père et sa mère, morts tous deux depuis de nombreuses années. Il était néanmoins possible que certains de ses compagnons de la milice pussent leur en apprendre davantage, même si elle doutait fort du succès de cette entreprise.

Elizabeth et Jane ne trouvaient aucun réconfort dans leurs entraînements quotidiens, pas plus qu'elles ne pouvaient compter sur leurs sœurs pour leur tenir compagnie, car celles-ci étaient occupées à concevoir une nouvelle méthode d'éviscération pour châtier Wickham. Chaque jour à Longbourn était désormais un jour d'angoisse, mais l'instant d'anxiété suprême était celui où passait le facteur. L'arrivée du courrier était guettée tous les matins avec une impatience sans égale. C'est par les lettres que leur seraient communiquées les nouvelles bonnes ou mauvaises, et l'on comptait sur chaque jour pour apporter des informations importantes.

Pourtant, avant que Mr Gardiner leur écrivît une deuxième fois, une lettre destinée à leur père leur parvint d'une tout autre source : de Mr Collins. Comme Jane avait reçu l'instruction d'ouvrir tout le courrier que Mr Bennet recevrait en son absence, elle lut la missive en question ; et Elizabeth, qui savait quelles curiosités ces lettres étaient toujours, la lut aussi, par-dessus l'épaule de sa sœur.

Mon cher Monsieur,

Je sens que le devoir m'incombe, de par notre parenté et mon état dans la vie, de vous prodiguer toute ma compassion pour la pénible affliction dans laquelle vous êtes présentement plongé, et de vous informer de mon propre chagrin, dû à une tragédie dont est victime l'une de vos plus chères connaissances, mon épouse bien-aimée, Charlotte. J'ai la triste obligation de vous apprendre qu'elle n'est plus avec nous sur cette terre, qu'elle a été frappée par l'étrange épidémie, mal auquel nous sommes tous restés aveugles jusqu'à ce que Lady Catherine de Bourgh condescendît fort gracieusement à le signaler à mon attention. Sa Seigneurie, je pourrais le préciser, a eu la grande bonté de proposer son concours personnel pour décapiter et brûler le corps comme il se doit, mais j'ai cru que mon statut conjugal m'imposait d'accomplir ces rites de ma propre main, si tremblante qu'elle fût. Soyez assuré, mon cher monsieur, que malgré le deuil qui me frappe, j'éprouve un apitoiement sincère pour vous et toute votre respectable famille, dans votre détresse actuelle, qui doit être des plus amères. La mort de votre fille aurait été une bénédiction, comparée à cela, tout comme la décapitation et la crémation de mon épouse constituaient un sort préférable à la voir rejoindre les rangs de l'armée de Lucifer. Vous êtes infiniment à plaindre, opinion que partagent avec moi Lady Catherine et sa fille, auxquelles j'ai relaté l'affaire. Elles se joignent à moi pour craindre que le déshonneur d'une de vos enfants ne se traduise par des répercussions fâcheuses sur la destinée de toutes les autres car, comme Lady Catherine a eu la condescendance de le déclarer, qui ira s'allier à une telle famille ? Permettez-moi par conséquent de vous conseiller, mon cher monsieur, de chasser à tout jamais de votre sein cette fille indigne, et de la laisser récolter les fruits de son détestable forfait. Et je conclurai en vous félicitant : je n'aurai en effet plus besoin de Longbourn à votre mort, ayant été mordu par mon épouse bien-aimée avant sa triste fin. Je serai donc moi-même trépassé lorsque cette lettre vous parviendra, pendu à une branche de l'arbre préféré de Charlotte, dans ce jardin dont Sa Seigneurie a eu la magnanimité de nous concéder l'entretien.

Je vous prie d'agréer, cher Monsieur, etc., etc.

Mr Gardiner écrivit seulement lorsqu'il eut reçu une réponse du colonel Forster, mais il n'avait rien de bien réjouissant à signaler. Personne ne savait si Wickham avait le moindre parent avec qui il fût en rapport, et il était certain qu'aucun de ses proches n'était plus en vie. Il avait jadis eu beaucoup d'amis mais, depuis qu'il était entré dans la milice, il semblait n'avoir conservé de relations intimes avec aucun d'eux. Il n'y avait donc personne qu'on pût désigner comme susceptible de les renseigner sur son compte. Et ses finances maintenant au plus bas étaient une excellente raison de l'inciter au secret, outre sa peur d'être découvert par la famille de Lydia, car on venait d'apprendre qu'il avait accumulé les bâtards et les dettes de jeu en quantité considérable. Le colonel Forster estimait à plus de mille livres la somme nécessaire pour régler ses dépenses à Brighton, et il faudrait encore mille livres pour dédommager ces pauvres filles qu'il avait marquées du sceau de la honte. Mr Gardiner n'essayait pas de cacher ces détails aux habitantes de Longbourn, et Jane réagit avec horreur :

— Un joueur ! Un faiseur de bâtards ! s'écria-t-elle. Voilà qui est tout à fait inattendu. Je ne le soupçonnais pas du tout.

Dans sa lettre, Mr Gardiner ajoutait qu'elles pouvaient s'attendre à voir leur père de retour le lendemain, qui était un samedi. Découragé par l'insuccès de toutes ses tentatives, il cédait à la prière de son beau-frère et s'en retournait chez lui. Quand Mrs Bennet en fut informée, elle en exprima moins de satisfaction que ses enfants ne l'avaient prévu, compte tenu des craintes qu'elle avait eues jusque-là pour la vie de son mari.

— Quoi ? Il revient, et sans la pauvre Lydia ! s'exclama-t-elle. Il ne va sûrement pas quitter Londres sans les avoir retrouvés. Qui va se battre contre Wickham et l'obliger à l'épouser, si Mr Bennet s'en va ?

Comme il tardait maintenant à Mrs Gardiner d'être chez elle, on décida qu'elle partirait pour Londres avec ses enfants, en même temps que Mr Bennet en reviendrait. La voiture les emmènerait pour la première partie du voyage et ramènerait à Longbourn le maître des lieux.

Lorsqu'elle s'en alla, Mrs Gardiner gardait intacte toute la perplexité que lui inspiraient les relations d'Elizabeth et de son ami depuis qu'ils l'avaient rencontré dans le Derbyshire. De manière délibérée, son nom n'avait jamais été mentionné dans les conversations entre la nièce et la tante, et depuis son retour, Elizabeth n'avait reçu aucune lettre qui pût venir de Pemberley.

Les malheurs présents de la famille rendaient inutile toute autre excuse à son abattement. Désormais assez au fait de ses propres sentiments, Elizabeth sentait fort bien qu'elle aurait un peu mieux supporté la terrible perspective du déshonneur de Lydia si elle n'avait jamais connu Darcy. Cela lui aurait épargné de ne pouvoir trouver le sommeil une nuit sur deux.

À son arrivée, Mr Bennet présentait en apparence tout le calme philosophique qui le caractérisait. Il était aussi peu bavard qu'à son ordinaire, ne fit aucune allusion aux affaires qui l'avaient attiré à Londres, hormis pour dire que le jus de bambou noir était devenu introuvable, et il s'écoula quelque temps avant que ses filles eussent le courage de lui parler.

C'est seulement dans l'après-midi, quand il les rejoignit pour le thé, qu'Elizabeth se risqua à aborder le sujet. Lorsqu'elle exprima brièvement ses regrets pour tout ce qu'il devait avoir enduré, il répondit :

— Ne parlons pas de cela. Qui d'autre que moi devrait en souffrir ? « Pour chaque coup de verge sur le dos du disciple, le maître en mérite deux. » N'est-ce pas ce que disait maître Liu ?

— Vous ne devez pas être trop sévère avec vous-même, répondit Elizabeth.

— Tu fais bien de me mettre en garde contre ce danger. La nature humaine y est si encline ! Non, Lizzy, pour une fois dans ma vie, laisse-moi sentir combien je suis coupable. Car c'est moi qui ai décidé que vous seriez des guerrières et non de vraies demoiselles. C'est moi qui ai veillé à vous instruire dans l'art de donner la mort, et qui ai négligé de vous apprendre les choses de la vie. Accorde-moi la honte, car elle est bien méritée.

— Pensez-vous qu'ils soient encore à Londres ?

— Oui. Comment pourraient-ils se cacher aussi bien ailleurs ?

— Et Lydia a toujours eu envie d'aller à Londres, ajouta Kitty.

— Alors elle est heureuse, dit sèchement son père, et elle y résidera sans doute pendant un bon moment.

Puis, après un bref silence, il poursuivit :

— Lizzy, je ne t'en veux pas d'avoir eu raison en mai dernier et, compte tenu de la suite des événements, tes conseils prouvent une certaine intelligence.

Ils furent interrompus par Kitty, venue chercher le thé de sa mère.

— Quelle comédie ! s'exclama-t-il. Ne puis-je avoir un instant de paix où souffrir de mon infortune ? Demain, je m'installerai dans ma bibliothèque, en robe de chambre de soie et coiffé de mon bonnet de nuit, et j'y resterai jusqu'à ce que Kitty se soit enfuie.

— Je n'ai pas l'intention de m'enfuir, papa, s'empressa de répliquer Kitty. Si j'allais un jour à Brighton, je me conduirais mieux que Lydia.

— Toi, à Brighton ! Je ne te ferais pas confiance pour aller ne serait-ce qu'à Eastbourne, même si l'on m'offrait cinquante livres ! Non, Kitty, j'ai au moins appris à me montrer prudent, et tu en sentiras les effets. Plus aucun officier n'entrera dans ma maison, ni même ne traversera le village. Les bals seront absolument interdits, à moins que tu ne danses avec l'une de tes sœurs. Et tu ne sortiras plus d'ici tant que tu ne pourras pas prouver que tu as consacré dix heures de chaque journée à tes études.

Kitty, prenant toutes ces menaces au sérieux, se mit à pleurer.

— Allons, allons, dit-il, ne te tourmente pas ainsi. Si tu es une bonne fille pendant les dix années qui viennent, je t'emmènerai à une revue au bout de ce temps-là.

Chapitre 49

DEUX JOURS APRÈS le retour de Mr Bennet, tandis qu'elles traquaient un daim dans le jardin, derrière la maison, Jane et Elizabeth virent la femme de charge s'avancer vers elles et, devinant qu'elle voulait leur signaler le dernier accès de ballonnement de leur mère, elles allèrent à sa rencontre. Pourtant, lorsqu'elles se furent approchées, celle-ci dit à Miss Bennet, au lieu du bulletin attendu :

— Je vous demande pardon de vous déranger, mademoiselle, mais j'espérais que vous auriez reçu de bonnes nouvelles de Londres, alors j'ai pris la liberté de venir vous poser la question.

— Que voulez-vous dire, Hill ? Nous n'avons reçu aucun courrier.

— Chère mademoiselle, s'écria Mrs Hill, tout étonnée, ne savez-vous pas qu'un messager vient d'arriver pour Monsieur, de la part de Mr Gardiner ? Voilà une demi-heure qu'il est là, et il avait une lettre pour Monsieur.

Les jeunes filles partirent en courant, trop pressées pour avoir le temps de parler. Elles traversèrent le vestibule en hâte, jusqu'à la salle à manger, puis gagnèrent la bibliothèque. Leur père n'était nulle part, et elles étaient sur le point d'aller le chercher à l'étage, auprès de leur mère, lorsqu'elles croisèrent le majordome :

— Si vous cherchez Monsieur, mademoiselle, il est sur le chemin du dojo.

Là-dessus, elles retraversèrent aussitôt vers le vestibule et s'élancèrent sur la pelouse à la poursuite de leur père, qui se dirigeait lentement vers le petit bâtiment.

Elizabeth le rattrapa et le héla vivement :

— Oh, papa, quelles nouvelles ? Quelles nouvelles ? Mon oncle vous a écrit ?

— Oui, il m'a fait porter une lettre par un messager.

— Eh bien, quel genre de nouvelles contient-elle ? Bonnes ou mauvaises ?

— Que peut-on attendre de bon ? répliqua-t-il en sortant la lettre de sa poche. Peut-être voudras-tu la lire toi-même.

Elizabeth la lui prit des mains avec impatience. Jane l'avait maintenant rattrapée.

— Lis-la à haute voix, ordonna leur père, car je ne sais pas trop moi-même ce qu'elle dit.

Sixième section est, lundi 2 août

Mon cher beau-frère,

Je suis enfin en mesure de vous envoyer des nouvelles de ma nièce et j'espère que, dans l'ensemble, elles vous donneront satisfaction. Peu après votre départ, samedi, j'ai eu la chance d'apprendre dans quel quartier de Londres ils se trouvaient. Je vous ferai part des détails lorsque nous nous verrons. Il vous suffira de savoir qu'ils sont découverts, je les ai vus tous les deux…

— Alors, comme je l'ai toujours espéré, ils sont mariés ! s'exclama Jane.

Elizabeth reprit sa lecture :

… je les ai vus tous les deux. Ils ne sont pas mariés, et je ne vois pas qu'ils en aient jamais eu l'intention, mais j'ai le plaisir de vous signaler que Mr Wickham a récemment changé d'avis à ce sujet et qu'il souhaite être marié au plus vite. Il se trouve cependant dans un état fort pitoyable, car un accident l'a cloué au lit, incapable de bouger ses membres ou de contrôler ses fonctions corporelles. Les médecins pensent, je le crains, qu'il restera ainsi jusqu'à la fin de ses jours, mais imaginez leur soulagement de savoir qu'il aura une épouse dévouée pour veiller à tous ses besoins jusqu'à ce que la mort les sépare. Il ne souhaite pas toucher un sou des cinq mille livres de votre fille, et il ne demande pas plus de cent livres par an pour payer son entretien. Je n'ai pas hésité à accepter ces conditions, tout bien considéré, dans la mesure où je m'y sentais autorisé. Je vous envoie cette lettre par messager, afin d'obtenir votre réponse sans retard. Si vous me donnez les pleins pouvoirs pour agir en votre nom dans toute cette affaire, comme je pressens que vous le ferez, rien ne vous oblige à revenir à Londres ; restez donc en paix à Longbourn et fiez-vous à mon zèle et à mes soins. Envoyez-moi votre réponse dès que possible et veillez à vous montrer explicite.

Ma nièce vient s'installer aujourd'hui dans notre maison. Je vous écrirai à nouveau dès que les choses seront fixées.

Bien à vous, etc.

Edward Gardiner

— Est-ce possible ! s'écria Elizabeth lorsqu'elle eut terminé. Est-il possible qu'il l'épouse ?

— Wickham n'est donc pas aussi indigne que nous le pensions, dit sa sœur. Oh, finir estropié ! Sort cruel ! Mon cher père, je vous félicite.

— Avez-vous répondu à la lettre ? demanda Elizabeth.

— Non, mais il faut que je me dépêche.

— Oh, mon cher père ! le supplia-t-elle. Rentrez et écrivez immédiatement cette lettre. Songez à l'importance de chaque instant, en pareil cas.

— Laissez-moi l'écrire à votre place, proposa Jane, si cette tâche vous déplaît.

— Elle me déplaît fort, mais je ne peux l'éviter.

Sur ces mots, il fit demi-tour avec elles et se dirigea vers la maison.

— Et puis-je savoir… ? commença Elizabeth. Mais non, j'imagine que vous êtes forcé d'accepter ces conditions.

— Les accepter ! J'ai même honte qu'il n'exige pas davantage.

— Oh, misérable Lydia ! Garde-malade jusqu'à la fin de ses jours ! Mais il faut qu'elle se marie ! Et avec un homme aussi diminué !

— Oui, oui, il faut qu'ils se marient. Il n'y a rien d'autre à faire. Mais il y a deux choses que j'aimerais beaucoup savoir : d'une part, combien d'argent votre oncle a dû débourser pour le convaincre, et d'autre part, comment je pourrai jamais le rembourser.

— Débourser ? Mon oncle ? s'étonna Jane. Papa, que voulez-vous dire ?

— Je veux dire qu'aucun homme sensé ne consentirait à épouser Lydia si on ne lui faisait miroiter que cent livres par an de mon vivant, et rien du tout après ma mort.

— C'est tout à fait vrai, dit Elizabeth, mais je n'y avais pas encore pensé. Il faut régler ses dettes, et il restera encore un peu d'argent ! Oh, ce doit être l'œuvre de mon oncle ! Cet homme bon et généreux, je crains qu'il ne se soit mis bien en peine. Une petite somme n'aurait pu accomplir tout cela.

— Non, confirma son père. Wickham est un imbécile, s'il la prend pour moins de dix mille livres, d'autant qu'il n'aura plus guère l'occasion de gagner sa vie lui-même. Je serais bien désolé d'avoir une si piètre opinion de lui dès le début de nos relations.

— Dix mille livres ! Dieu nous garde ! Comment rembourser la moitié d'une somme pareille ?

Mr Bennet ne répondit rien et tous les trois, absorbés par leurs réflexions, marchèrent en silence jusqu'à la maison. Leur père partit écrire la lettre dans la bibliothèque et les deux sœurs allèrent dans la salle à manger.

— Vont-ils vraiment se marier ? s'interrogea Elizabeth dès qu'elles furent seules. Comme c'est étrange ! Et nous devons être reconnaissantes ! Elle épouse, sans grandes chances de bonheur, un homme au corps brisé, et nous devons nous en réjouir ! Oh, Lydia !

— Je me console à l'idée qu'il n'épouserait certainement pas Lydia s'il n'avait pas vraiment d'affection pour elle, répondit

Jane. Bien que notre oncle ait eu la bonté de le dégager en partie de ses dettes, je ne peux croire qu'il ait avancé dix mille livres, ou même une somme approchante. Il doit penser à ses propres enfants, et il en aura peut-être d'autres encore. Comment pourrait-il se passer de dix mille livres ?

— Si nous parvenons un jour à connaître le montant des dettes de Wickham et la somme placée au profit de notre sœur, dit Elizabeth, nous saurons exactement ce que Mr Gardiner a fait pour eux, puisque Wickham n'avait pas un sou en poche. Nous ne pourrons jamais payer en retour mon oncle et ma tante pour leur générosité. Ils offrent à Lydia leur soutien et leur protection, et le sacrifice est tel que des années de reconnaissance ne suffiront pas à le récompenser. Si elle n'est pas accablée par tant de bonté, elle ne mérite pas d'être heureuse ! Comment osera-t-elle affronter le regard de ma tante ?

— Nous devrons nous efforcer d'oublier tout ce qui s'est passé de part et d'autre, suggéra Jane. J'espère et je crois qu'ils seront heureux malgré tout. Qu'il ait consenti à l'épouser prouve, à mon avis, qu'il est revenu dans le droit chemin. Leur affection mutuelle les rendra plus sages, et je me flatte de penser qu'ils mèneront une vie si tranquille – lui dans son lit, et elle à son chevet – que leur imprudence finira par être oubliée.

— Leur conduite a été telle que ni toi, ni moi, ni personne ne pourra jamais l'oublier. Il est inutile d'en parler, sauf pour persuader nos cadettes de renoncer très vite à leur serment du sang.

Les deux sœurs songèrent alors que, selon toute vraisemblance, leur mère ignorait tout de ce qui venait de se produire. Elles allèrent donc demander à leur père s'il ne souhaitait pas l'en informer. Il était en train d'écrire et répondit froidement, sans lever la tête :

— Comme il vous plaira.

— Pouvons-nous emporter la lettre de mon oncle pour la lui lire ?

— Emportez tout ce que vous voulez, et sortez.

Elizabeth prit la lettre sur l'écritoire, et elles montèrent ensemble à l'étage. Mary et Kitty se trouvaient avec Mrs Bennet : une seule annonce suffirait donc pour toute la famille. Une fois l'auditoire rapidement préparé à de bonnes nouvelles, la lettre fut lue à haute voix. Mrs Bennet ne se tenait plus de joie, et ses récriminations sur les effets répugnants du jus de bambou vert s'interrompirent brusquement. Elle laissa éclater son plaisir dès que Jane eut lu le passage où Mr Gardiner disait espérer que Lydia serait bientôt mariée, et chaque phrase ajouta à son exubérance. Savoir que sa fille serait mariée était assez. Aucune crainte quant à son bonheur ne venait la troubler, alors que Lydia allait servir d'infirmière à vie auprès d'un mari estropié et sans le sou ; aucun souvenir de son inconduite ne venait l'humilier.

— Ma chère, chère Lydia ! s'écria-t-elle. C'est absolument délicieux ! Elle sera mariée ! Je la reverrai ! Elle sera mariée à seize ans ! Mon bon, mon généreux frère ! Je savais qu'il en serait ainsi, je savais qu'il arrangerait tout. Comme j'ai hâte de la voir ! Et de voir aussi ce cher Wickham ! Ce cher invalide de Wickham ! Quel mari il fera ! Dans peu de temps, j'aurai une fille mariée. Mrs Wickham ! Comme cela sonne bien. Elle qui a tout juste eu seize ans en juin dernier ! Ma chère Jane, je suis si en émoi que je ne pourrai sûrement pas écrire, alors je vais dicter et tu écriras pour moi. Nous verrons plus tard avec ton père quelle somme il lui accorde, mais il faut tout de suite commander le trousseau.

Elle aborda alors tous les problèmes de calicot, de mousseline et de batiste, et aurait bien vite dicté une commande fournie si Jane ne l'avait persuadée, non sans mal, d'attendre que Mr Bennet pût être consulté. Elle lui fit remarquer qu'un jour de délai serait sans grande conséquence, et sa mère était trop heureuse pour se montrer aussi entêtée que d'habitude. D'autres projets se formèrent bientôt dans son esprit :

— J'irai à Meryton dès que je serai habillée, et je communiquerai cette bonne, très bonne nouvelle à ma sœur Philips. Et au retour, je passerai chez Lady Lucas. Son affliction sera bien atténuée par cet heureux dénouement ! Kitty, cours faire atteler la voiture. Une sortie me fera le plus grand bien, j'en suis certaine. Mes filles, puis-je faire quoi que ce soit pour vous à Meryton ? Oh, voici Hill ! Ma chère Hill, avez-vous appris la bonne nouvelle ? Miss Lydia va se marier, et vous aurez tous un bol de punch, pour fêter ces noces.

Chapitre 50

AVANT CETTE PÉRIODE de sa vie, Mr Bennet avait très souvent regretté de dépenser tout son revenu au lieu de mettre chaque année une somme de côté dans l'intérêt de ses enfants et de sa femme, si elle lui survivait. Il le regrettait maintenant plus que jamais. S'il avait fait son devoir sur ce point, Lydia n'aurait pas été la débitrice de son oncle pour le peu d'honneur ou de crédit qu'on pouvait à présent lui racheter. La satisfaction d'avoir contraint l'un des plus mauvais sujets de toute la Grande-Bretagne à devenir son époux aurait pu alors être un peu moins décevante.

Il s'inquiétait sérieusement qu'une cause si dénuée d'avantages pour quiconque eût été favorisée aux seuls dépens de son beau-frère et il avait résolu de découvrir si possible l'étendue de son aide, afin de s'acquitter de l'obligation dès qu'il le pourrait.

Quand Mr Bennet s'était marié, lui et sa femme avaient jugé parfaitement inutile de se montrer économes car, bien entendu, ils auraient un fils. Dès sa majorité, ce fils œuvrerait pour modifier les conditions liées à l'héritage, et il pourrait ainsi contribuer à l'entretien de la veuve et des plus jeunes enfants. Cinq filles vinrent au monde l'une après l'autre, mais le fils se faisait attendre ; après la naissance de Lydia, Mrs Bennet eut, des années durant, la certitude qu'il finirait par arriver. On avait fini par désespérer de l'événement, mais il était alors trop tard pour économiser. Mrs Bennet en était incapable, et seul le goût de son mari pour l'indépendance les avait empêchés de vivre au-dessus de leurs moyens.

Par contrat de mariage, cinq mille livres furent placées au profit de Mrs Bennet et des enfants. Mais la répartition à opérer entre ces derniers dépendait du testament des parents. Cette question allait maintenant être réglée, dans le cas de Lydia du moins, car Mr Bennet ne se sentait pas tenu de lui laisser un sou. Non sans exprimer sa profonde reconnaissance pour la bonté de son beau-frère, bien qu'avec une grande concision, il coucha sur le papier son entière approbation de toute l'opération et son désir de tenir les promesses faites en son nom. Il n'avait jamais supposé, au cas où Wickham consentirait à épouser sa fille, que tout se réglerait en lui causant si peu d'inconvénients.

Autre surprise bienvenue : tout avait été arrangé au prix du minimum de désagrément pour lui. Son principal désir était désormais que cette affaire lui donnât le moins de souci possible. Une fois passés les premiers transports de rage qui l'avaient poussé à rechercher activement sa fille, il était naturellement revenu à toute sa léthargie première. Sa lettre fut bientôt expédiée car, même s'il était toujours réticent à entreprendre une tâche, il était prompt à l'accomplir. Il priait son beau-frère de lui indiquer plus précisément à quel point il lui était redevable mais il était trop irrité contre Lydia pour ajouter un message à son intention.

La bonne nouvelle se répandit rapidement à travers la maison puis, avec une vitesse égale, dans le voisinage, où elle fut accueillie avec la philosophie qui convient. Bien entendu, les conversations auraient davantage bénéficié de la transformation de Miss Lydia en gourgandine ou, alternative la plus heureuse, en recluse, dans quelque lointain pays d'Orient. Mais la perspective de son mariage offrait de quoi alimenter les bavardages, et ce changement ne fit rien perdre de leur animosité à tous les vœux bienveillants que son bien-être futur avait inspirés aux vieilles femmes médisantes de Meryton, car, avec un mari estropié et endetté, il paraissait certain qu'elle serait malheureuse.

Mrs Bennet n'avait pas quitté sa chambre depuis deux semaines mais, en ce jour fortuné, elle se remit à présider la table, avec une bonne humeur accablante. Aucun sentiment de honte n'entamait son triomphe. Marier une de ses filles avait toujours été sa priorité, depuis les seize ans de Jane, et maintenant que cet objectif allait être atteint, ses pensées et ses propos se consacraient exclusivement aux ingrédients d'une noce élégante : belles mousselines, mousquets neufs et domestiques. Elle étudiait les environs afin de découvrir un logis approprié pour sa fille et, sans savoir de quel revenu ils disposeraient, elle en avait déjà rejeté beaucoup comme insuffisamment grands ou prestigieux.

— Haye Park pourrait convenir, si les Goulding en partaient, ou le manoir de Stoke, si le salon était moins petit, mais Ashworth est trop loin ! Je ne supporterais pas qu'elle vécût à dix miles de moi. Quant à Purvis Lodge, le dernier étage y est affreux.

Son mari la laissa parler sans l'interrompre en présence des domestiques. Mais dès qu'ils furent sortis, il lui dit :

— Mrs Bennet, avant de louer l'une de ces demeures, ou les trois, pour votre fille et votre gendre, comprenons-nous bien. Il est une maison de la région où ils ne seront jamais admis. Je n'encouragerai pas leur impudence à l'une ou à l'autre en les recevant à Longbourn.

Une longue dispute suivit cette déclaration, mais Mr Bennet fut inflexible, ce qui entraîna bientôt une seconde querelle, et Mrs Bennet apprit, avec horreur et stupéfaction, que son mari n'avancerait pas une guinée pour habiller sa fille. Il affirmait qu'elle ne recevrait de lui aucune marque d'affection pour l'occasion. Mrs Bennet n'en croyait pas ses oreilles. Il poussait la colère à un degré de ressentiment inconcevable, au point de refuser à sa fille un privilège sans lequel son mariage paraîtrait à peine valide : voilà qui dépassait son entendement. Que Lydia eût été enlevée par Wickham quinze jours avant de l'épouser inspirait à cette dame bien moins de honte que la perspective de la marier sans trousseau.

Elizabeth était à présent fort désolée d'avoir informé Mr Darcy de leurs craintes, dans un moment de désarroi ; puisque le mariage de sa sœur allait bientôt donner une conclusion adéquate à cette histoire, on pouvait espérer en cacher les lamentables débuts à tous ceux qui n'habitaient pas la région.

Elle n'avait aucune crainte que la rumeur se répandît à cause de lui. Il y avait peu de gens dont elle eût mieux pu compter sur la discrétion mais, en même temps, il n'y avait personne à qui elle eût été aussi mortifiée de faire connaître la faiblesse de sa sœur. Non qu'elle redoutât d'en souffrir personnellement, cependant, car il semblait désormais exister un abîme infranchissable entre elle et lui. Même si le mariage de Lydia avait été conclu dans les conditions les plus honorables, on ne pouvait supposer que Mr Darcy s'unirait à une famille où, à toutes les autres objections, venait s'ajouter une alliance avec l'homme qu'il méprisait à si juste titre.

Comme il aurait triomphé, songeait-elle souvent, s'il avait su qu'elle aurait à présent accueilli avec joie et gratitude la demande qu'elle avait repoussée avec orgueil quatre mois auparavant ! Il était aussi généreux que la plupart des hommes, elle en était certaine, mais puisqu'il était humain, il triompherait forcément.

Elle commençait maintenant à le comprendre : il était exactement, par son caractère et ses talents, l'homme qui lui eût le mieux convenu. Son intelligence et son tempérament, pourtant si différents des siens, répondaient à tous ses vœux. Ce mariage aurait tourné à l'avantage de tous deux : par son agressivité et son entrain, elle aurait atténué l'introversion et corrigé les manières de Darcy ; par son jugement, son savoir et sa connaissance du monde, il aurait plus encore apporté à son épouse. Quel couple de guerriers ils auraient formé ! Ils auraient pratiqué l'escrime au bord de la rivière, à Pemberley, ils auraient traversé les monts Altaï en berline pour se rendre à Kyoto ou à Shanghai, leurs enfants auraient été aussi désireux de maîtriser l'art de donner la mort que leurs père et mère l'avaient été avant eux.

Mais jamais cette union bénie ne viendrait enseigner à la multitude admirative ce qu'était vraiment la félicité conjugale. Une alliance d'un genre fort opposé allait bientôt être formée dans la famille Bennet, qui interdirait cet autre mariage. Comment Wickham et Lydia pourraient-ils vivre dans une indépendance relative ? C'est ce qu'elle ne pouvait imaginer. Mais elle se représentait aisément le peu de bonheur durable auquel étaient destinés deux êtres uniquement réunis par un enlèvement, une tentative de meurtre et un accident de voiture.

Mr Gardiner écrivit bientôt une seconde lettre à son beau-frère. L'objectif principal de cette missive était de leur apprendre que Mr Wickham avait résolu de démissionner de la milice.

J'avais grande envie qu'il prît cette décision dès que son mariage serait arrêté. Et je pense que vous serez de mon avis : dans son état actuel, il ne peut plus guère participer à la lutte contre les créatures infernales. Mr Wickham a l'intention de se retirer du monde ; parmi ses anciens amis, certains peuvent et veulent encore l'aider. On lui a promis une place dans un séminaire réservé aux grands blessés, à la pointe nord de l'Irlande. C'est un avantage qu'il soit si loin de cette partie-ci du royaume. Je compte sur lui et j'ai bon espoir que, parmi des gens différents, où ils auront une réputation à préserver, ils se montreront tous deux plus prudents. J'ai écrit au colonel Forster pour l'informer de nos arrangements et lui demander de satisfaire les divers créanciers de Mr Wickham à Brighton, en leur garantissant le paiement rapide auquel je me suis engagé. Vous donnerez-vous la même peine auprès de ses créanciers à Meryton, dont je joins une liste établie d'après ses indications ? Il m'a révélé toutes ses dettes, du moins j'espère qu'il ne nous a pas trompés. Mrs Gardiner m'a laissé entendre que ma nièce était très désireuse de vous voir tous avant de partir pour l'Irlande. Elle va bien et me prie de vous transmettre ses respects, ainsi qu'à sa mère.

Bien à vous, etc.

E. Gardiner

Mr Bennet et ses filles comprirent comme Mr Gardiner l'avantage qu'il y avait à ce que Wickham quittât l'Angleterre, mais Mrs Bennet n'en était pas aussi satisfaite. La déception était sévère : Lydia s'installait dans le Nord alors même que sa mère s'attendait à tirer de sa compagnie tant de plaisir et de fierté. Et puis quel dommage que Lydia fût ravie à un régiment où elle connaissait tout le monde.

— Elle aime tant Mrs Forster, c'est absolument choquant de l'envoyer si loin ! Et il y a aussi plusieurs jeunes gens qu'elle aime beaucoup.

Mr Bennet opposa d'abord un refus catégorique à la requête – car c'en était une – de sa fille qui souhaitait être à nouveau reçue dans sa famille avant de partir pour le Nord. Jane et Elizabeth s'accordaient cependant pour juger préférable que le mariage de Lydia obtînt la bénédiction de ses parents, par égard pour les sentiments et la réputation de leur sœur ; elle et son mari devaient être accueillis à Longbourn dès qu'ils seraient mariés. Elles insistèrent, mais de façon si raisonnable, que leur père se laissa convaincre d'adopter leur point de vue et d'agir selon leur volonté. Et leur mère eut la satisfaction de savoir qu'elle pourrait montrer sa fille mariée à tout le voisinage, avant qu'elle fût bannie à Kilkenny, au séminaire Saint-Lazare pour estropiés. Quand Mr Bennet répondit à la lettre de son beau-frère, il lui envoya donc sa permission, et il fut réglé qu'aussitôt après la cérémonie ils viendraient à Longbourn. Elizabeth fut néanmoins étonnée que Wickham consentît à ce programme, compte tenu de l'aspect atroce qu'il devait désormais offrir.

Chapitre 51

QUAND VINT LE JOUR du mariage de leur sœur, Jane et Elizabeth s'émurent probablement plus de son sort qu'elle ne s'en émut elle-même. On envoya la voiture chercher le couple, qu'on attendait pour le dîner. Les aînées redoutaient leur arrivée ; Jane surtout, car elle se tourmentait à la pensée de ce que Lydia devrait endurer jusqu'à la fin de ses misérables jours, aux côtés de son séducteur estropié.

Ils arrivèrent. La famille était réunie dans le petit salon pour les recevoir. Le visage de Mrs Bennet s'éclaira d'un large sourire lorsque la voiture s'arrêta devant la porte ; son mari affichait une gravité impénétrable, et ses filles semblaient inquiètes, anxieuses, mal à l'aise.

La voix de Lydia se fit entendre dans le vestibule ; la porte s'ouvrit tout grand et elle entra dans la pièce. Sa mère s'avança, l'embrassa et la reçut avec ravissement, tendit la main avec un sourire affectueux à Wickham qui entra, porté par les domestiques. Des lanières de cuir l'attachaient à son lit de voyage, duquel émanait une odeur de rance ; Elizabeth, qui s'était préparée à ce spectacle, fut néanmoins choquée par la gravité de ses blessures. Il avait encore des bleus au visage, et les yeux mi-clos tant ils étaient enflés. Ses jambes étaient brisées et irrémédiablement tordues, et même sa parole en était affectée.

— Mon cher, mon bon Wickham ! s'écria Mrs Bennet. Quel bonheur de vous revoir !

Wickham répondit par un gémissement poli.

L'accueil que leur réserva Mr Bennet, vers qui ils se tournèrent ensuite, ne fut pas tout à fait aussi cordial. Sa mine gagna plutôt en austérité et c'est à peine s'il desserra les dents. La puanteur du lit de Wickham aurait d'ailleurs suffi à l'offusquer. Elizabeth était écœurée, et même Jane en fut choquée. Lydia était restée Lydia : indomptée, effrontée, folle, bruyante et intrépide. Elle exigea les félicitations de ses sœurs l'une après l'autre et, lorsqu'on s'assit enfin – sauf Wickham, qui fut installé près du feu –, elle observa la pièce d'un œil critique, remarqua quelques petites modifications et déclara en riant qu'il s'était écoulé bien longtemps depuis la dernière fois qu'elle s'y était trouvée.

La conversation ne connut aucun temps mort. Lydia et sa mère semblaient ne pouvoir parler assez vite ; elles semblaient avoir les plus plaisants souvenirs qui fussent au monde. Aucun des événements passés ne leur causait de peine, et Lydia aborda délibérément des sujets auxquels ses sœurs n'auraient jamais osé faire allusion.

— Rendez-vous compte, je suis partie il y a trois mois seulement, mais je vous assure, on croirait qu'il n'y a que deux semaines, et pourtant, il s'en est passé, des choses, pendant ce temps. Mon Dieu ! Quand je suis partie, je suis sûre que je n'aurais jamais imaginé revenir mariée ! Même si je pensais que ce serait bien amusant de l'être.

Son père leva les yeux. Jane était affligée. Elizabeth lança à Lydia un regard lourd de sens, mais celle-ci, qui n'entendait ni ne voyait rien de ce qu'elle voulait ignorer, continua gaiement :

— Oh, maman, les gens d'ici savent-ils que je me suis mariée aujourd'hui ? J'ai bien peur qu'ils n'en sachent rien. Nous avons croisé William Goulding, dont le cabriolet avait été renversé et les chevaux dévorés, et j'avais tellement envie de le lui faire savoir que j'ai baissé la vitre de son côté. J'ai ôté mon gant et j'ai laissé ma main reposer sur le montant de la fenêtre pour qu'il vît mon alliance, puis j'ai salué et j'ai souri comme si de rien n'était. Il a hurlé après nous, comme quoi son fils était coincé dans la voiture, mais maman, je suis bien sûre qu'il a vu mon anneau. Oh ! Pensez comme la nouvelle va circuler !

Elizabeth ne pouvait en supporter davantage. Elle se leva, sortit d'un pas vif, et attendit de les avoir entendus traverser le vestibule pour se diriger vers la salle à manger. Elle les rejoignit à temps pour voir Lydia s'asseoir à la droite de sa mère avec de grandes démonstrations d'impatience :

— Ah, Jane ! Je prends ta place, maintenant, et tu dois te mettre plus loin, car je suis une femme mariée.

On ne pouvait supposer que, les heures passant, et l'odeur devenant quasi pestilentielle, Lydia perdrait son sans-gêne initial. Son aisance et sa bonne humeur augmentèrent encore. Elle avait envie de voir Mrs Philips, les Lucas, et tous leurs autres voisins, pour s'entendre appeler « Mrs Wickham » par chacun d'eux. En attendant, elle partit après le dîner montrer son alliance et se vanter d'être mariée auprès de Mrs Hill et des deux femmes de chambre.

— Eh bien, maman, dit-elle lorsqu'ils furent tous revenus dans le petit salon, que pensez-vous de mon époux ? N'est-ce pas un homme charmant ? Je suis sûre que mes sœurs doivent toutes m'envier. Je leur souhaite seulement d'avoir autant de chance que moi. Il faut qu'elles aillent toutes à Brighton, c'est là qu'on se procure des maris. Quel dommage, maman, que nous n'y soyons pas toutes allées !

— C'est bien vrai, et si on m'avait écoutée, nous y serions allées. Mais, ma chère Lydia, je suis bien triste que tu partes vivre si loin. Est-ce absolument nécessaire ?

— Oh que oui ! Mais ce n'est rien, j'adorerai ça. Papa et vous, et mes sœurs, vous devrez venir nous voir au séminaire. Nous passerons les trois prochaines années à Kilkenny, et je m'occuperai de leur trouver à toutes de bons maris.

— Cela me plairait plus que tout ! s'exclama sa mère.

— Tous ces jeunes blessés auront si grand besoin d'une épouse aimante et attentionnée ! Je suis certaine que je trouverai un mari pour chacune de mes sœurs avant que l'hiver soit fini.

— Je te remercie pour cette faveur, dit Elizabeth, mais je n'ai pas particulièrement envie de passer le restant de mes jours à vider des pots de chambre.

Leurs visiteurs ne devaient pas passer plus de dix jours à Longbourn. Mr Wickham avait reçu sa lettre d'admission à Kilkenny et, vu son état, le voyage vers le nord de l'Irlande serait terriblement lent.

Mrs Bennet était la seule à regretter que leur séjour fût si court, et elle en profita de son mieux. Elle emmena sa fille en visite dans les alentours et donna de nombreuses réceptions, afin que leurs voisins pussent féliciter Mr Wickham, qui resta au coin du feu pendant tout ce temps.

Lydia débordait d'amour pour lui. Elle l'appelait « son cher Wickham » à tout propos. Il faisait tout mieux que tout le monde, et elle était sûre que, cette saison, il tuerait plus de zombies que n'importe qui dans la région, même s'il avait perdu l'usage de ses bras. Un matin, peu après leur arrivée, alors qu'elle se trouvait avec les deux aînées, elle dit à Elizabeth :

— Lizzy, je ne t'ai jamais raconté mon mariage. N'es-tu pas curieuse d'apprendre comment il s'est déroulé ?

— Non, vraiment, répondit Elizabeth. On en parle déjà trop, à mon avis.

— Oh, que tu es bizarre ! Mais il faut que je te raconte tout. Tu sais, la cérémonie a eu lieu à Saint-Clement, parce qu'il y avait moins de marches à monter pour y porter mon bien-aimé. Et il était prévu que nous devions tous y être pour onze heures. Mon oncle, ma tante et moi y sommes allés ensemble, et les autres devaient nous retrouver à l'église. Eh bien, une fois le lundi arrivé, j'étais dans un état ! J'avais si peur que le mariage fût retardé, tu sais, car il y avait eu récemment des troubles près du rempart est, et partout on annonçait qu'il allait falloir évacuer le quartier pour des raisons de sécurité. Et pendant tout le temps que je m'habillais, ma tante me parlait et me faisait la leçon comme si elle avait lu un sermon. Malgré tout, je n'ai pas entendu plus de deux ou trois mots, parce que tu te doutes bien, je pensais à mon cher Wickham. J'avais hâte de savoir s'il se marierait en habit bleu, ou s'il l'avait souillé comme les autres.

» Enfin, nous avons pris notre petit-déjeuner à dix heures, comme d'habitude. J'avais l'impression qu'on n'en verrait jamais le bout, parce que, d'ailleurs, il faut que tu comprennes que mon oncle et ma tante ont été horriblement désagréables avec moi pendant tout mon séjour chez eux. Crois-moi, je n'ai pas mis une seule fois le nez dehors alors que j'ai passé quinze jours là-bas. Pas une seule fête, pas une sortie, rien. Évidemment, il n'y avait pas grand monde à Londres à cause des attaques, mais le Petit Théâtre était ouvert. Eh bien, au moment où la voiture s'est avancée à la porte, mon oncle a été appelé pour affaires dans son horrible fabrique de poudre. Ah, j'étais si effrayée que je ne savais plus quoi faire, puisque mon oncle devait me conduire à l'autel ; si on prenait du retard, je ne pourrais pas me marier ce jour-là. Mais par chance, il est revenu après dix minutes et nous sommes tous partis. Malgré tout, j'ai pensé ensuite que s'il avait été retenu, le mariage n'aurait pas forcément été repoussé, car Mr Darcy aurait très bien pu jouer le rôle de mon oncle.

— Mr Darcy ! répéta Elizabeth, abasourdie.

— Mais oui ! Il devait venir avec Wickham, tu sais. Oh, mon Dieu ! J'ai oublié ! J'étais censée me taire. J'avais bien promis de tenir ma langue ! Que va dire Wickham ? Cela devait rester un secret absolu !

— Si ce devait être un secret, n'en parle plus, suggéra Jane. Compte sur nous pour ne pas chercher à en apprendre davantage.

— Assurément, renchérit Elizabeth alors qu'elle brûlait de savoir. Nous ne te poserons aucune question.

— Merci, dit Lydia, car si vous m'interrogiez, je vous avouerais certainement tout, et alors Wickham me punirait à coup sûr en faisant sous lui au pire moment.

Ainsi encouragée à la curiosité, Elizabeth fut contrainte de s'enfuir pour s'empêcher d'y céder.

Mais il était impossible de persister dans l'ignorance sur un point aussi important, ou du moins, il était impossible de ne pas tenter d'obtenir des précisions. Mr Darcy avait assisté au mariage de sa sœur. Pour quel motif ? Les conjectures les plus insensées se précipitaient dans le cerveau d'Elizabeth, mais aucune ne la convainquait. Celles qui lui plaisaient le plus, car elles plaçaient sa conduite sous le jour le plus noble, semblaient les plus improbables. Ne pouvant supporter pareil suspense, elle se saisit en hâte d'une feuille de papier et écrivit une courte lettre à sa tante, pour lui demander des explications sur ce que Lydia avait laissé échapper.

Vous devinerez sans peine combien je suis curieuse de savoir pourquoi une personne qui nous est (relativement) inconnue et qui n'a aucun lien avec notre famille se trouvait parmi vous en un tel moment. Je vous en prie, répondez-moi vite et aidez-moi à comprendre, à moins que, pour des raisons très fortes, tout cela doive rester aussi mystérieux que Lydia semble le croire nécessaire. Alors je tâcherai de me contenter du peu que je sais.

Alors qu'elle terminait sa lettre, elle ajouta mentalement : « Mais si je n'obtiens rien de vous par des voies honorables, ma chère tante, j'en serai certainement réduite à recourir à des ruses et à des stratagèmes pour m'instruire. »

Chapitre 52

ELIZABETH eut la satisfaction de recevoir une réponse à sa lettre aussi rapidement que possible. À peine l'eut-elle en sa possession qu'elle courut vers le dojo, où elle risquait le moins d'être dérangée.

Sixième section est, 6 septembre

Ma chère nièce,

Je viens de recevoir ta lettre, et je consacrerai toute cette matinée à y répondre, car je prévois que quelques lignes ne suffiront pas pour tout ce que j'ai à te conter.

Le jour où je suis rentrée de Longbourn, ton oncle avait reçu une visite tout à fait imprévue. Mr Darcy était venu le voir et il était resté enfermé avec lui pendant plusieurs heures. Tout était terminé quand je suis arrivée, et ma curiosité n'a donc pas été soumise à cette torture que la tienne semble avoir subie. Il a appris à Mr Gardiner qu'il avait découvert où se cachaient ta sœur et Mr Wickham. À ce que j'ai compris, il avait quitté le Derbyshire seulement un jour après nous, avec la ferme intention de partir à leur recherche dans Londres. Mr Darcy se reprochait de ne pas avoir davantage fait connaître la vilenie de Wickham, car cela aurait empêché toute jeune fille comme il faut de l'aimer ou de se fier à lui. Dans sa générosité, il attribuait toute la faute à cet orgueil déplacé au nom duquel il n'avait pas cru bon de révéler au monde ses actions privées. Il estimait donc que son devoir était d'agir pour tenter de remédier au mal qu'il avait lui-même causé.

Une certaine Mrs Younge, jadis gouvernante de Miss Darcy, avait été renvoyée pour une faute grave qu'il ne précisa pas. Elle s'était alors installée dans une grande maison d'Edward Street, où elle gagnait sa vie en louant des appartements. Il savait que cette Mrs Younge était une intime de Wickham, et c'est chez elle qu'il est parti aux nouvelles, sitôt à Londres. Mais il dut la rouer de coups pendant deux ou trois jours avant de pouvoir obtenir d'elle ce qu'il voulait. Finalement, Mr Darcy obtint l'adresse tant désirée. Ils étaient dans Hen's Quarry Street. Il vit Wickham et, sans craindre d'employer la force, insista pour voir Lydia. Il souhaitait avant tout la persuader de quitter une situation aussi infâme et de retourner chez ses amis dès qu'on les aurait convaincus de la recevoir, ce pour quoi il lui proposa toute l'assistance dont il serait capable. Mais Lydia était absolument résolue à rester où elle était. Elle ne se souciait en rien de ses amis, elle n'avait pas besoin de son aide et ne voulait pas entendre parler de quitter Wickham, qu'elle prétendait aimer plus que tout au monde alors qu'il l'avait séduite. Puisqu'elle était dans cette disposition, Mr Darcy n'avait qu'une solution pour rétablir son honneur : arranger très vite un mariage entre Wickham et elle. Mais celui-ci n'avait aucune intention de se marier, et quant à son avenir, il n'en avait qu'une idée très confuse. Il devrait aller quelque part, mais il ignorait où, et il savait qu'il n'aurait pas de quoi vivre.

Mr Darcy lui demanda pourquoi il n'épousait pas tout de suite ta sœur. Mr Bennet n'était certes pas riche, mais il pourrait faire un geste, et Wickham aurait eu tout à gagner à cette alliance. Cependant, en réponse à cette question, Wickham avoua qu'il caressait encore l'espoir de faire un mariage d'argent dans quelque autre famille.

Mr Darcy vit là une ouverture et revit Wickham afin de lui proposer un accord avantageux pour tous les intéressés. Après mûre réflexion, Wickham accepta.

Lorsqu'ils eurent réglé tous les détails entre eux, Mr Darcy en informa ton oncle. Il vint dans la sixième section est la veille de mon retour, et ils eurent une longue conversation.

Ils se revirent le dimanche, et je le vis alors moi aussi. Tout ne fut réglé que le lundi, et le messager fut aussitôt envoyé à Longbourn. Telles étaient les conditions : les dettes à rembourser s'élevaient, je crois, à beaucoup plus de mille livres, et un autre millier de livres devait être placé pour assurer sa subsistance. En retour, il épouserait Lydia, sauvant ainsi sa réputation et celle de la famille Bennet. Ensuite, il autoriserait Mr Darcy à lui casser les jambes, en guise de punition pour une vie de débauche et de traîtrise, et pour garantir qu'il ne lèverait plus jamais la main sur quiconque, ni ne laisserait aucun bâtard derrière lui. Pour épargner le peu d'honneur qui lui restait, les blessures seraient attribuées à un accident quelconque.

Je crois, Lizzy, que l'obstination est le vrai défaut de son caractère, après tout. On l'a accusé de bien des fautes à différents moments, mais celle-ci est la seule véritable. Il a tenu à porter ce fardeau sur ses seules épaules, alors que ton oncle aurait volontiers payé la totalité, j'en suis sûre (je ne dis pas cela pour que tu me remercies, alors abstiens-t'en).

Ton oncle et lui ont bataillé un long moment, et c'est plus que ce monsieur et cette demoiselle n'en méritaient l'un et l'autre. À la fin, ton oncle a bien dû céder et, au lieu de pouvoir rendre service à sa nièce, il a dû se résigner à n'en avoir que le mérite probable, ce qui lui déplaisait fort. Je crois vraiment que ta lettre lui a causé beaucoup de plaisir, ce matin, parce que tu y exiges une explication qui va le priver de sa parure d'emprunt et diriger les éloges vers celui qui en est digne. Mais, Lizzy, n'en parle à personne, sauf peut-être à Jane.

J'ai indiqué plus haut la raison pour laquelle Mr Darcy voulait tout faire seul : c'est à cause de lui, de sa réserve, que l'on s'est autant mépris sur le caractère de Wickham. Peut-être y avait-il là un peu de vrai, mais je doute qu'un comportement aussi scandaleux résulte de la réserve de Mr Darcy ou de quiconque. Malgré toutes ces belles paroles, sois bien certaine, ma chère Lizzy, que ton oncle n'aurait jamais capitulé si nous ne l'avions pas cru animé d'un autre intérêt dans cette histoire.

Quand tout cela fut décidé, il repartit pour Pemberley où ses amis résidaient encore, mais il était convenu qu'il reviendrait à Londres lors du mariage, pour mettre la touche finale à ces tractations financières.

Je crois maintenant t'avoir tout conté. C'est un récit dont tu m'as dit qu'il te causerait une grande surprise ; j'espère du moins qu'il ne t'inspirera aucun désagrément. Ensuite, Lydia s'est installée chez nous, et Wickham, fraîchement estropié, fut apporté à la maison pour sa convalescence. On lui a fabriqué un lit de voyage, généreusement financé par Mr Darcy. Quant au comportement de Lydia durant son séjour chez nous, je ne te dirais pas combien il m'a déplu si la lettre de Jane de mercredi dernier ne m'avait révélé qu'elle a eu la même conduite à son retour chez vous. Ce que je t'en dis ne pourra donc pas entraîner de nouveau chagrin.

Mr Darcy est réapparu au jour dit et, comme Lydia t'en a informé, il a assisté au mariage. Il a dîné avec nous le lendemain, a félicité les jeunes mariés et a pris congé. M'en voudras-tu beaucoup, chère Lizzy, si je profite de l'occasion pour dire combien il m'a plu ? Il a eu envers nous une attitude aussi plaisante que lorsque nous étions dans le Derbyshire. Tout me ravit dans son esprit et ses idées ; il ne lui manque qu'un peu d'entrain, et s'il se marie intelligemment, sa femme pourra lui apprendre cela. Je l'ai trouvé très cachottier car pas une seule fois il n'a mentionné ton nom. Mais c'est apparemment la mode.

Pardonne-moi, je t'en prie, si je suis allée trop loin, ou du moins, ne me punis pas au point de m'exclure de Pemberley. Je ne serai pas heureuse tant que je n'aurai pu faire tout le tour du parc. Une voiture basse, tiré par deux innommables captifs, voilà exactement ce qu'il me faudrait.

Mais il faut que je m'arrête. Il y a du bruit dans la rue, et je crains que la porte est ne soit de nouveau tombée.

Bien sincèrement à toi,

M. Gardiner

Le contenu de cette lettre plongea Elizabeth dans une grande agitation, où il était difficile de déterminer si le plaisir ou la peine avait la plus grande part. Dans son incertitude quant au rôle tenu par Mr Darcy pour favoriser le mariage de sa sœur, elle avait conçu de vagues soupçons qu'elle s'était retenue d'encourager, de peur de lui prêter une générosité invraisemblable, et en même temps elle avait espéré deviner juste. Et il apparaissait à présent que la vérité dépassait son imagination ! Il les avait délibérément suivis à Londres, il avait accepté de se souiller les mains avec le sang d'une femme qu'il souhaitait sans doute ne plus jamais revoir, il avait dû rencontrer plus d'une fois, raisonner, persuader et finalement acheter l'homme qu'il avait toujours désiré éviter le plus possible, et dont il répugnait même à prononcer le nom. Il avait fait tout cela pour Lydia, qu'il ne pouvait ni estimer ni respecter. Beau-frère de Wickham ! Tout son orgueil devait se révolter à cette perspective. Bien sûr, il avait tant agi pour leur bien qu'elle avait honte d'y penser. Oh, comme elle avait hâte de voir se rouvrir et saigner à nouveau ses sept balafres ! Certes, Darcy avait justifié son intervention de manière assez crédible. Il était logique qu'il se sentît coupable, et même si elle refusait de se considérer comme l'inspiratrice de tant d'efforts, peut-être pouvait-elle croire qu'un reste d'inclination pour elle l'avait encouragé à servir une cause dont dépendait sa tranquillité d'esprit. Il était douloureux, extrêmement douloureux de savoir que la famille Bennet était tellement redevable à quelqu'un qui ne pourrait jamais en être remercié. Ils lui devaient d'avoir sauvé Lydia et sa réputation, ils lui devaient tout. Oh, comme elle regrettait sincèrement toute l'antipathie qu'elle avait pu nourrir à son égard, tous les discours impertinents qu'elle lui avait adressés ! Elle était mortifiée de s'être conduite ainsi, mais elle était fière de lui. Fière que, au nom de la compassion et de l'honneur, il eût été capable de triompher de lui-même. Elle relut maintes et maintes fois l'éloge que sa tante faisait de lui. Ces compliments restaient en deçà de son mérite, mais ils lui plaisaient. Elle ressentit même un plaisir mêlé de tristesse en comprenant que Mr et Mrs Gardiner restaient inébranlablement persuadés que confiance et affection subsistaient entre Mr Darcy et elle.

Elle sursauta, tirée de ses réflexions : quelqu'un s'approchait et elle eut à peine le temps de replier la lettre et de la dissimuler quand deux domestiques entrèrent dans le dojo, portant Mr Wickham sur son lit de voyage. Ils le posèrent à terre près d'elle et partirent.

— Il me semble que j'interromps votre promenade solitaire, ma chère sœur, grommela-t-il entre ses mâchoires brisées.

— En effet, répondit-elle avec un sourire, mais cela ne signifie pas que cette interruption me dérange.

— Je serais bien désolé de vous déranger. J'ai pensé que le calme du dojo me changerait agréablement de ce coin du petit salon où je suis confiné depuis mon arrivée.

— Les autres vous suivent-ils ?

— Je ne sais pas. Mrs Bennet et Lydia partent en voiture pour Meryton. Eh bien, ma chère sœur, notre oncle et notre tante m'apprennent que vous avez vu Pemberley de vos yeux ?

Elle lui fit une réponse affirmative.

— Je vous envie presque ce plaisir, mais je crois que cela serait trop pénible pour moi, dans mon état lamentable. Et vous avez vu la vieille intendante, je suppose ? La pauvre Reynolds, elle m'adorait ; ce serait un choc pour elle de me voir ainsi. Bien entendu, elle n'a pas mentionné mon nom devant vous.

— Mais si.

— Et qu'a-t-elle dit ?

— Que vous vous étiez engagé dans l'armée, et que vous aviez… mal tourné. Quand on habite si loin, voyez-vous, on perçoit toujours les choses de travers.

— C'est certain, acquiesça-t-il en se mordant les lèvres.

Elizabeth espérait l'avoir réduit au silence, mais il reprit peu après :

— Avez-vous vu Darcy pendant que vous étiez là-bas ? Les Gardiner ont laissé entendre que vous l'aviez rencontré.

— Oui, il nous a présenté sa sœur.

— Vous a-t-elle plu ?

— Beaucoup.

— Oui, j'ai entendu dire qu'elle avait fait des progrès stupéfiants en l'espace d'un an ou deux. La dernière fois que je l'ai vue, elle ne promettait guère. Je suis content qu'elle vous ait plu. J'espère qu'elle deviendra une jeune femme charmante.

— J'en suis sûre. Elle a surmonté quelques épreuves assez extraordinaires.

— Êtes-vous passée par le village de Kympton ?

— Je n'en ai pas le souvenir.

— Je vous en parle, parce que c'est le bénéfice qui aurait dû m'être confié. Un village exquis ! Un presbytère magnifique ! Cela m'aurait parfaitement convenu.

— Auriez-vous aimé prononcer des sermons ?

— Énormément. J'aurais considéré cela comme l'un de mes devoirs, et j'aurais vite oublié l'effort nécessaire. Il ne faut jamais avoir de regrets mais, à coup sûr, c'eût été l'idéal pour moi ! Le calme d'une vie retirée, voilà qui eût correspondu en tous points à mon idée du bonheur ! Mais le sort ne l'a pas voulu ainsi. Darcy vous a-t-il jamais parlé de cette histoire, quand vous étiez dans le Kent ?

— J'ai appris, d'une source qui m'a paru tout aussi fiable, que ce bénéfice ne vous avait été légué que sous réserve de certaines conditions, et à la discrétion de l'actuel responsable.

— Tiens donc ! Oui, c'est à peu près ça, comme je vous l'avais expliqué moi-même, rappelez-vous.

— J'ai également appris que vous aviez été un enfant insupportable, extrêmement cruel envers les domestiques de Mr Darcy père, et que vous n'aviez tenu aucun compte de ses désirs. Quant à votre comportement plus récent, tout ce que j'en sais me prouve que vous ne vous êtes nullement amendé, qu'il s'agisse de vos dettes d'honneur ou des innombrables bâtards que vous avez semés à travers l'empire de Sa Majesté.

À cela, Wickham ne put riposter qu'en s'oubliant une fois de plus, non sans répandre une odeur nauséabonde. Elizabeth se leva et attrapa un coin de son lit de voyage, qu'elle souleva jusqu'à sa taille. Elle ajouta alors, avec un sourire bienveillant :

— Allons, Mr Wickham, nous sommes frère et sœur, vous le savez. Ne nous querellons pas au sujet du passé. À l'avenir, j'espère que nous serons toujours du même avis.

Et elle le traîna à travers le plancher du dojo, puis sur l'herbe, jusqu'à la porte de la maison.

Chapitre 53

Mr Wickham fut si entièrement consterné par cette conversation qu'il n'éprouva plus jamais le besoin d'énerver sa chère sœur Elizabeth en abordant le sujet, et elle fut ravie de constater qu'elle en avait dit assez pour lui imposer le silence.

Le jour vint bientôt où Lydia et lui devaient partir, et Mrs Bennet fut contrainte d'accepter une séparation qui risquait de durer au moins un an, dans la mesure où son mari ne soutenait pas du tout le projet qu'elle avait d'aller tous ensemble en Irlande.

— Oh, ma chère Lydia ! s'écria-t-elle. Quand nous retrouverons-nous ?

— Ah, mon Dieu, je ne sais pas ! Peut-être pas avant deux ou trois ans.

— Écris-moi très souvent, ma chérie.

— Aussi souvent que je pourrai. Mais vous savez, les femmes mariées n'ont jamais beaucoup de temps pour cela. Mes sœurs pourront toujours m'écrire. Elles n'auront rien d'autre à faire.

Les adieux de Mr Wickham ne furent pas plus affectueux que ceux de son épouse. Il dit fort peu de choses alors qu'on hissait son lit de voyage dans la voiture, avec beaucoup de linge de rechange et de biberons pour le nourrir.

— Je n'ai jamais vu un garçon plus admirable, dit Mr Bennet dès qu'ils eurent quitté la maison. Je le préfère vraiment lorsqu'il est aussi détendu.

La perte de sa fille rendit Mrs Bennet toute triste pendant plusieurs jours.

— Je pense souvent qu'il n'y a rien de pire que de se séparer de ses amis. On se sent si abandonné sans eux.

— Voilà ce qui se passe lorsqu'on marie une de ses filles, maman, lui dit Elizabeth. Cela devrait vous faire mieux accepter que les quatre autres soient encore célibataires.

— Pas du tout. Lydia ne me quitte pas parce qu'elle est mariée, mais simplement parce que le séminaire Saint-Lazare est trop loin. S'il se trouvait plus près, elle ne serait pas partie aussi vite.

Mais l'apathie dans laquelle cet événement l'avait plongée se dissipa bientôt, et son esprit s'ouvrit de nouveau à la frénésie de l'espoir, grâce à une nouvelle qui commençait à circuler. L'intendante de Netherfield avait reçu l'ordre de tout préparer pour la venue de son maître, qui arriverait dans un jour ou deux, pour inspecter ses nouveaux domestiques et les renforts apportés à la cuisine. Mrs Bennet était en effervescence. Elle regardait Jane, souriait et hochait la tête alternativement.

— Voyons, voyons, il paraît que Mr Bingley est de retour. Peu m'importe, cela dit. Il n'est rien pour nous, vous savez, et je suis sûre, moi, de ne plus jamais vouloir le revoir. Enfin, malgré tout, il est le bienvenu à Netherfield, s'il lui plaît d'y habiter. Est-il bien certain qu'il revienne ?

— Vous pouvez y compter, répondit Mrs Philips, venue lui annoncer la nouvelle. Mrs Nicholls était à Meryton hier soir, je l'ai vue passer, et je suis sortie pour connaître le fin mot de l'histoire, et elle m'a déclaré que c'était tout à fait vrai. Il arrivera jeudi au plus tard, sans doute mercredi. Elle allait chez le boucher, m'a-t-elle dit, afin de commander de la viande pour mercredi, et elle a trois paires de canards prêts pour leur table.

Jane n'avait pu accueillir cette information sans changer de couleur. Bien des mois s'étaient écoulés depuis la dernière fois qu'elle avait prononcé le nom de Bingley devant Elizabeth, mais dès qu'elles furent seules, elle dit :

— J'ai vu que tu me regardais tout à l'heure, Lizzy, quand ma tante nous a informées des bruits qui courent, et je sais que j'ai eu l'air troublée. Mais ne va pas croire que c'était pour une raison stupide. J'ai simplement eu un moment d'émoi parce que je savais qu'on allait me regarder. Je t'assure que cette nouvelle ne me procure ni plaisir ni peine. Je suis contente d'une chose : comme il vient seul, nous le verrons d'autant moins.

Elizabeth ne savait trop comment prendre ces protestations. Si elle n'avait pas vu Mr Bingley dans le Derbyshire, elle aurait pu le supposer capable de venir sans autre projet que celui de passer en revue sa domesticité, mais elle le croyait encore épris de Jane, et elle se demandait lequel était le plus probable : qu'il vînt avec la permission de son ami Darcy, ou qu'il eût l'audace de s'en dispenser.

« Cependant, songeait-elle parfois, il est bien dur que ce pauvre garçon ne puisse venir dans une maison dont il est le locataire en titre, sans susciter toutes ces hypothèses ! Je ne veux plus y penser. »

Malgré les sentiments que sa sœur professait et croyait sincèrement éprouver à la perspective de cette arrivée, Elizabeth s'aperçut aisément qu'elle en était affectée. Elle était désormais plus agitée, moins apaisée. Elle passait des heures à faire les cent pas dans la salle des trophées, changeant distraitement les têtes coupées de place et modifiant le bel ordre des étagères ; elle était si préoccupée que, pendant leur entraînement à la lutte, un après-midi, Mary put la plaquer au sol pour la première fois.

Le sujet dont leurs parents avaient débattu avec tant de chaleur près de douze mois auparavant fut remis sur le tapis.

— Dès que Mr Bingley sera là, mon cher, dit Mrs Bennet, vous irez le voir, bien sûr.

— Non, non. Vous m'avez forcé à lui rendre visite l'année dernière, en me promettant que, si j'allais le voir, il épouserait une de mes filles. Mais cela n'a rien donné, et je refuse de me déplacer pour rien une fois de plus. Surtout sur l'ordre d'une sotte comme vous.

Sa femme lui expliqua que les gentlemen des alentours devaient impérativement présenter leurs respects à Mr Bingley lorsqu'il serait revenu à Netherfield.

— Je méprise ce genre d'étiquette, répliqua-t-il. S'il désire notre compagnie, à lui de la rechercher. Il connaît notre adresse. Je n'ai pas envie de passer mon temps à courir après mes voisins chaque fois qu'ils s'en vont et qu'ils reviennent.

— Eh bien, tout ce que je sais, c'est que vous serez affreusement grossier si vous n'allez pas le voir. Pourtant, cela ne m'empêchera pas de l'inviter à dîner, je l'ai décidé.

Mr Bingley arriva. Avec l'aide de ses domestiques, Mrs Bennet réussit à en être l'une des premières informées, afin de jouir de la plus longue période possible d'anxiété et d'agitation. Elle comptait les jours qui devraient s'écouler avant qu'elle pût lui envoyer une invitation, et désespérait de le voir avant. Mais le surlendemain de son arrivée dans le Hertfordshire, elle le vit de la fenêtre de son boudoir, au moment où il entrait à cheval dans le champ. Il s'avançait vers la maison, muni de son mousquet français.

Elle convoqua ses filles avec empressement pour leur faire partager sa joie. Jane demeura obstinément assise à table, mais Elizabeth s'approcha de la fenêtre pour satisfaire sa mère. Elle regarda, vit Mr Darcy avec leur visiteur et se rassit près de sa sœur, soudain incapable de pensée rationnelle.

— Il y a un monsieur avec lui, maman. Qui peut-il bien être ? demanda Kitty.

— Une de ses connaissances, j'imagine, mais je ne vois pas du tout qui.

— Oh ! On dirait cet homme qui l'accompagnait avant. Mr Chose. Ce grand monsieur si fier.

— Mon Dieu ! Mr Darcy ! Oui, c'est bien lui. Enfin, les amis de Mr Bingley seront toujours les bienvenus chez nous, assurément, mais je dois avouer que je ne peux pas supporter sa vue.

Jane regarda sa cadette avec surprise et inquiétude. Elle savait fort peu de choses de leurs retrouvailles dans le Derbyshire, et craignait donc l'embarras que cette visite devait causer à Elizabeth : c'était pour ainsi dire la première fois qu'elle revoyait Darcy après avoir reçu sa lettre d'explication. Les deux sœurs étaient assez mal à l'aise. Chacune s'alarmait pour l'autre et, bien sûr, pour elle-même ; sans que l'une ou l'autre l'entendît, leur mère continuait à parler, de sa haine pour Mr Darcy et de sa décision de se montrer polie envers lui uniquement en tant qu'ami de Mr Bingley. Elizabeth avait pourtant des raisons de s'émouvoir que ne pouvait soupçonner Jane, à qui elle n'avait pas encore eu le courage de montrer la lettre de Mrs Gardiner ou de confier son changement de sentiments à l'égard de ce monsieur. Pour Jane, Darcy était simplement l'homme dont sa sœur avait repoussé la demande, dont elle avait envoyé la tête cogner la cheminée, mais pour Elizabeth, qui en savait désormais beaucoup plus, il était celui à qui toute la famille devait le premier des bienfaits, celui qu'elle considérait avec un intérêt sinon aussi tendre, du moins aussi raisonnable et juste que celui de Jane pour Bingley. Il était de retour, de retour à Netherfield, à Longbourn, il recherchait délibérément sa compagnie, et la stupeur qu'elle en éprouvait égalait presque celle qu'il lui avait causée dans le Derbyshire par son attitude si changée.

Après avoir blêmi, le visage d'Elizabeth retrouva des couleurs plus vives encore, durant une demi-minute, et un sourire ravi ajouta de l'éclat à ses yeux, car elle songea pendant ce laps de temps qu'il devait être encore animé de la même affection et des mêmes vœux. Mais elle ne voulait pas être trop sûre d'elle-même.

« Voyons d'abord comment il se conduit », se dit-elle.

S'efforçant de garder son calme, elle se concentra donc sur son ouvrage – elle taillait des fléchettes pour sa sarbacane –, sans oser lever les yeux, jusqu'au moment où, mue par une curiosité soucieuse, elle les tourna vers le visage de sa sœur, tandis que le domestique arrivait à la porte. Jane semblait un peu plus pâle que d'habitude, mais plus apaisée qu'Elizabeth ne s'y attendait. Quand ces messieurs parurent, elle s'empourpra, mais les accueillit avec une certaine aisance et une courtoisie aussi dénuée de symptômes de ressentiment que de complaisance superflue.

Elizabeth fut aussi muette que la politesse le tolérait et se rassit à son ouvrage avec un enthousiasme qu'elle y mettait rarement. Elle avait risqué un seul coup d'œil en direction de Darcy. Il avait l'air sérieux, comme à l'ordinaire, tel qu'il était jadis dans le Hertfordshire et non tel qu'elle l'avait vu à Pemberley. Mais peut-être ne pouvait-il être devant sa mère celui qu'il avait été en présence de son oncle et de sa tante. Cette conjecture, certes pénible, n'avait rien d'improbable.

Elle avait aussi aperçu Bingley, l'espace d'un instant, et lui avait trouvé l'air à la fois ravi et gêné. Il fut reçu par Mrs Bennet avec une civilité qui rendit ses deux filles d'autant plus honteuses qu'elle contrastait avec le ton froid et cérémonieux du salut et des propos destinés à son ami.

Sachant que sa mère devait à Darcy d'avoir préservé sa fille préférée d'un déshonneur irrémédiable, Elizabeth fut fort douloureusement blessée et affligée par une différence de traitement aussi malvenue.

Après lui avoir demandé comment Mr et Mrs Gardiner avaient survécu à l'écroulement de la porte est, question à laquelle elle ne put répondre, Darcy ne dit presque plus rien. Elle n'était pas d'humeur à bavarder avec un autre que lui, mais elle avait à peine le courage de lui parler. « Moi ! songea-t-elle. Moi qui ne crains aucun homme ! qui ne crains pas la mort même ! Me voilà incapable d'articuler un seul mot. »

— Voilà longtemps que vous êtes parti, Mr Bingley, s'exclama Mrs Bennet.

Bingley l'admit bien volontiers.

— Je commençais à craindre qu'on ne vous revît plus jamais. On prétendait que vous vouliez libérer les lieux de façon définitive, mais j'espère que ce n'est pas vrai. En votre absence, il s'est passé beaucoup de choses dans le voisinage. Par bonheur, les innommables semblent reculer, créatures sans vergogne.

Miss Lucas est morte et enterrée, terrassée par l'épidémie. Et l'une de mes propres filles est mariée. Je suppose que vous êtes au courant, vous avez dû le voir dans les journaux. C'est paru dans le *Times* et le *Courier*, je le sais, mais ça n'a pas été formulé comme ç'aurait dû l'être. L'annonce disait seulement : « Mr George Wickham a récemment épousé Miss Lydia Bennet », sans un mot sur son père, ou les services qu'elle rend à Sa Majesté, rien. L'avez-vous lue ?

Bingley répondit que oui et présenta ses félicitations. Elizabeth n'osa pas lever les yeux. Elle ignorait donc quelle mine avait alors Mr Darcy.

— Il est délicieux d'avoir une fille bien mariée, c'est certain, poursuivit sa mère, mais en même temps, Mr Bingley, il est bien dur qu'elle m'ait été ainsi ravie. Ils sont partis pour Kilkenny, quelque part en Irlande, semble-t-il, et ils vont y rester je ne sais combien d'années. C'est là que se trouve le séminaire Saint-Lazare pour les estropiés, car vous avez appris, je suppose, qu'il a été victime d'un accident. Oh, Seigneur, mon pauvre Wickham ! Si seulement il avait autant d'amis qu'il le mérite.

Devinant que cette pique était destinée à Mr Darcy, Elizabeth fut si dévorée de honte qu'elle eut du mal à tenir en place. À ce désarroi succéda bientôt un réel soulagement, lorsqu'elle remarqua combien la beauté de sa sœur ravivait l'admiration de son ancien soupirant. Lorsqu'il était entré, il ne lui avait que très peu parlé mais, de minute en minute, il semblait lui accorder plus d'attention. Il la trouvait aussi jolie que l'année précédente, aussi bonne, aussi naturelle, mais pas aussi disposée à bavarder. Toute à son inquiétude de ne pas paraître différente, Jane était convaincue de parler autant qu'auparavant, mais elle avait tant de choses en tête qu'elle ne se rendait pas toujours compte de ses silences.

Quand ces messieurs prirent congé, Mrs Bennet se rappela la courtoisie qu'elle avait prévu de manifester et les invita à venir dîner à Longbourn quelques jours plus tard.

— Vous me devez une visite, Mr Bingley, ajouta-t-elle, car l'hiver dernier, quand vous êtes parti pour Londres, vous aviez promis de partager un de nos dîners en famille dès que vous reviendriez. Je n'ai pas oublié, voyez-vous, et je vous assure que j'ai été bien déçue que vous ne vinssiez pas tenir votre engagement.

À ces mots, Bingley eut l'air un peu penaud. Il exprima ses regrets d'avoir été retenu par ses affaires, et les deux hommes s'en allèrent.

Mrs Bennet avait eu grande envie de leur demander de rester dîner mais, bien qu'elle eût toujours une très bonne table, elle jugeait indispensable d'offrir au moins deux services à un homme qui lui inspirait d'aussi ambitieux projets, ou pour satisfaire l'appétit et l'orgueil de son ami qui avait dix mille livres de rentes.

Chapitre 54

DÈS QU'ILS furent partis, Elizabeth sortit pour recouvrer ses esprits. Le comportement de Mr Darcy la stupéfiait et la contrariait.

« Pourquoi est-il venu, se demandait-elle, si ce n'était que pour être silencieux, grave et indifférent ? »

Elle ne pouvait résoudre cette énigme de manière satisfaisante.

« À Londres, il pouvait encore être aimable, charmant, avec mon oncle et ma tante, alors pourquoi pas avec moi ? S'il a peur de moi, pourquoi venir ici ? S'il ne m'aime plus, pourquoi ce silence ? Quel homme agaçant ! Je ne penserai désormais plus à lui. Je suis la fiancée de la Mort, après tout. J'ai juré de n'écouter que l'honneur et de n'obéir qu'au code des guerriers et à mon bien-aimé maître Liu. »

Elle put malgré elle tenir cette promesse grâce à l'approche de sa sœur, qui la rejoignit, l'air réjoui.

— Maintenant que nous avons passé l'étape des retrouvailles, je me sens tout à fait à mon aise. Je connais ma force et je ne serai plus jamais embarrassée s'il revient. Je suis contente qu'il vienne dîner ici mardi. On verra alors publiquement que, lui comme moi, nous nous rencontrons comme de simples connaissances, indifférentes l'une à l'autre.

— Oui, très indifférentes, en effet, dit Elizabeth en riant. Oh, Jane, prends garde !

— Ma chère Lizzy, tu ne peux pas me croire aussi faible.

— Faible ? Pas le moins du monde. Je te crois plus que jamais capable de le soumettre à la puissance de l'amour.

Elles ne revirent pas ces messieurs avant le mardi et, entre-temps, Mrs Bennet s'abandonna à tous les heureux projets que la bonne humeur et la politesse ordinaire de Bingley avaient ranimés, en une demi-heure de visite.

Le mardi, une compagnie nombreuse se réunit à Longbourn, et les deux invités les plus attendus se présentèrent parfaitement à l'heure. Lorsqu'ils se dirigèrent vers la salle à manger, Elizabeth ouvrit l'œil pour voir si Bingley s'assiérait à côté de Jane, à cette place qui avait été la sienne lors de toutes les réceptions, un an auparavant. Occupée par la même idée, leur prudente mère s'abstint de le convier près d'elle. En entrant dans la pièce, il parut hésiter, mais Jane regarda alors autour d'elle et sourit : la question fut tranchée et il s'installa à son côté.

Avec une sensation de triomphe, Elizabeth tourna les yeux vers Mr Darcy, qui supporta avec une noble indifférence le choix qu'avait fait son ami. Elle aurait imaginé que Bingley avait reçu son autorisation de faire la cour à Jane, si elle ne l'avait pas vu lui aussi regarder Mr Darcy avec une expression de crainte à demi moqueuse.

Pendant le dîner, l'attitude de Bingley envers Jane révéla une admiration qui persuada Elizabeth que le bonheur de sa sœur et celui de son soupirant auraient rapidement été assurés si celui-ci avait été entièrement libre d'agir. Sans oser se fier à cette conclusion, elle observa avec joie ce comportement qui lui inspira tout l'entrain dont elle était capable, car elle n'était guère d'humeur joyeuse. Mr Darcy était assis presque à l'autre bout de la table, à côté de Mrs Bennet. Elle ne voyait pas comment leur position respective pouvait plaire à l'un ou à l'autre. Elle était trop loin pour entendre leurs propos, mais elle put constater qu'ils se parlaient rarement ; lorsqu'ils s'adressaient la parole, c'était de manière froide et guindée. La discourtoisie de sa mère rendait encore plus pénible pour Elizabeth la conscience de leur dette envers lui ; elle aurait tout donné pour bondir sur la table afin de s'infliger les sept balafres de la honte devant Mr Darcy, pour voir son propre sang couler lamentablement dans l'assiette de ce monsieur, et expier ses nombreux préjugés contre lui.

Elle espérait que la soirée leur donnerait l'occasion d'être ensemble, que toute cette visite ne se passerait pas sans leur permettre une vraie conversation, au-delà des salutations cérémonieuses échangées lorsqu'il était arrivé. Anxieuse et mal à l'aise, elle trouva ennuyeux et pénible, au point d'en devenir presque impolie, le moment qui s'écoula avant que ces messieurs rejoignissent les dames au salon. Elle attendait avec impatience leur venue, car toutes ses chances de trouver cette soirée agréable en dépendaient.

« S'il ne vient pas à moi, je renoncerai à lui pour toujours, se dit-elle, et plus jamais je ne détournerai les yeux du bout de mon sabre. »

Ces messieurs les rejoignirent, et il lui sembla que Darcy avait l'air disposé à exaucer ses vœux mais, hélas ! autour de la table où Jane préparait le thé et où sa sœur servait le café, les dames formaient un attroupement si dense qu'il était absolument impossible d'insérer une chaise près d'Elizabeth.

Darcy partit de l'autre côté de la pièce. Elle le suivit des yeux, enviant tous ceux à qui il parlait ; elle avait à peine la patience de servir le café à quiconque, et s'en voulait d'être aussi sotte !

« Un homme que j'ai refusé à coups de pied et à coups de poing ! Comment puis-je être assez stupide pour espérer un renouveau de son amour ? Y a-t-il parmi son sexe un seul être qui ne protesterait pas contre la faiblesse d'une seconde demande destinée à la même femme ? Il préférerait demander sa main à une innommable ! »

Elle reprit un peu courage lorsqu'il lui rapporta lui-même sa tasse à café, et elle en profita pour dire :

— Votre sœur est-elle encore à Pemberley ?

— Oui, elle y restera jusqu'à Noël.

— Toute seule ? Tous ses amis l'ont-ils quittée ?

— Il n'y a plus avec elle que les domestiques et sa garde personnelle.

Elle ne put imaginer rien d'autre à dire, mais s'il souhaitait bavarder avec elle, il serait peut-être plus inspiré. Cependant, il se tint à côté d'elle en silence pendant quelques minutes, puis finit par s'éloigner.

Quand le service à thé fut emporté, et remplacé par les tables de jeu, toutes les dames se levèrent. Elizabeth comptait être bientôt rejointe par Mr Darcy, mais tous ses espoirs furent anéantis lorsqu'elle le vit succomber au recrutement avide de sa mère pour une partie de Caveau et Cercueil. Elle perdit alors toute perspective de plaisir. Ils étaient elle et lui bloqués pour la soirée à des tables différentes, et elle n'avait plus rien à attendre ; pourtant, Darcy tournait si souvent les yeux du côté de la pièce où Elizabeth se trouvait, qu'il en jouait aussi mal qu'elle.

Mrs Bennet avait l'intention de garder à souper les deux messieurs de Netherfield, mais malheureusement, leur voiture fut attelée avant toutes les autres et elle n'eut pas l'occasion de les retenir.

— Eh bien, mes filles, s'exclama-t-elle dès qu'elles se retrouvèrent seules, que dites-vous de cette journée ? Je pense que tout s'est extraordinairement bien déroulé, je vous assure. Je n'ai jamais vu un dîner aussi bien accommodé. Le gibier était cuit à la perfection, et tout le monde a dit qu'on n'avait jamais vu un cuissot aussi gras. Merci, Lizzy, d'avoir capturé de tes mains un chevreuil aussi superbe. La soupe était cinquante fois meilleure que celle qu'on nous a servie chez les Lucas la semaine dernière, et même Mr Darcy a reconnu que les perdrix étaient remarquablement préparées. J'imagine qu'il a au moins deux ou trois cuisiniers français. Et, ma chère Jane, je ne t'ai jamais vue plus en beauté.

Bref, Mrs Bennet exultait ; ce qu'elle avait observé du comportement de Bingley envers Jane suffisait à la convaincre qu'elle finirait par lui mettre la main dessus. Lorsqu'elle était dans cette disposition, son optimisme pour sa famille dépassait tant les bornes de la raison qu'elle fut bien déçue de ne pas le voir revenir le lendemain faire sa demande en mariage.

— J'ai passé une journée très agréable, dit Jane à Elizabeth. Les invités m'ont paru si bien choisis, si bien assortis les uns aux autres. J'espère les revoir souvent.

Elizabeth sourit.

— Non, Lizzy, tu ne dois pas me soupçonner. Cela me mortifie. Je t'assure que j'ai désormais appris à apprécier la conversation de Bingley parce que c'est un jeune homme charmant et raisonnable, sans éprouver le moindre désir au-delà. À en juger d'après ses manières, je suis tout à fait certaine qu'il n'a jamais eu le dessein de conquérir mon cœur. C'est simplement que la nature lui a conféré, plus qu'à tout autre, une grande délicatesse de langage et un vif désir de plaire.

— Tu es bien cruelle, répliqua sa sœur. Tu m'interdis de sourire alors que tu m'y incites à chaque instant. J'ai presque envie de te soutirer l'aveu de ton amour.

— Comme il est parfois difficile d'être crue sur parole !

— Et comme c'est parfois impossible !

— Mais pourquoi voudrais-tu me persuader que j'éprouve plus de sentiments que je n'en avoue ?

— Oh ! Tu es plus têtue qu'une mule du Hunan ! Si tu persistes dans l'indifférence, ne me choisis pas pour confidente.

Chapitre 55

QUELQUES JOURS après cette visite, Mr Bingley revint, tout seul. Son ami était reparti pour Londres ce matin-là, mais il serait de retour dix jours plus tard. Remarquablement gai, il passa plus d'une heure à Longbourn. Mrs Bennet l'invita à dîner avec eux, mais il déclara être déjà pris ailleurs.

— À votre prochaine visite, dit-elle, j'espère que nous aurons plus de chance.

Il serait absolument enchanté, n'importe quel jour, etc., etc., et si elle le lui permettait, il profiterait de la première occasion pour leur rendre à nouveau visite.

— Êtes-vous libre demain ?

Oui, il n'avait aucun engagement pour le lendemain, et il accepta avec joie cette invitation.

Il se présenta si tôt qu'il interrompit la séance d'entraînement ; Mary dut décapiter précipitamment le zombie enchaîné qui leur servait de cible. En robe de chambre et à moitié coiffée, Mrs Bennet entra en courant dans la chambre de Jane et cria :

— Ma chère Jane, dépêche-toi de descendre. Il est ici, Mr Bingley est ici. Il est bien ici. Dépêche-toi, dépêche-toi. Allons, Sarah, venez tout de suite aider Miss Bennet, rincez donc toute cette transpiration et aidez-la à enfiler sa robe. Peu importent les cheveux de Lizzy.

— Nous serons en bas dès que nous pourrons, répondit Jane, mais je pense que Kitty sera plus en avance que nous deux, car cela fait une demi-heure qu'elle est montée.

— Oh, au diable Kitty ! Qu'a-t-elle à voir dans cette histoire ? Hâte-toi, te dis-je, hâte-toi ! Où est ta ceinture, ma chérie ?

Mais Jane n'envisageait pas de descendre sans l'une de ses sœurs.

Le soir, leur mère manifesta le même désir de laisser les amoureux en tête à tête. Après le thé, Mr Bennet se retira dans la bibliothèque, selon son habitude, et Mary monta faire ses haltères. Deux obstacles sur cinq ayant été éliminés, Mrs Bennet passa un long moment à adresser des clins d'œil à Elizabeth et à Kitty, sans produire le moindre effet. Elizabeth refusait de la regarder et quand Kitty tourna enfin les yeux vers elle, elle dit en toute innocence :

— Que se passe-t-il, maman ? Pourquoi n'arrêtez-vous pas de me faire des clins d'œil ? Que voulez-vous de moi ?

— Rien, mon enfant, rien. Je ne t'ai fait aucun clin d'œil.

Elle resta tranquille pendant cinq minutes mais, incapable de laisser passer une occasion aussi précieuse, elle se leva tout à coup et dit à Kitty :

— Viens, mon ange, je veux te parler.

Elles sortirent et Jane lança aussitôt à Elizabeth un regard qui trahissait son désarroi face à une telle préméditation et suppliait sa sœur de ne pas céder à son tour. Quelques minutes plus tard, Mrs Bennet entrouvrit la porte et la héla :

— Lizzy, ma chérie, je veux te parler.

Elizabeth fut forcée d'obéir.

— Autant les laisser seuls tous les deux, tu sais, lui dit sa mère dès qu'elle fut dans le couloir. Kitty et moi, nous montons dans mon boudoir.

Elizabeth ne tenta pas de discuter avec sa mère, mais resta calmement dans le vestibule jusqu'à ce que Kitty et elle eussent disparu, puis retourna au salon.

Les manigances de Mrs Bennet furent vaines ce jour-là. Bingley fut tout ce qu'il y a de plus charmant, mais ne devint à aucun moment le soupirant déclaré de sa fille. Son aisance et son enjouement faisaient de lui un convive fort agréable ; il supporta l'obséquiosité importune de la mère et écouta toutes ses sottes remarques avec une indulgence et une maîtrise de soi particulièrement appréciées par la fille.

Il ne fut pas nécessaire d'insister pour qu'il restât souper et, avant qu'il partît, rendez-vous fut pris, essentiellement entre lui et Mrs Bennet, pour qu'il revînt le lendemain matin abattre les premiers zombies d'automne avec son mari.

Après cette journée, Jane ne parla plus d'indifférence. Les deux aînées n'échangèrent pas un mot au sujet de Bingley, mais Elizabeth se coucha avec l'heureuse certitude que tout serait bientôt conclu, à moins que Mr Darcy ne reparût avant la date fixée. Elle se sentait néanmoins assez convaincue que les attentions de Bingley à l'endroit de Jane avaient obtenu l'approbation de ce monsieur.

Bingley tint sa promesse et passa la matinée avec Mr Bennet, à chasser les premiers innommables qui partaient vers le sud en quête de terre meuble. Mr Bennet entraîna son compagnon vers le champ le plus septentrional de Longbourn, où ils consacrèrent près d'une heure à poser des pièges (conçus par Mr Bennet), avec des têtes de choux-fleurs en guise d'appât. Toutes les dix minutes, un zombie sortait du bois en titubant et entrait dans la prairie où Mr Bennet et Mr Bingley l'attendaient, cachés derrière des branchages. Les vivants regardaient le mort découvrir le chou-fleur et, le prenant pour une cervelle succulente, se pencher pour le ramasser. Là-dessus, le piège se refermait sur son bras, les deux hommes s'avançaient, assommaient la créature avec la crosse de leur mousquet, lui tiraient dessus, puis y mettaient le feu.

Mr Bennet trouva Bingley bien plus sympathique que prévu. Il n'y avait chez ce jeune homme ni présomption ni folie qui pût lui inspirer de la moquerie, ou qui le fît se retrancher dans un silence dégoûté ; Mr Bennet se montra plus causant et moins excentrique que Bingley ne l'avait connu jusque-là. Bien entendu, ils rentrèrent dîner ensemble et, ce soir-là, l'inventivité de Mrs Bennet se mit de nouveau en marche pour écarter tout le monde de sa fille et de lui. Elizabeth, qui avait une lettre à écrire, se rendit pour cela au petit salon, peu après le thé.

Quand elle eut terminé sa lettre, elle regagna le grand salon et trouva Jane et Bingley debout tous deux devant la cheminée, comme en pleine conversation. Si cela n'avait pas suffi à lui inspirer des soupçons, leur visage aurait tout dévoilé, lorsqu'ils se retournèrent et s'éloignèrent bien vite l'un de l'autre. Leur situation était assez embarrassante, mais celle d'Elizabeth l'était plus encore. Personne ne prononça une seule syllabe et elle était sur le point de ressortir quand Bingley, qui s'était assis comme ces demoiselles, se leva soudain et sortit après avoir murmuré quelques mots à sa sœur.

Jane ne pouvait rien dissimuler à Elizabeth, d'autant que ses confidences seraient cause de plaisir ; elle la serra aussitôt dans ses bras et reconnut, avec l'émotion la plus vive, qu'elle était la plus heureuse femme au monde.

— C'en est trop, beaucoup trop, ajouta-t-elle. Je ne mérite pas cela. Oh, pourquoi tout le monde n'est-il pas aussi heureux ?

Elizabeth lui présenta ses félicitations avec une sincérité que les mots ne pouvaient guère exprimer. Chaque phrase aimable était une nouvelle source de bonheur pour Jane, mais elle ne s'autorisa pas à rester avec sa sœur ou à lui confier le quart de tout ce qu'elle avait encore à dire.

— Je dois tout de suite monter voir notre mère, s'exclama-t-elle. Je ne laisserai personne d'autre que moi lui apprendre la nouvelle. Il est déjà parti trouver notre père. Oh, Lizzy, savoir que ce que j'ai à raconter va donner tant de plaisir à toute ma chère famille ! Comment pourrai-je survivre à tant de bonheur ?

Elle courut alors rejoindre leur mère, qui attendait à l'étage avec Kitty.

Une fois seule, Elizabeth sourit en songeant à la vitesse et à la facilité avec lesquelles était enfin réglée cette affaire qui leur avait valu tant de mois d'attente et de contrariété.

Pour l'heure, peu lui importait de perdre sa plus fidèle compagne sur le champ de bataille, sa plus proche confidente et la seule de ses sœurs dont elle n'ait jamais eu à redouter la moindre sottise. Elle fut envahie par une sensation de victoire complète car, après toute la circonspection anxieuse de Darcy, les mensonges et les stratagèmes de Miss Bingley, cette idylle trouvait la conclusion la plus heureuse, la plus sage et la plus raisonnable.

Au bout de quelques minutes, elle fut rejointe par Bingley, dont l'entretien avec son père avait été bref et sans détour.

— Où est votre sœur ? demanda-t-il.

— À l'étage, avec ma mère. Elle redescendra bientôt, j'en suis sûre.

Il ferma alors la porte et s'approcha d'elle pour réclamer ses bons vœux et son affection de sœur. Elizabeth lui exprima franchement et sincèrement sa joie à la perspective de cette parenté. Ils se serrèrent la main de façon fort cordiale puis, en attendant le retour de sa sœur, elle dut écouter tout ce qu'il avait à dire sur son propre bonheur et sur les perfections de Jane. Elizabeth estima que, malgré son manque de formation aux arts meurtriers, il fondait ses espoirs de bonheur sur une base solide, puisque Jane et lui se ressemblaient tant sur tous les autres points.

Ce fut une soirée de réjouissances pour tous ; la satisfaction de Miss Bennet animait son visage d'un si doux enthousiasme qu'elle semblait plus jolie que jamais. Kitty minaudait et souriait, espérant que son tour viendrait bientôt. Mrs Bennet ne pouvait donner son consentement ou déclarer son approbation en termes assez chaleureux pour contenter ses sentiments, et quand Mr Bennet se joignit à eux pour le souper, sa voix et ses manières trahirent combien il était réellement heureux.

Il n'y fit pourtant pas la moindre allusion jusqu'à ce que leur visiteur prît congé pour la nuit, mais dès que celui-ci fut parti, il se tourna vers sa fille et dit :

— Jane, je te félicite. Tu seras très heureuse.

Jane courut l'embrasser et le remercier pour sa bonté.

— Tu es une bonne fille, et je suis bien aise de penser que tu seras si bien établie. Je ne doute pas que vous vous entendrez très bien. Vos tempéraments sont assez convergents. Vous êtes tous deux si dociles que vous ne prendrez jamais aucune décision, si indulgents que tous vos domestiques vous voleront, et si généreux que vous dépenserez toujours plus que vous ne gagnerez.

— J'espère bien que non. De ma part, l'imprudence ou la désinvolture sur les questions d'argent serait impardonnable.

— Dépenser plus qu'ils ne gagnent ! Mon cher Mr Bennet, protesta sa femme, vous extravaguez ! Il a quatre ou cinq mille livres de rentes, et probablement plus. Oh, ma chère, chère Jane, je suis si heureuse. J'étais sûre que tu ne pouvais pas être si belle pour rien ! Je me rappelle, dès que je l'ai vu, quand il est arrivé dans le Hertfordshire l'an dernier, il m'a semblé probable que vous finiriez par vous unir. Oh, c'est le plus joli garçon qu'on ait jamais vu !

Wickham et Lydia étaient bien oubliés. Jane était sans conteste son enfant préférée. À cet instant, elle ne se souciait plus d'aucune autre. Les cadettes commencèrent à évoquer avec l'aînée les bonheurs qu'elle serait à l'avenir en mesure de leur procurer.

Mary sollicita l'usage de la bibliothèque de Netherfield, et Kitty réclama à cor et à cri quelques bals tous les hivers.

Dès lors, bien sûr, Bingley se rendit chaque jour à Longbourn ; il venait souvent avant le petit-déjeuner, et restait toujours jusqu'après le souper, sauf quand un voisin barbare, qu'on ne pouvait assez haïr, lui avait envoyé une invitation à dîner qu'il se croyait obligé d'accepter.

À mesure que les jours raccourcissaient, les zombies devenaient plus nombreux dans le Hertfordshire. Ils arrivaient par dizaines et par vingtaines, chassés vers le sud par le durcissement du sol et par les mousquets de Sa Majesté. Elizabeth n'avait plus guère le temps de bavarder avec sa sœur car, avec Kitty et Mary, elles devaient chaque jour anéantir telle ou telle nuisance. Jane ne pouvait accorder d'attention à personne d'autre quand Bingley était là. En l'absence de Jane, il se rapprochait toujours d'Elizabeth, pour le plaisir de lui parler de son aînée, et quand Bingley s'en allait, Jane avait recours à la même consolation.

— Il m'a rendue si heureuse, dit-elle un soir, en me disant qu'il ignorait entièrement que j'étais à Londres au printemps dernier ! Je ne l'avais pas cru possible.

— Je m'en doutais, répondit Elizabeth. Mais comment l'explique-t-il ?

— Ce doit être la faute de ses sœurs. Elles étaient assurément hostiles à son intérêt pour moi, ce dont je ne m'étonne pas, puisqu'il aurait pu faire un choix bien plus avantageux à tant d'égards. Mais je suis confiante : quand elles verront que leur frère est heureux avec moi, elles apprendront à s'en satisfaire et nous serons de nouveau en bons termes, même si nous ne serons plus jamais aussi amies qu'autrefois.

— Voilà le discours le plus inflexible que je t'aie jamais entendu prononcer, dit Elizabeth. Bravo ! Je serais fâchée, vraiment, si tu redevenais la dupe de la prétendue estime de Miss Bingley.

— Le croirais-tu, Lizzy : en novembre dernier, quand il est parti pour Londres, il m'aimait réellement, et rien n'aurait pu l'empêcher de revenir en province, hormis un nouveau siège de Londres ou la certitude que j'étais indifférente à son amour !

Elizabeth fut enchantée d'apprendre qu'il ne lui avait pas révélé l'opposition de son ami car, bien qu'elle eût la nature la plus généreuse et la plus disposée à pardonner, Jane en aurait forcément conçu de l'humeur contre Darcy.

— Je suis certainement la femme la plus heureuse qui ait jamais vécu ! s'écria Jane. Oh, Lizzy, pourquoi suis-je ainsi distinguée parmi tous les membres de ma famille, pourquoi cette bénédiction qui me place au-dessus d'eux tous ? Si je pouvais au moins te voir connaître la même félicité ! S'il existait au moins pour toi un homme comme lui !

— Même si tu étais prête à m'accorder quarante hommes comme lui, je ne pourrais jamais être aussi heureuse que toi. Tant que je n'aurai pas ton caractère et ta bonté, je ne pourrai avoir ton bonheur. Non, non, laisse-moi trouver un réconfort à pourfendre les créatures atroces. Peut-être, si j'ai beaucoup de chance, rencontrerai-je un jour un autre Mr Collins.

La situation de la famille de Longbourn ne pouvait rester plus longtemps secrète. Mrs Bennet eut le privilège d'en murmurer deux mots à Mrs Philips, qui se risqua, sans permission, à en faire autant auprès de toutes ses voisines de Meryton.

Les Bennet furent bien vite déclarés la plus heureuse famille au monde, même si, quelques semaines auparavant, quand Lydia venait de s'enfuir, on avait estimé qu'ils étaient voués à l'infortune.

Chapitre 56

UN MATIN, une semaine environ après les fiançailles de Bingley et de Jane, tandis qu'il se trouvait au salon avec ces dames, leur attention fut soudain attirée vers la fenêtre par le bruit d'une voiture, et ils virent un attelage à quatre chevaux s'avancer dans l'allée. Il s'agissait de chevaux de poste, et ni le véhicule, ni la livrée du domestique qui le précédait ne leur étaient familiers. Comme il était cependant certain que quelqu'un approchait, Bingley persuada aussitôt Jane, pour échapper aux obligations que cette intrusion ne manquerait pas de susciter, d'aller avec lui jusqu'au bosquet, où elle avait promis de lui apprendre à capturer les cerfs. Ils sortirent tous deux et les trois autres continuèrent à formuler des conjectures, sans grande satisfaction, jusqu'au moment où la porte s'ouvrit, laissant entrer leur visiteuse, accompagnée de deux ninjas.

C'était Lady Catherine de Bourgh.

Elles avaient certes prévu une surprise, mais leur stupeur dépassa toute attente.

Lady Catherine pénétra dans la pièce, l'air plus revêche que jamais, se contenta d'incliner légèrement la tête en réponse au salut d'Elizabeth, congédia sa garde et s'assit sans un mot. Elizabeth avait mentionné à sa mère le nom de leur visiteuse à son entrée, mais celle-ci n'avait pas demandé à être présentée.

Tout abasourdie, quoique flattée de recevoir une visite aussi prestigieuse, Mrs Bennet l'accueillit avec la plus grande politesse. Après être restée assise un moment en silence, elle dit très sèchement à Elizabeth :

— J'espère que vous allez bien, Miss Bennet. Cette dame est votre mère, je suppose.

Elizabeth répondit très succinctement que oui.

— Et je suppose que c'est là l'une de vos sœurs.

— Oui, madame, dit Mrs Bennet, ravie de parler à Lady Catherine. C'est mon avant-dernière. La plus jeune vient de se marier et mon aînée se promène quelque part dans le jardin, avec un jeune homme qui fera bientôt partie de la famille, je crois.

— Vous avez ici un très petit parc, déclara Lady Catherine après une courte pause.

— Ce n'est rien en comparaison de Rosings, madame, j'en suis sûre.

Elizabeth pensait qu'elle allait maintenant leur présenter ses condoléances pour la mort de Charlotte et de Mr Collins, car cela semblait être le seul motif probable de sa venue. Mais il n'en fut pas question, et elle resta bien intriguée.

Avec beaucoup de civilité, Mrs Bennet pria Lady Catherine d'accepter quelques rafraîchissements, mais celle-ci refusa de manger quoi que ce soit, de façon catégorique et assez peu polie. Se levant, elle dit alors à Elizabeth :

— Miss Bennet, j'ai cru voir un charmant petit dojo d'un côté de votre pelouse. Je serais ravie d'y jeter un coup d'œil, si vous m'accordiez la faveur de votre compagnie.

— Va, ma chérie, dit sa mère, et fais visiter les jardins à Sa Seigneurie. Je pense qu'elle trouvera les pavillons à son goût.

Elizabeth obéit et, après être allée chercher bien vite son ombrelle dans sa chambre, elle escorta leur noble visiteuse jusqu'au rez-de-chaussée. Alors qu'elles traversaient le vestibule, Lady Catherine ouvrit les portes de la salle à manger et du petit salon. Après un rapide examen, elle qualifia ces pièces de correctes, et poursuivit son chemin.

Sa voiture était restée à la porte et Elizabeth vit que sa geisha y était encore assise. Elles marchèrent en silence jusqu'au dojo ; Elizabeth avait résolu de ne faire aucun effort de conversation avec une femme qui se montrait à présent plus que jamais insolente et déplaisante.

« Comment ai-je pu trouver qu'elle ressemblait à son neveu ? » se demanda-t-elle en contemplant son visage.

Dès qu'elles furent entrées, Lady Catherine commença de la façon suivante :

— Vous devez comprendre sans peine, Miss Bennet, la raison de mon voyage jusqu'ici. Votre propre cœur, votre propre conscience doivent vous dire pourquoi je suis venue.

Elizabeth la regarda avec un étonnement sincère.

— Je vous assure qu'il n'en est rien, madame. J'ignore ce qui me vaut l'honneur de vous voir ici.

— Miss Bennet, répliqua la dame avec colère, vous devriez savoir qu'il ne faut pas plaisanter avec moi. Mais si vous avez choisi de jouer les hypocrites, je n'en ferai pas autant avec vous. La sincérité et la franchise de mon caractère ont toujours été vantées, tout comme mes pouvoirs meurtriers qui sont considérés comme sans égal. Une rumeur des plus alarmantes m'est parvenue il y a deux jours. On m'a dit que non seulement votre sœur était sur le point de conclure un mariage fort avantageux, mais que vous, que Miss Elizabeth Bennet allait, selon toute vraisemblance, être peu après unie à mon neveu, mon propre neveu, Mr Darcy. Je sais qu'il ne peut s'agir que d'un scandaleux mensonge, et je ne lui ferai pas l'injure de le croire capable de s'intéresser à une fille d'aussi basse naissance que vous, mais j'ai immédiatement décidé de me mettre en route pour vous faire part de mes sentiments.

— Si vous jugiez impossible que l'information fût vraie, dit Elizabeth en rougissant de stupeur et de dédain, je m'étonne que vous ayez pris la peine de parcourir tout ce chemin. Quel pouvait être le but de Votre Seigneurie ?

— Exiger que cette rumeur soit universellement démentie.

— En venant à Longbourn, me voir ainsi que ma famille, riposta froidement Elizabeth, vous risquez plutôt de la confirmer, si tant est qu'un tel bruit circule vraiment.

— S'il circule ! Prétendez-vous ne pas être au courant ? Ne vous êtes-vous pas efforcée de le répandre ? Ignorez-vous que cette rumeur se propage partout ?

— Je n'en savais rien.

— Et pouvez-vous de même affirmer qu'elle n'a aucun fondement ?

— Je ne prétends pas posséder autant de franchise que Votre Seigneurie. Vous avez le droit de poser des questions auxquelles je choisis de ne pas répondre.

— Cela n'est pas tolérable, Miss Bennet, j'exige d'être renseignée. A-t-il, mon neveu vous a-t-il demandée en mariage ?

— Votre Seigneurie affirme que c'est impossible.

— Cela devrait l'être, cela doit l'être tant qu'il conservera l'usage de sa raison. Mais dans un instant d'égarement, victime de vos ruses et de vos attraits, il pourrait avoir oublié ce qu'il se doit à lui-même et à sa famille. Peut-être l'avez-vous séduit avec vos misérables tours de passe-passe chinois.

— Si c'est le cas, je serai la dernière à l'avouer.

— Miss Bennet, savez-vous qui je suis ? N'avez-vous pas entendu chanter mes victoires sur les légions d'esclaves de Satan ? N'avez-vous pas lu l'épopée de mes exploits hors du commun ? Je suis pour ainsi dire la plus proche parente qu'ait Mr Darcy, et j'ai le droit de connaître ses plus chères préoccupations.

— Vos talents sont si grands ! Vous avez tué tant d'innommables ! Et pourtant, quand vous en receviez une chez vous, vous n'avez pas été capable de la reconnaître.

— Êtes-vous obtuse au point de croire que je n'avais pas détecté la morte-vivante en Charlotte ? Êtes-vous incapable de comprendre la générosité de mes intentions ? Je voulais que mon nouveau pasteur ait sa part de bonheur ! Dites-moi, pourquoi s'est-elle transformée si lentement, à votre avis ? Pourquoi l'invitais-je si souvent à prendre le thé ? Pour le plaisir de sa compagnie ? Non ! C'est mon sérum qui l'a maintenue en vie pendant plusieurs mois. Quelques gouttes à la fois, à son insu, dans sa tasse.

— On peut difficilement qualifier cette expérience de « généreuse ». Vous n'avez fait que prolonger ses souffrances !

— Entendons-nous bien. Ce mariage, auquel vous avez la présomption d'aspirer, ne pourra jamais avoir lieu. Jamais ! Mr Darcy est promis à ma fille. Qu'avez-vous à dire à cela ?

— Une seule chose : s'il en est ainsi, vous ne pouvez avoir aucune raison de croire qu'il demandera ma main.

Lady Catherine hésita un instant, puis répondit :

— La promesse qui les unit est d'un genre un peu particulier. Depuis leur enfance, ils sont destinés l'un à l'autre. C'était le plus cher désir de Lady Darcy, et c'était le mien. Nous préparions cette union quand ils étaient encore au berceau. Aujourd'hui, alors que les vœux des deux sœurs doivent être exaucés par ce mariage, tout cela serait empêché par une jeune femme de basse extraction, qui n'a aucune position dans le monde, et qui a été formée en Chine, par-dessus le marché ! N'avez-vous plus aucune notion des convenances, plus aucune délicatesse ? Ne vous ai-je pas dit qu'il était destiné à sa cousine depuis son plus jeune âge ?

— Oui, et je l'avais déjà entendu dire. Mais qu'est-ce que cela me fait ? S'il n'y a pas d'autre obstacle à ce que j'épouse votre neveu, je ne m'en laisserai certainement pas dissuader parce que sa mère et sa tante souhaitaient qu'il s'alliât à Miss de Bourgh. Si ni l'honneur ni l'inclination ne lient Mr Darcy à sa cousine, pourquoi ne pourrait-il faire un autre choix ? Et si je suis ce choix, pourquoi ne pourrais-je pas l'accepter ?

— Parce que l'honneur, les convenances, la prudence, et même l'intérêt le défendent. Oui, Miss Bennet, l'intérêt, car n'espérez pas être accueillie par sa famille ou ses amis si vous allez délibérément à l'encontre des désirs de tous. Vous serez blâmée, ignorée et méprisée par tous ceux qui lui sont proches. Votre alliance sera un déshonneur, même votre nom ne sera jamais prononcé par aucun d'entre nous.

— Ce sont là de bien grands malheurs, répliqua Elizabeth, mais la femme de Mr Darcy jouira de telles sources de bonheur nécessairement associées à sa situation que, somme toute, elle n'aura aucune raison de se lamenter.

— Quelle fille entêtée, opiniâtre ! J'ai honte pour vous ! Est-ce là votre gratitude pour les attentions que je vous ai prodiguées au printemps dernier ? Ne me devez-vous rien, à ce compte ? Je n'ai pas l'habitude qu'on me dise non !

— Et moi, je n'ai pas l'habitude de me laisser intimider.

— Je vous interdis de m'interrompre ! Écoutez-moi en silence ! Ma fille et mon neveu sont faits l'un pour l'autre. Leur fortune est splendide, à l'un comme à l'autre. Ils sont destinés l'un à l'autre par la voix de tous les membres de leurs maisons respectives. Et par quoi seraient-ils séparés ? Par les prétentions d'une jeune parvenue dont la sœur a récemment été impliquée dans un scandaleux enlèvement avec le fils du polisseur de mousquets de Darcy père ? Une femme sans famille, sans relations, sans fortune ?

— La fortune de votre fille est bel et bien splendide. Mais veuillez me dire quelles autres qualités elle possède ? Est-elle jolie ? A-t-elle été formée aux arts meurtriers ? A-t-elle même assez de force pour soulever un Katana ?

— Comment osez-vous ? Dites-moi une fois pour toutes si vous lui êtes fiancée !

Elizabeth n'avait aucune envie de répondre uniquement pour satisfaire Lady Catherine, mais elle ne put s'empêcher de dire, après un moment de réflexion :

— Je ne le suis pas.

Lady Catherine parut contente.

— Et me promettez-vous de ne jamais consentir à de telles fiançailles ?

— J'aimerais mieux mourir que de souiller mon honneur par une telle promesse.

— Alors, Miss Bennet, dit Lady Catherine en posant son ombrelle et en enlevant son manteau, il vous faudra mourir.

Là-dessus, elle se mit en position de combat.

— Voulez-vous me provoquer en duel, madame ? Ici, dans le dojo de ma famille ?

— Je veux simplement débarrasser le monde d'une petite péronnelle et préserver la dignité d'un homme supérieur, de peur que Pemberley ne soit à jamais souillé par votre puanteur.

— En ce cas, dit Elizabeth en jetant son ombrelle à terre, ce sera notre premier et notre dernier combat.

Et elle adopta elle aussi la position adéquate.

Ces deux dames – séparées par plus de cinquante années, mais aux talents comparables – restèrent un moment immobiles. Une fois son plan d'attaque entièrement conçu, Lady Catherine bondit en l'air avec une force tout à fait frappante chez une femme de son âge. Elle passa par-dessus son adversaire, lui assenant un coup au sommet du crâne, et la jeune fille tomba à genoux. Si Elizabeth avait été en moins bonne forme physique, la violence du choc lui aurait assurément fracturé la colonne vertébrale.

Lady Catherine atterrit en douceur et, voyant son adversaire tenter de se lever, la propulsa à l'autre bout du dojo d'un redoutable coup de pied dans le dos. Incapable de reprendre son souffle, Elizabeth tâchait de se mettre debout quand la guerrière s'approcha à nouveau.

— Vous n'avez aucune considération pour l'honneur et le crédit de mon neveu ! Fille égoïste et insensible ! Ne voyez-vous pas qu'une union avec vous le dégraderait aux yeux de tout le monde ?

Elle redressa Elizabeth en l'attrapant par sa robe.

— Eh bien ? Avez-vous quelque chose à dire avant que je ne vous envoie rejoindre Satan ?

— Juste… une chose, madame…

Lady Catherine écarquilla les yeux en sentant une douleur aiguë au ventre. Elle s'écroula en arrière, la poignée de la dague d'Elizabeth sortant de sa robe. La jeune fille profita de sa confusion pour la frapper à la tête, au cou et à la poitrine, en une sévère combinaison de coups, et un ultime coup de pied la projeta si haut qu'elle brisa deux des poutres du plafond.

À l'extérieur, les ninjas de Lady Catherine se tournèrent vers le dojo, alertés par ce tumulte.

À l'intérieur, la noble dame gisait au sol, inerte. Elizabeth se tenait devant elle, guettant le moindre signe de vie, mais n'en discernait aucun.

« Seigneur ! Qu'ai-je fait ? Comment Darcy pourra-t-il jamais me pardonner d'avoir tué sa tante bien-aimée ? »

À peine cette pensée lui fut-elle venue à l'esprit qu'Elizabeth percuta le sol, déséquilibrée par les jambes de Lady Catherine. Celle-ci se releva d'un bond et, avec un grand éclat de rire, retira le poignard de son ventre et le planta dans la main d'Elizabeth, qui fut dès lors rivée au plancher.

— Il faudrait des compétences bien supérieures aux vôtres pour faire apparaître une seule goutte de transpiration sur ma peau. Fille faible et stupide ! Tant qu'il y aura de la vie dans mon vieux corps, plus jamais vous ne serez en compagnie de mon neveu !

Les ninjas de Lady Catherine entrèrent, lançant des étoiles meurtrières, mais ils furent vite rassurés par leur maîtresse, qui avait le duel bien en main.

— Ne bougez pas, mes chers ninjas. Quand je lui aurai tranché la tête, vous pourrez faire ce que vous voudrez de son corps.

Tandis qu'Elizabeth tentait de se dégager, Lady Catherine détacha un des sabres suspendus au mur. Elle le dégaina et en examina la lame luisante.

— Remarquable. Un Katana superbe, comme j'en ai vu à Kyoto. Dommage qu'il ait dû passer tant d'années entre les mains d'une famille aussi indigne.

Lady Catherine releva la tête, s'attendant à voir son adversaire. Mais elle ne vit rien, rien qu'un dojo vide et deux ninjas anéantis, sans vie. Ce spectacle la fit à nouveau éclater de rire.

— Quelle bonne plaisanterie ! Je dois avouer que si vous aviez été vaincue au prix de si peu d'efforts, j'aurais été assez déçue !

Lady Catherine marcha jusqu'au centre du dojo, sabre au clair. Elle se retourna, s'attendant à une attaque, mais rien ne se passa.

— Quelle lâcheté ! s'écria-t-elle. N'avez-vous pas assez de courage pour m'affronter face à face ? Votre maître ne vous a-t-il rien appris d'autre que la reculade ?

— Mon maître m'a appris que le plus court chemin jusqu'à la mort était de sous-estimer son adversaire, répliqua Elizabeth.

Lady Catherine regarda le plafond et aperçut Elizabeth perchée sur une poutre, un sabre à la main. La plus jeune plongea vers le sol tandis que la plus âgée sautait vers le plafond. Leurs sabres se rencontrèrent à mi-parcours. La féroce bataille fit retentir le dojo du vacarme de l'acier percutant l'acier. Les deux femmes étaient de force égale, mais la jeunesse d'Elizabeth lui conférait l'avantage de la vigueur, et elle se fatigua moins vite que Sa Seigneurie.

Après plusieurs minutes de voltige, passées à s'attaquer l'une l'autre avec une force qui aurait envoyé dans leur tombe des légions de combattants moins aguerris, Lady Catherine laissa échapper son sabre sous l'effet d'un vigoureux coup de pied papillon. Elle se rua vers le mur pour décrocher un nunchaku, mais cette arme fut promptement tranchée en deux par le Katana d'Elizabeth.

Lady Catherine se retrouva acculée contre un mur et sentit la pointe du sabre d'Elizabeth contre sa gorge ridée.

— Eh bien ? s'exclama-t-elle. Décapitez-moi, mais faites vite !

Elizabeth baissa sa lame et, d'une voix très altérée par l'exercice, dit :

— À quoi bon, madame ? Pour me voir condamnée par un homme que j'aime tant ? Non. Non, madame, j'ignore si vous vivrez pour le voir épouser votre fille ou m'épouser, moi. Mais vous vivrez. Et jusqu'à la fin de vos jours, vous saurez que vous avez été vaincue par une fille pour qui vous n'avez aucune estime, et dont vous avez insulté la famille et le maître de la plus atroce façon. Maintenant, je vous prie de prendre congé.

Alors qu'on la raccompagnait à sa voiture, Lady Catherine se retourna et ajouta :

— Ma position reste inchangée. Je ne présente pas mes compliments à votre mère. Vous ne méritez aucune attention de ce genre. Je suis très gravement mécontente.

— Votre Seigneurie ferait bien de monter dans sa voiture avant que je change d'avis quant à sa décapitation.

Avec la plus vive répugnance, l'aînée s'exécuta. Sans le moindre salut, Elizabeth fit demi-tour et se dirigea vers la maison.

Elle entendit la voiture s'éloigner tandis qu'elle montait l'escalier, en veillant à dissimuler ses blessures. Sa mère la suivit avec impatience, afin de lui demander pourquoi Lady Catherine n'était pas rentrée se reposer.

— Elle ne l'a pas voulu ainsi, répondit sa fille.

— C'est une femme tout à fait magnifique ! Et sa visite ici est une marque de civilité prodigieuse ! Car elle est simplement venue, je suppose, nous présenter ses condoléances pour le décès de Mr Collins et de son épouse. J'imagine qu'elle était de passage et qu'en arrivant à Meryton, elle aura eu l'idée de venir nous voir. Je pense qu'elle n'avait rien de particulier à t'apprendre, Lizzy ?

Elizabeth fut bien obligée de mentir un peu, car il lui était impossible de dévoiler ce qui s'était dit entre elles.

Chapitre 57

LA PERPLEXITÉ dans laquelle cette extraordinaire visite plongea Elizabeth ne put être aisément surmontée ; même après avoir enterré les ninjas, elle ne put cesser d'y penser à tout instant. En apparence, Lady Catherine s'était donné la peine de venir de Rosings à seule fin de rompre ses fiançailles supposées avec Mr Darcy. Elizabeth ne put d'abord deviner l'origine de cette rumeur, jusqu'au moment où elle se rappela qu'il était l'intime de Bingley et qu'elle était la sœur de

Jane : l'espoir d'un mariage rendait tout le monde désireux d'en voir célébrer un autre, et cette idée était sans doute née ainsi. Elle-même était bien consciente que les noces de sa sœur allaient leur donner l'occasion de se voir plus souvent.

Pourtant, elle ne pouvait s'empêcher de ressentir un certain malaise quant aux conséquences possibles de son duel avec Lady Catherine. Comme celle-ci s'était déclarée résolue à empêcher ce mariage, Elizabeth songea qu'elle allait relater toute leur bataille à son neveu et qu'il serait forcément influencé par ses arguments et par l'admiration naturelle qu'il portait à sa tante.

Si, comme cela paraissait vraisemblable, il hésitait encore quant à la conduite qu'il devait suivre, les conseils et les prières d'une si proche parente pourraient mettre un terme à tous ses doutes et le décider aussitôt à jouir du bonheur d'une dignité intacte. En ce cas, il ne reviendrait plus. Lady Catherine le rencontrerait peut-être à Londres et, à la vue de sa tante récemment ensanglantée, il éprouverait toutes sortes d'émotions, notamment de la haine pour celle qui était responsable de ces blessures.

En découvrant l'identité de leur visiteuse, les autres membres de la famille avaient été fort surpris mais ils en tirèrent des hypothèses semblables à celles qui avaient apaisé la curiosité de Mrs Bennet, et n'infligèrent donc pas à Elizabeth trop de taquineries à ce sujet.

Le lendemain matin, alors qu'elle descendait, elle croisa son père qui sortait de sa bibliothèque, une lettre à la main.

— Lizzy, dit-il, je m'en allais te chercher, viens donc.

Elle entra dans la pièce, d'autant plus intriguée qu'elle supposait un lien entre ce qu'il voulait lui confier et cette lettre qu'il avait à la main. Elle fut tout à coup frappée en pensant que Lady Catherine pouvait lui avoir écrit et elle s'attendait, consternée, à l'explication qui allait en résulter.

Elle suivit son père jusqu'à la cheminée et ils s'assirent tous deux. Il prit alors la parole :

— J'ai reçu ce matin une lettre qui me stupéfie littéralement. Comme elle te concerne surtout, il est bon que tu en connaisses le contenu. J'ignorais jusqu'ici que j'avais deux filles sur le point de se marier. Permets-moi de te féliciter pour une conquête de cette envergure.

Les joues d'Elizabeth s'empourprèrent car elle fut aussitôt certaine que la lettre émanait du neveu et non de la tante. Devait-elle se réjouir qu'il eût choisi de s'expliquer, ou s'offenser qu'il ne lui eût pas écrit à elle ? Son père poursuivit :

— Tu sembles embarrassée. Les demoiselles sont pleines de sagacité sur ces questions, mais je pense pouvoir mettre même ton intuition au défi de découvrir le nom de ton admirateur. Ce courrier provient du colonel Fitzwilliam, individu dont je n'avais jamais entendu parler avant de recevoir cette lettre.

— Du colonel Fitzwilliam ! Et que peut-il avoir à dire ?

— Des choses très pertinentes, bien sûr. Il commence par me féliciter pour les noces prochaines de Jane, dont il a été informé par un monsieur bien intentionné. Je n'abuserai pas de ton impatience en lisant ce qu'il écrit à ce sujet. Voici ce qui te concerne :

Après vous avoir présenté mes sincères félicitations pour cet heureux événement, je voudrais ajouter un bref avertissement en rapport avec une autre circonstance dont j'ai été instruit par la même source. On suppose que votre fille Elizabeth ne portera pas longtemps le nom de Bennet après que sa sœur aînée y aura renoncé, et l'on a de bonnes raisons de penser que l'heureux élu est l'un des plus illustres personnages de ce pays.

» Peux-tu deviner à qui il fait allusion, Lizzy ?

Ce jeune gentleman jouit au plus haut point de tout ce qu'un mortel peut désirer : propriété splendide, haute naissance et influence considérable. Pourtant, malgré toutes ces tentations, permettez-moi de vous signaler à quels maux vous vous exposeriez en acceptant de manière précipitée les propositions de ce monsieur, comme vous y serez immédiatement enclin, bien entendu.

» As-tu la moindre idée de l'identité de ce gentleman, Lizzy ? Mais tout s'explique ensuite :

Voici la raison pour laquelle je vous mets en garde. Nous soupçonnons que sa tante et la mienne, Lady Catherine de Bourgh, ne voit pas ce mariage d'un bon œil.

» Il s'agit donc de Mr Darcy ! Maintenant, Lizzy, je crois avoir réussi à t'étonner. Dans tout le cercle de nos connaissances, aurait-il pu avancer le nom d'un homme qui contredît plus radicalement tout ce qu'il prétend ? Mr Darcy, qui ne regarde jamais les femmes que pour leur trouver des défauts, et qui ne t'a sans doute jamais regardée de sa vie ! Rends-toi compte !

Elizabeth tenta d'en rire avec son père, mais ne put se contraindre qu'à sourire bien à contrecœur. Jamais Mr Bennet n'avait fait briller son esprit de façon moins agréable pour sa fille.

— N'es-tu pas étonnée ?

— Oh, si ! Continuez votre lecture, je vous en prie.

Dès que j'ai évoqué devant elle la possibilité de ce mariage, hier soir, Lady Catherine a exprimé ce qu'elle en pensait, et il est devenu évident que, en raison de certaines objections familiales touchant votre fille, elle ne donnerait jamais son consentement à une union qu'elle qualifiait de si infamante. J'ai cru de mon devoir de vous en avertir au plus vite, afin qu'Elizabeth et son noble admirateur pussent réfléchir à ce qu'ils comptent faire et ne pas s'engager de façon hâtive dans un mariage qui n'est pas dûment approuvé.

— Le reste de sa lettre ne parle que de sa tristesse lorsqu'il a appris la décapitation de Charlotte et le suicide de Mr Collins. Mais, Lizzy, cela n'a pas l'air de te mettre en joie. J'espère que tu ne t'imagines pas offensée par cette rumeur oiseuse.

— Oh, s'écria Elizabeth, je m'en amuse infiniment ! Mais c'est si étrange.

— Oui, c'est bien ce qui rend la chose amusante. S'ils avaient choisi n'importe quel autre homme, cela n'aurait été rien, mais la parfaite indifférence de Darcy et ton antipathie prononcée rendent cette histoire délicieusement absurde ! Dis-moi, Lizzy, qu'en pense Lady Catherine ? Est-elle venue te refuser son consentement ?

À cette question, sa fille ne répondit que par un éclat de rire, puisqu'elle avait été posée sans le moindre soupçon. Jamais Elizabeth n'avait eu plus de mal à feindre des sentiments contraires à ceux qu'elle éprouvait. Il lui fallait rire alors qu'elle aurait préféré pleurer. Son père l'avait très cruellement humiliée en mentionnant l'indifférence de Mr Darcy, et elle ne pouvait que s'émerveiller d'un tel manque de perspicacité. À moins que, peut-être, ce ne fût pas lui qui avait la vue trop courte, mais elle qui avait l'imagination trop vive.

Chapitre 58

À LA GRANDE SURPRISE d'Elizabeth, Mr Bingley revint à Longbourn avec Darcy peu de jours après la visite de Lady Catherine. Ces messieurs arrivèrent de bonne heure ; Elizabeth craignait que sa mère ne leur racontât qu'elles avaient vu sa tante, mais Bingley ne lui en donna pas le temps car, désireux d'être seul avec Jane, il proposa qu'ils allassent tous se promener. Mrs Bennet n'avait pas l'habitude de marcher, Mary n'en avait jamais le temps, mais les cinq autres partirent ensemble. Bingley et Jane autorisèrent bientôt les autres à les distancer. Ils s'attardèrent, laissant Elizabeth, Kitty et Darcy converser entre eux. Aucun des trois ne se montra très bavard ; Kitty avait trop peur de lui pour parler, Elizabeth formait en secret une résolution désespérée et peut-être Darcy en faisait-il autant.

Ils se dirigèrent vers Lucas Lodge, car Kitty souhaitait rendre visite à Maria. Comme Elizabeth n'avait aucune raison de se joindre à elle, elle n'hésita pas à poursuivre son chemin seule avec Darcy lorsque Kitty les laissa. Le moment était venu de mettre sa résolution en œuvre et, tant qu'elle avait encore du courage, elle dit aussitôt :

— Mr Darcy, je suis un être fort égoïste et je tiens à soulager mon cœur, quand bien même je pourrais blesser vos sentiments. Je ne saurais plus longtemps me retenir de vous remercier pour la bonté sans exemple dont vous avez fait preuve envers ma pauvre sœur. Depuis que j'en ai été informée, je n'attends que de vous dire combien je vous en suis reconnaissante. Si le reste de ma famille l'apprenait, je serais en mesure de vous témoigner bien plus que ma propre gratitude.

— Je suis désolé, infiniment désolé, protesta Darcy, l'air surpris et ému, que vous ayez été instruite d'une action qui, mal présentée, a pu vous causer de la peine. Je croyais Mrs Gardiner beaucoup plus digne de confiance.

— N'en accusez pas ma tante. Par sa désinvolture, Lydia fut la première à me révéler que vous aviez joué un rôle dans cette affaire. Bien entendu, je n'ai eu de cesse que d'en apprendre tous les détails. Laissez-moi vous remercier encore et encore, au nom de toute ma famille, pour la généreuse compassion qui vous a poussé à vous donner tant de mal. Je propose de m'agenouiller devant vous séance tenante et de m'administrer les sept balafres, afin de vous rendre honneur en vous permettant de marcher dans mon sang.

— Si vous tenez à me remercier, que ce soit en votre nom. Je ne tenterai pas de nier que le désir de vous rendre heureuse ait renforcé tous les autres motifs que j'avais d'agir. Mais votre famille ne me doit rien. Malgré tout mon respect pour elle, je crois n'avoir pensé qu'à vous.

Elizabeth était bien trop gênée pour répondre. Après une courte pause, son compagnon ajouta :

— Vous êtes trop généreuse pour badiner avec moi. Si vos sentiments sont encore tels qu'ils étaient en avril dernier, dites-le-moi tout de suite. Mon affection et mes désirs n'ont pas changé, mais un seul mot de vous m'imposera à tout jamais le silence à ce sujet.

Elizabeth se força alors à parler, et elle lui fit comprendre aussitôt, mais de façon un peu hachée, que ses sentiments avaient subi une transformation si considérable, depuis l'époque à laquelle il avait fait allusion, qu'elle recevait maintenant avec plaisir et gratitude les assurances qu'il venait de lui donner. Par cette réponse, elle suscita un bonheur tel qu'il n'en avait probablement jamais éprouvé auparavant, et il s'exprima avec autant de chaleur et de raison qu'on peut en supposer capable, en pareil moment, un homme violemment épris. Si Elizabeth avait pu croiser son regard, elle aurait vu combien le ravissement sincère embellissait son visage ; elle n'osait pas le regarder, mais elle l'entendait, et il lui décrivit ses sentiments qui, en prouvant à quel point elle comptait pour lui, rendaient son affection à chaque instant plus précieuse.

Ils continuèrent à marcher, sans trop savoir dans quelle direction. Ils avaient trop à penser, à ressentir et à dire pour prêter de l'attention à autre chose. Elle apprit bientôt qu'ils devaient leur bonne entente aux efforts de sa tante : Lady Catherine était bel et bien allée le voir à Londres, lui avait relaté son voyage à Longbourn et en avait expliqué la raison, et lui avait résumé son duel avec Elizabeth, en soulignant que celle-ci n'avait pas su la tuer lorsque l'occasion s'en était présentée, croyant qu'une telle faiblesse chez sa belle ferait fuir Darcy à tout jamais. Malheureusement pour Sa Seigneurie, l'effet produit avait été exactement inverse.

— Cela m'a donné de l'espoir, dit-il, plus que je ne m'étais jusque-là permis d'espérer. Je connaissais assez votre caractère pour être sûr que, si vous aviez absolument et irrévocablement pris parti contre moi, vous auriez décapité Lady Catherine sans une seconde d'hésitation.

Elizabeth rougit et répondit en riant :

— Oui, vous connaissez assez mon tempérament pour me croire capable de cela. Après vous avoir horriblement insulté en face, je n'aurais eu aucun scrupule à décapiter vos divers parents.

— Qu'aviez-vous dit de moi qui ne fût pas mérité ? Même si vos accusations étaient infondées et reposaient sur des hypothèses erronées, mon attitude envers vous avait mérité la plus sévère réprimande. Elle était impardonnable. Je ne peux y repenser sans répugnance.

— Nous ne nous querellerons pas pour déterminer qui de nous deux fut le plus à blâmer ce jour-là, dit Elizabeth. À y bien regarder, ni votre conduite ni la mienne n'était irréprochable mais, depuis lors, nous avons tous deux accompli de grands progrès en matière de politesse, je l'espère.

— Je ne peux aussi aisément me pardonner. Le souvenir de ce que j'ai dit, de mon comportement, de mes manières, de mes expressions pendant cet entretien me cause une douleur indicible, et cela depuis plusieurs mois. Je n'oublierai jamais votre reproche, tellement à propos : « si vous vous étiez davantage comporté en gentleman ». Ce furent vos propres mots. Vous ne savez pas, vous ne pouvez concevoir à quel point ils m'ont tourmenté, même s'il me fallut du temps, je l'avoue, avant d'être assez raisonnable pour leur rendre justice.

— J'étais certainement très loin de m'attendre à produire une si forte impression. Je n'avais pas la moindre idée que vous les ressentiriez ainsi.

Darcy lui parla de sa lettre.

— Vous a-t-elle donné meilleure opinion de moi ?

Elle expliqua quel effet ce message avait eu sur elle et comment tous ses préjugés avaient peu à peu été dissipés.

— Je savais, dit-il, que ma lettre allait vous causer de la peine, mais c'était nécessaire. J'espère que vous l'avez détruite. Il y a un passage en particulier, le début, dont je craindrais que vous pussiez le relire un jour. Je me rappelle certaines expressions qui vous feraient me haïr à juste titre.

— N'y pensez plus. Les sentiments de celui qui l'écrivit et les sentiments de celle qui la reçut sont désormais si entièrement transformés qu'il faut oublier toutes ces circonstances désagréables. Vous devez apprendre un peu de ma philosophie. Ne songez au passé que si son évocation vous procure du plaisir.

— Je ne suis pas comme vous. Je suis harcelé de souvenirs pénibles que je ne peux ni ne dois chasser. J'ai toujours été égoïste, non en théorie, mais en pratique. Dans mon enfance, on m'a appris la justice, mais l'on ne m'a pas appris à corriger mon caractère. Hélas fils unique (et enfant unique pendant de nombreuses années), j'ai été gâté par mes parents qui, malgré leur bonté (mon père, en particulier, n'était que bienveillance et amabilité), m'ont permis, m'ont encouragé, m'ont presque enseigné à être égoïste et tyrannique, à ne me soucier de rien d'autre que la défense de mon domaine, et à tenir le reste du monde en piètre estime. Je suis resté ainsi de huit ans jusqu'à vingt-huit ans, et je le serais peut-être encore sans vous, très chère, très charmante Elizabeth ! Que ne vous dois-je pas ? Vous m'avez donné une leçon, bien difficile au départ, mais riche d'enseignements. Par vous, j'ai été dûment humilié. Je suis venu à vous sans douter un instant de l'accueil que je recevrais. Vous m'avez montré que, malgré toutes mes prétentions, j'étais incapable de plaire à une femme digne qu'on lui plût.

Après avoir parcouru plusieurs miles sans se presser, et trop occupés pour s'en rendre compte, ils finirent par s'apercevoir, en examinant la position exacte du soleil, qu'il était temps de rentrer.

— Qu'ont bien pu devenir Mr Bingley et Jane ?

Et ils en vinrent ainsi à évoquer cet autre couple. Darcy était enchanté de leurs fiançailles ; son ami l'en avait informé parmi les tout premiers.

— J'aimerais savoir si vous avez été surpris, demanda Elizabeth.

— Pas du tout. En partant, je savais que cela allait bientôt se produire.

— Autrement dit, vous aviez donné votre permission. Je m'en doutais.

Même s'il contestait le terme, elle comprit qu'elle avait deviné juste.

— La veille de mon retour à Londres, je lui ai fait un aveu auquel j'aurais dû procéder il y a bien longtemps. Je lui ai raconté tout ce qui avait rendu absurde et déplacée mon intervention dans ses affaires. Il en fut fort étonné. Il n'avait jamais eu le moindre soupçon. Je lui ai dit que je croyais m'être trompé en supposant que votre sœur ne s'intéressait pas à lui, et comme je voyais bien qu'il avait conservé la même inclination pour elle, j'avais désormais la certitude qu'ils seraient heureux ensemble.

Elizabeth ne put s'empêcher de sourire à l'évocation de la façon dont il gouvernait son ami.

— Vous fondiez-vous sur vos propres observations, s'enquit-elle, lorsque vous lui avez dit que ma sœur l'aimait, ou simplement sur ce que je vous ai appris au printemps dernier ?

— Sur mes observations. Je les avais examinés durant les deux visites que j'avais rendues ici, et j'étais convaincu de l'affection de votre sœur.

— Et je suppose que vos assurances l'ont immédiatement persuadé.

— Oui. Bingley est authentiquement modeste. Dans un cas aussi délicat, sa timidité l'avait empêché de se fier à son propre jugement, mais comme le mien lui sert de guide, tout s'est arrangé. J'ai été obligé de confesser un détail qui l'a irrité pendant un moment, et à juste titre. Je n'ai pu dissimuler que votre sœur avait passé trois mois à Londres l'hiver dernier, que je l'avais su et que je le lui avais délibérément tu. Il était furieux. Mais je suis sûr que sa colère s'est évanouie dès qu'il n'a plus douté des sentiments de votre sœur. Il m'a entièrement pardonné.

Alors qu'ils repartaient vers la maison, Elizabeth et Darcy virent dans un potager, à dix yards de la route, un troupeau d'innommables. Ils étaient une petite douzaine, qui rampaient à quatre pattes, mordant dans des têtes de choux-fleurs qu'ils prenaient pour des cervelles. Délaissant ce spectacle fort divertissant, Elizabeth et Darcy passèrent d'abord leur chemin car les zombies ne les avaient pas aperçus. Pourtant, ils échangèrent bientôt un regard et un sourire, car ils avaient compris qu'ils tenaient là leur première occasion de combattre côte à côte.

Et ils en profitèrent.

Chapitre 59

— MA CHÈRE LIZZY, où étais-tu partie ?

Telle est la question qui fut posée à Elizabeth par Jane dès qu'elle la rejoignit, et par tous les autres lorsqu'ils s'attablèrent. Elle n'avait qu'une réponse à faire : elle avait cheminé avec Darcy jusqu'en un terrain inconnu d'elle-même. Elle rougit en parlant mais ni ce signe, ni quoi que ce fût d'autre ne put leur faire deviner la vérité.

La soirée se passa dans le calme. Les fiancés reconnus bavardèrent et rirent, les fiancés non reconnus gardèrent le silence. Par caractère, Darcy n'éprouvait pas le besoin de traduire son bonheur en allégresse ; Elizabeth, agitée et confuse, songeait déjà à la réaction de sa famille quand sa situation ne serait plus un secret.

Cette nuit-là, elle ouvrit son cœur à Jane. Alors que son aînée n'était pas de nature méfiante, elle fut absolument incrédule.

— Tu plaisantes, Lizzy. Ce n'est pas possible ! Fiancée à Mr Darcy ! Non, non, tu ne pourras pas me berner. Je sais que c'est impossible.

— Voilà qui commence bien mal ! Je comptais sur toi seule, et si tu ne me crois pas, je suis sûre que personne d'autre ne me croira. Pourtant, je t'assure, je suis sérieuse. Je ne dis que la vérité. Il m'aime encore, et nous sommes fiancés.

Jane la regarda d'un air dubitatif.

— Oh, Lizzy ! Cela ne se peut. Je sais combien il te déplaît.

— Tu ne sais rien de tel. Il faut oublier tout cela. Peut-être ne l'ai-je pas toujours aimé autant qu'à présent, mais dans ce genre de cas, il est impardonnable d'avoir bonne mémoire. C'est la dernière fois que je m'en souviendrai moi-même.

Jane n'en semblait pas moins abasourdie. Elizabeth lui affirma, plus sérieusement, qu'elle disait la vérité.

— Mon Dieu ! s'écria Jane. Est-ce vraiment possible ? Enfin, il faut que je te croie. Ma chère, chère Lizzy, je voudrais… je te félicite… mais es-tu sûre… pardonne-moi cette question, es-tu bien sûre de pouvoir être heureuse avec lui ?

— Le doute n'est plus permis. Nous avons déjà décidé que nous serions le couple le plus heureux qui soit. Mais es-tu contente, Jane ? Aimeras-tu l'avoir pour beau-frère ?

— Oui, beaucoup. Rien ne pourrait nous donner plus de plaisir, à Bingley ou à moi. Pourtant, quand nous en parlions, cela nous paraissait impossible. Et l'aimes-tu vraiment assez ? Oh, Lizzy ! Surtout, ne te marie pas sans amour. Es-tu bien certaine de ressentir ce qu'il faut ?

— Ah oui ! Quand je t'aurai tout raconté, tu trouveras même que j'en ressens plus qu'il ne faut.

— Que veux-tu dire ?

— Eh bien, je dois avouer que je l'aime davantage que nos parties de Caveau et Cercueil. Tu vas te mettre en colère.

— Ma très chère sœur, sois donc un peu sérieuse. Je veux te parler très sérieusement. Apprends-moi sans retard tout ce que je dois savoir. Me diras-tu depuis combien de temps tu l'aimes ?

— C'est venu si progressivement que je ne sais trop quand tout a commencé. Mais je crois que cela date du jour où j'ai vu son tableau de chasse à Pemberley.

Jane la pria une fois de plus d'être sérieuse, cette fois avec succès, et Elizabeth put la satisfaire en l'assurant solennellement de son attachement pour Darcy. Une fois fixée sur ce point, Miss Bennet n'avait plus rien à désirer.

— Maintenant je suis tout à fait heureuse, dit-elle, car tu seras aussi heureuse que moi. J'ai toujours eu bonne opinion de lui. Ne serait-ce qu'à cause de son amour pour toi, je pense l'avoir toujours estimé, mais à présent, puisqu'il est l'ami de Bingley et ton mari, Bingley et toi êtes les deux seules personnes qui me soient plus chères que lui. Cependant, Lizzy, tu t'es montrée très cachottière, très réservée avec moi. Tu m'as caché l'essentiel de ce qui s'était passé à Pemberley et à Lambton !

Elizabeth lui confia les raisons de sa discrétion. Désormais, elle ne pouvait plus cacher à sa sœur le rôle de Darcy dans le mariage de Lydia. Tout fut expliqué, et leur conversation occupa la moitié de la nuit.

— Bonté divine ! s'exclama Mrs Bennet le lendemain matin, alors qu'elle se tenait à une fenêtre. N'est-ce pas ce désagréable Mr Darcy qui s'en revient ici avec notre cher Bingley ! Pourquoi nous importune-t-il ainsi par ses visites continuelles ? Je pensais qu'il s'en irait chasser, ou je ne sais quoi, au lieu de nous imposer sa présence. Qu'allons-nous faire de lui ? Lizzy, tu devras à nouveau te promener avec lui, pour qu'il ne gêne pas Bingley.

Elizabeth ne put s'empêcher de rire en entendant une suggestion aussi commode, mais elle était réellement bien fâchée que sa mère gratifiât toujours Darcy de cette épithète peu flatteuse.

Dès qu'ils entrèrent, Bingley lui lança un regard si expressif et lui serra la main avec tant de chaleur qu'il était de toute évidence bien informé. Peu après, il demanda à haute voix :

— Mrs Bennet, n'avez-vous pas dans les environs d'autres sentiers où Lizzy pourrait s'égarer encore aujourd'hui ?

— Je conseille à Mr Darcy, à Lizzy et à Kitty d'aller ce matin jusqu'au bûcher d'Oakham Mount. C'est une belle et longue promenade.

— C'est bien joli pour les autres, répondit Mr Bingley, mais je suis sûr que ce spectacle serait insupportable pour Kitty. N'est-ce pas, Kitty ?

Kitty concéda qu'elle préférait ne pas sortir. Darcy se déclara très curieux d'admirer les flammes du mont, et Elizabeth acquiesça en silence. Tandis qu'elle montait se préparer, Mrs Bennet la suivit :

— Je suis vraiment désolée, Lizzy, que tu sois forcée de supporter seule cet homme désagréable, mais j'espère que tu te feras une raison. C'est uniquement pour Jane, tu sais, et tu n'as pas besoin de lui parler, sauf de temps en temps. Ne te mets donc pas en peine.

Pendant cette promenade, il fut décidé de demander dans la soirée le consentement de Mr Bennet. Elizabeth se réservait la tâche de solliciter celui de sa mère. Elle ignorait comment la nouvelle serait accueillie par elle : peut-être toute la fortune et toute la noblesse de Darcy ne suffiraient-elles pas à surmonter la répugnance qu'il inspirait à Mrs Bennet.

Ce soir-là, peu après que Mr Bennet se fut retiré dans la bibliothèque, Elizabeth vit Mr Darcy se lever et le suivre, et elle en ressentit le plus vif émoi. Elle ne redoutait pas que son père s'opposât à leur union, mais qu'il s'en affligeât. C'était elle, sa meilleure guerrière, qui l'attristerait par son choix ; à cause d'elle, il serait plein de craintes et de regrets à l'heure de la marier. Cette idée la chagrinait et elle resta bien désemparée jusqu'au retour de Mr Darcy. En le voyant, elle fut un peu soulagée par son sourire. Au bout de quelques minutes, il s'approcha de la table où elle était assise avec Kitty ; tout en feignant d'admirer son ouvrage, il murmura :

— Allez voir votre père, il vous attend dans la bibliothèque.

Elle partit aussitôt.

Son père arpentait la pièce, l'air grave et inquiet.

— Lizzy, que vas-tu faire ? As-tu perdu la raison, d'épouser cet homme ? Ne l'as-tu pas toujours détesté ?

Comme elle regretta alors de ne pas avoir été plus raisonnable dans ses opinions, plus modérée dans leur expression ! Cela lui aurait épargné des explications et des déclarations fort embarrassantes, mais à présent nécessaires. Non sans un certain trouble, elle l'assura de son attachement pour Mr Darcy.

— Il est riche, certes, et tu auras de plus beaux habits et de plus belles voitures que Jane. Mais cela te rendra-t-il heureuse ?

— Vous me croyez indifférente et je vais y perdre mon sabre, mais avez-vous d'autres objections ? demanda Elizabeth.

— Aucune. Nous savons tous que c'est un homme déplaisant et orgueilleux. Ton départ sera une perte pour Longbourn, et même pour tout le Hertfordshire, mais cela ne serait rien s'il te plaisait vraiment.

— Il me plaît, je vous le garantis, répondit-elle, les larmes aux yeux. Je l'aime. Il n'a aucun orgueil déplacé. Il est parfaitement aimable. Vous ne le connaissez pas vraiment. Je vous en prie, ne me faites pas souffrir en parlant de lui dans ces termes.

— Lizzy, dit son père, je lui ai donné mon consentement. À ce genre d'homme, je n'oserais jamais rien refuser de ce qu'il daigne demander. Je te donne maintenant mon accord, si tu es résolue à l'épouser. Mais permets-moi un conseil : reviens sur ta décision. Je connais ton caractère, Lizzy. Je sais que tu ne seras ni heureuse, ni respectable, si tu n'estimes pas sincèrement ton mari, si tu ne le considères pas comme supérieur. Ton extraordinaire maîtrise des arts meurtriers te fait courir le risque de conclure un mariage inégal. Tu ne pourrais guère échapper au discrédit et au malheur. Mon enfant, ne m'afflige pas en te révélant incapable de respecter le compagnon de tes jours.

Encore plus affectée, Elizabeth répondit d'un ton sérieux et solennel. Elle répéta qu'il était réellement l'objet de son choix, elle expliqua qu'elle avait peu à peu changé d'opinion à son égard, elle se déclara absolument certaine que l'amour de Mr Darcy pour elle n'était pas né en un jour mais avait résisté à l'épreuve de plusieurs mois d'attente, elle énuméra avec vigueur toutes ses qualités, et finit par triompher de l'incrédulité de son père et par lui faire accepter cette union.

— Eh bien, ma chère, dit-il lorsqu'elle cessa de parler, je n'ai plus rien à ajouter. S'il en est ainsi, il te mérite. Jamais je n'aurais accepté de te céder, ma Lizzy, à un homme moins valeureux.

Pour parachever cette impression favorable, elle lui conta alors ce que Mr Darcy avait volontairement accompli pour Lydia. Il l'écouta, stupéfait.

— C'est vraiment la soirée des prodiges ! Ainsi, Darcy a tout fait : il a donné l'argent, il a payé les dettes de cet individu et il l'a estropié ! Tant mieux. Cela m'évitera quantité d'ennuis et d'économies. Si c'eût été l'œuvre de ton oncle, j'aurais dû le rembourser, mais les jeunes amants impétueux n'en font qu'à leur tête. Je lui proposerai demain de le payer, il tempêtera et protestera de son amour pour toi, et il n'en sera plus jamais question.

Il se rappela alors la gêne qu'elle avait éprouvée, quelques jours auparavant, à la lecture de la lettre du colonel Fitzwilliam ; après s'être un moment moqué d'elle, il la laissa enfin partir, en disant, alors qu'elle quittait la pièce :

— Si des jeunes gens viennent demander la main de Mary ou de Kitty, envoie-les-moi, j'ai tout mon temps.

L'esprit d'Elizabeth était maintenant soulagé d'un lourd fardeau ; après une demi-heure de méditation dans sa chambre, elle put rejoindre les autres avec une relative sérénité. L'événement était encore trop récent pour qu'on le célébrât, mais la soirée se passa tranquillement ; plus aucune menace réelle ne planait à l'horizon, l'aisance et la familiarité viendraient en temps utile.

Quand sa mère monta dans son boudoir, Elizabeth la suivit et lui annonça la grande nouvelle. L'effet en fut tout à fait extraordinaire : en l'apprenant, Mrs Bennet resta immobile, incapable d'émettre une syllabe. Il s'écoula de longues minutes avant qu'elle comprît ce qu'elle avait entendu. Elle finit par se ressaisir, s'agita sur sa chaise, se leva, se rassit, s'émerveilla et rendit grâce.

— Dieu du Ciel ! Le Seigneur me protège ! Quelle idée ! Mon Dieu ! Mr Darcy ! Qui l'aurait cru ! Est-ce bien vrai ? Oh, ma chère petite Lizzy ! Comme tu vas être riche et superbe ! L'argent de poche, les bijoux et les voitures que tu auras ! Jane n'aura rien, en comparaison, rien du tout. Je suis si contente, si heureuse. Un homme si charmant ! Si beau ! Si grand ! Oh, ma chère Lizzy ! Pardonne-moi de l'avoir si peu aimé auparavant. J'espère qu'il ne m'en tiendra pas rigueur. Chère, chère Lizzy. Une maison à Londres ! Tout ce qu'il y a de plus charmant ! Trois filles mariées ! Dix mille livres de rente, et sans doute plus ! Cela vaut bien un lord ! Et une dispense spéciale. Il faudra vous marier, vous serez mariés par dispense spéciale. Mais, ma chérie, dis-moi quel plat Mr Darcy aime particulièrement, que je le commande pour demain.

Cela augurait mal de la conduite qu'adopterait sa mère envers ce monsieur. Elizabeth se dit alors que, bien qu'elle fût sûre de l'amour passionné de Darcy, et du consentement de ses parents, il lui restait encore beaucoup à désirer : la paix en Angleterre, l'approbation de la famille de Mr Darcy, et une mère avec qui elle eût quelque chose en commun. Pourtant, la journée du lendemain se déroula mieux que prévu ; par bonheur, Mrs Bennet était si intimidée par son futur gendre qu'elle n'osa pas lui parler, sauf pour lui proposer de reprendre du thé ou pour essuyer les miettes de son pantalon.

Elizabeth eut la satisfaction de voir son père se donner du mal pour faire la connaissance de Darcy, et Mr Bennet lui déclara bientôt que d'heure en heure il s'élevait dans son estime.

— J'admire fort mes trois gendres, même si Wickham est peut-être mon préféré, précisa-t-il avec un sourire narquois, car c'est le moins remuant.

Chapitre 60

ELIZABETH retrouva bientôt son entrain, et elle voulut que Mr Darcy lui contât comment il s'était épris d'elle.

— Qu'est-ce qui a provoqué cela ? Je comprends à merveille que vous ayez continué une fois le premier pas accompli, mais qu'est-ce qui vous a conduit à le faire ?

— Je ne saurais fixer l'heure, le lieu, le regard ou les mots qui en ont jeté les fondements. C'était il y a trop longtemps. J'étais déjà au beau milieu du chemin quand je me suis rendu compte que je l'avais emprunté.

— Ce ne fut ni grâce à ma beauté, ni grâce à ma vaillance de tueuse, car l'une comme l'autre sont égales aux vôtres. Quant à mes manières, j'avais toujours envers vous une attitude presque impolie, et jamais je ne vous parlais que pour vous torturer. Voyons, soyez franc : m'admiriez-vous pour mon impertinence ?

— Je vous admirais pour la vivacité de votre esprit.

— Dites plutôt mon impertinence, ce n'était pas autre chose. Le fait est que vous étiez écœuré par la politesse, la déférence, les attentions empressées. Vous étiez las de ces femmes dont les propos, l'apparence et les idées ne visaient qu'à obtenir votre approbation. Je vous ai tiré de votre torpeur et je vous ai intéressé parce que j'étais très différente d'elles. Je connaissais la joie de fouler aux pieds le corps des adversaires vaincus, de me barbouiller le visage et les bras avec leur sang encore chaud, et de hurler vers le Ciel pour implorer, non, pour défier Dieu de m'envoyer d'autres ennemis à tuer. Les demoiselles qui vous assiégeaient si assidûment ignoraient tout de ces joies, et ne pouvaient donc vous offrir le vrai bonheur. Voilà, je vous ai épargné la peine de vous expliquer et, vraiment, tout bien réfléchi, je commence à trouver cela parfaitement raisonnable. Certes, vous ne saviez rien de bon à mon sujet, mais on ne se préoccupe pas de cela quand on tombe amoureux.

— N'y avait-il rien d'estimable dans l'affection que vous témoigniez à Jane lorsqu'elle était malade à Netherfield ?

— Très chère Jane ! Qui aurait pu faire moins pour elle ? Mais je vous en prie, voyez-y une vertu. Mes bonnes qualités sont sous votre protection et vous devez les exagérer autant que possible ; en retour, il m'appartient de trouver des occasions de vous taquiner et de me quereller avec vous aussi souvent que je le pourrai. Je commencerai tout de suite en vous demandant pourquoi vous vous êtes montré si réticent à en arriver enfin au but. Pourquoi m'avez-vous ainsi évitée, lors de votre première visite, et ensuite quand vous avez dîné ici ? Surtout, quand vous veniez, pourquoi donniez-vous l'impression que je ne vous intéressais pas du tout ?

— Parce que vous étiez grave et silencieuse, et que vous ne m'encouragiez pas.

— Mais j'étais embarrassée.

— Moi aussi.

— Vous auriez pu davantage m'adresser la parole quand vous veniez dîner.

— Un homme moins épris l'aurait pu.

— Quel dommage que vous ayez une réponse sensée et que je sois assez sensée pour l'accepter ! Mais je me demande combien de temps vous auriez attendu si cela n'avait tenu qu'à vous. Je me demande quand vous auriez pris la parole, si je ne vous avais pas posé la question !

— Quand Lady Catherine a cherché à nous séparer l'un de l'autre et à séparer votre tête de votre corps, cette tentative impardonnable a permis de dissiper tous mes doutes. En refusant de l'achever, vous m'avez donné de l'espoir, et j'ai résolu alors de tout savoir.

— Lady Catherine nous a rendu un immense service, ce qui devrait la combler car elle adore se rendre utile. Mais dites-moi, pourquoi êtes-vous venu à Netherfield ? Était-ce simplement pour chevaucher jusqu'à Longbourn et vous trouver dans l'embarras ? Ou bien aviez-vous en tête un projet plus important ?

— Mon véritable objectif était de vous voir et de déterminer, dans la mesure du possible, si j'avais une chance de me faire aimer de vous. Mon but déclaré, celui que je m'étais déclaré à moi-même, était de voir si Jane était encore éprise de Bingley et, en ce cas, de confesser à mon ami ce que je lui ai avoué depuis.

— Aurez-vous un jour le courage d'annoncer à Lady Catherine ce qui l'attend ?

— Je risque de manquer de temps plutôt que de courage, Elizabeth. Mais je ne me déroberai pas, et si vous me donnez une feuille de papier, je m'en chargerai sur-le-champ.

— Et si je n'avais pas moi-même une lettre à écrire, je m'assiérais peut-être près de vous pour admirer la régularité de votre écriture, comme une autre demoiselle le fit jadis. Mais j'ai moi aussi une tante que je ne dois pas négliger plus longtemps.

Peu désireuse de reconnaître combien ses liens avec Mr Darcy avaient été surestimés, Elizabeth n'avait jamais répondu à la longue lettre de Mrs Gardiner. À présent, comme elle avait d'excellentes nouvelles à transmettre, elle constata, presque honteuse, qu'elle avait déjà privé son oncle et sa tante de trois jours de bonheur, et elle écrivit aussitôt la lettre suivante :

Je vous aurais remercié auparavant, ma chère tante, comme j'aurais dû le faire, pour votre long récit si détaillé, si aimable et si satisfaisant. Mais à dire vrai, j'étais trop contrariée pour écrire. Vous en supposiez plus qu'il n'en existait. Cependant, vous êtes maintenant libre d'en supposer autant que vous voudrez ; donnez libre cours à votre imagination, autorisez à votre fantaisie tous les caprices que le sujet permettra, et à moins de me croire déjà mariée, vous ne pourrez guère vous tromper. Je veux que vous me répondiez très vite et que vous lui tressiez plus de lauriers encore que la dernière fois. Je vous remercie mille fois de ne pas m'avoir emmenée dans la région des Lacs. Comment ai-je pu être assez sotte pour en concevoir l'envie ! Votre idée d'une carriole tirée par des innommables est délicieuse. Nous ferons chaque jour le tour du parc, en les fouettant jusqu'à ce que leurs membres se détachent. Je suis la femme la plus heureuse qui soit. Peut-être d'autres en ont-elles déjà dit autant, mais jamais à aussi juste titre. Je suis même plus heureuse que Jane : elle sourit, moi je ris. Mr Darcy vous envoie tout l'amour dont il peut me priver. Vous viendrez tous passer Noël à Pemberley.

Bien à vous, etc.

La joie qu'exprima Miss Darcy en recevant semblable nouvelle fut aussi sincère que celle de son frère en la lui communiquant. Quatre pages ne suffirent pas à contenir tout son ravissement et tout son désir d'être aimée de sa belle-sœur et formée par elle aux arts meurtriers.

Chapitre 61

Ce fut un jour bien fortuné pour les sentiments maternels de Mrs Bennet que celui où elle se débarrassa de ses deux filles les plus méritantes. On devine avec quel orgueil ravi elle put ensuite rendre visite à la nouvelle

Mrs Bingley, et parler de la nouvelle Mrs Darcy. J'aimerais pouvoir dire, par amour pour sa famille, qu'en voyant tant de ses enfants heureusement établies, elle devint une femme raisonnable, charmante et instruite jusqu'à la fin de ses jours ; pourtant, peut-être est-il bon pour son mari, qui prenait tant de plaisir à la taquiner, qu'elle fût encore occasionnellement nerveuse et immanquablement sotte.

Mr Bennet regrettait beaucoup la deuxième de ses filles ; son affection pour elle l'éloignait de chez lui plus que toute autre chose. Il adorait aller à Pemberley, surtout quand on l'y attendait le moins.

Comme il l'avait prédit, le Hertfordshire regrettait aussi ses deux plus farouches protectrices. Durant les jours et les mois qui suivirent, où il ne restait que deux des plus jeunes sœurs Bennet pour les repousser, les zombies surgirent plus nombreux que jamais, jusqu'à ce que le colonel Forster revînt avec la milice et remît le feu aux sépultures.

Jane et son époux ne résidèrent qu'un an à Netherfield. Une fois mariée, Jane ne supporta plus de vivre si près de Longbourn, car chaque attaque d'innommables lui faisait regretter son sabre. Le vœu le plus cher des sœurs de Mr Bingley fut alors exaucé ; il acheta une propriété dans un comté voisin du Derbyshire et, outre toutes leurs autres sources de bonheur, Jane et Elizabeth se trouvèrent n'habiter plus qu'à trente miles l'une de l'autre. Pour leur permettre de continuer à aiguiser leurs talents meurtriers, même si Sa Majesté ne l'exigeait plus, leurs maris leur construisirent un pavillon d'entraînement à mi-chemin de leurs domaines, et les deux sœurs s'y retrouvaient souvent dans la joie.

Kitty passait le plus clair de son temps avec ses deux aînées et en tirait le plus grand avantage. Dans une société si supérieure à celle qu'elle avait côtoyée, elle fit d'immenses progrès. Son caractère n'était pas aussi ingouvernable que celui de Lydia ; éloignée de son influence et de son exemple, elle devint, grâce à une supervision attentive, moins irritable, moins ignorante, moins insipide. Lorsqu'elle annonça qu'elle souhaitait retourner à Shaolin pour deux ou trois années, dans l'espoir de devenir aussi bonne guerrière qu'Elizabeth, Mr Darcy ne fut que trop heureux de financer ce projet.

Mary était la seule demoiselle Bennet à vivre encore à la maison, par la nécessité qu'il restât au moins une guerrière pour protéger le Hertfordshire, et parce que Mrs Bennet était incapable de vivre seule. Comme elle n'était plus mortifiée par les comparaisons entre la beauté de ses sœurs et la sienne, elle commença à fréquenter le monde et se lia d'amitié avec plusieurs soldats de la milice récemment revenue.

Quant à Wickham et Lydia, leur caractère ne fut pas bouleversé par le mariage des aînées. Ils persistaient à espérer malgré tout que Darcy se laisserait convaincre de faire la fortune de Wickham. Dans la lettre de félicitations qu'Elizabeth reçut pour son mariage, Lydia expliquait que cet espoir était caressé par elle, sinon par son mari.

> Ma chère Lizzy,
>
> Je te souhaite beaucoup de bonheur. Si tu aimes Mr Darcy autant que j'aime mon cher infirme, tu dois être très heureuse. C'est une grande consolation que tu sois si riche, et j'espère que tu penseras à nous quand tu n'auras rien d'autre à faire. Je suis certaine que Wickham aimerait beaucoup demeurer dans la région, mais je crois que nous n'aurons pas assez d'argent pour vivre sans aide. Cependant, n'en parle pas à Mr Darcy, si tu n'y tiens pas. Je dois te laisser, car mon bien-aimé s'est de nouveau oublié sous lui.
>
> Bien à toi, etc.

Par sa réponse, Elizabeth tenta de mettre un terme aux suppliques et aux demandes de ce genre. Néanmoins, elle leur envoyait souvent de l'aide, sous la forme de linge de corps et de bœuf salé. Elle l'avait toujours su : entre les mains de deux êtres aussi extravagants dans leurs besoins et aussi insouciants de l'avenir, leur revenu ne suffirait pas à les nourrir. Chaque fois que la piété de Wickham imposait l'achat d'un nouveau livre de prières pour invalides, d'un lutrin pour invalides, ou d'un autel pour invalides, c'était Jane ou Elizabeth qu'on sollicitait pour un petit prêt afin de payer les dettes.

Jamais Darcy n'aurait reçu Wickham à Pemberley mais, par amour pour Elizabeth, il autorisa Lydia à leur rendre visite de temps en temps. Mais le couple séjournait si longuement chez Jane qu'ils vinrent à bout de la bonne humeur de Bingley lui-même, et il alla jusqu'à évoquer la possibilité de leur laisser entendre qu'ils devraient partir.

Miss Bingley fut très profondément mortifiée par le mariage de Darcy, mais comme elle jugeait préférable de conserver le droit d'aller à Pemberley, elle renonça à toute animosité, demeura plus que jamais l'amie de Georgiana, fut presque aussi attentionnée envers Darcy qu'auparavant, et régla auprès d'Elizabeth toutes ses dettes de politesse.

Georgiana vivait à présent à Pemberley, et l'attachement entre Elizabeth et sa belle-sœur était exactement tel que Darcy l'avait espéré. Elles s'appréciaient autant qu'elles l'avaient prévu. Georgiana avait la plus haute estime possible pour Elizabeth, même si elle avait d'abord éprouvé une stupeur proche de l'effroi en l'entendant parler à son frère de manière si libre et si frondeuse, et si elle tressaillait en l'écoutant raconter comment elle avait arraché un cœur palpitant de la poitrine d'innombrables ennemis. Grâce aux instructions d'Elizabeth, Miss Darcy devint une guerrière plus brave qu'elle n'avait osé l'espérer car, non contente de progresser dans l'art de manier le sabre et le mousquet, elle commença aussi à comprendre qu'une femme peut s'autoriser avec son mari ce qu'un frère ne tolère pas toujours chez une sœur de plus de dix ans sa cadette.

Lady Catherine fut hautement indignée par le mariage de son neveu ; elle répondit à la lettre annonçant l'événement non par écrit, mais en envoyant une quinzaine de ses ninjas à l'assaut de Pemberley. Après l'échec de cette démarche, toute relation fut rompue pendant quelque temps. Mais à force de persuasion, Elizabeth finit par convaincre Darcy de chercher à se réconcilier ; après une certaine résistance, sa tante céda, soit par affection pour lui, soit par curiosité de voir comment sa femme se comportait. Elle condescendit à leur rendre visite à Pemberley, malgré la souillure infligée à ses bois non seulement par la présence d'une telle maîtresse, mais par les séjours de son oncle et de sa tante, avec lesquels Darcy et Elizabeth étaient toujours en excellents termes.

Comme tant d'autres auparavant, le sérum de Lady Catherine se révéla inutile, car même s'il ralentissait les effets de l'étrange épidémie, il ne put y mettre fin. L'Angleterre resta dans l'ombre de Satan. Les morts continuèrent à s'évader des caveaux et des cercueils pour aller se repaître de cervelles britanniques. Des victoires furent fêtées, des défaites déplorées. Mais celles qui avaient été les servantes de Sa Majesté, les protectrices du Hertfordshire, les détentrices des secrets de Shaolin et des fiancées de la Mort avaient rangé leur sabre, cédant la place à maint guerrier valeureux.

Composition et mise en pages

CET OUVRAGE
A ÉTÉ REPRODUIT
ET ACHEVÉ D'IMPRIMER
SUR ROTO-PAGE
PAR L'IMPRIMERIE FLOCH
À MAYENNE EN OCTOBRE 2009

N° d'édition : L.01EHBN000306.N001. N° d'impression : 74816.
Dépôt légal : octobre 2009.
Imprimé en France